JOSÉ RODRIGUES DOS SANTOS

Journaliste, reporter de guerre, présentateur vedette du journal de 20 h au Portugal, José Rodrigues dos Santos est l'un des plus grands auteurs européens de thrillers historiques, plusieurs fois primé. Quatre de ses ouvrages sont publiés en France : *La Formule de Dieu* (2012), traduit dans plus de 17 langues et en cours d'adaptation au cinéma, *L'Ultime Secret du Christ* (2013), *La Clé de Salomon* (2014) – suite de *La Formule de Dieu* – et *Codex 632* (2015). Ils ont tous paru chez HC Éditions.
José Rodrigues dos Santos vit à Lisbonne.

Retrouvez toute l'actualité de l'auteur sur :
www.joserodriguesdossantos.com

LA CLÉ
DE SALOMON

JOSÉ RODRIGUES DOS SANTOS

LA CLÉ
DE SALOMON

Traduit du portugais par Adelino Pereira
avec la participation de Cécile Gassan

HC ÉDITIONS

L'édition originale de cet ouvrage
a paru chez Gradiva en octobre 2014, sous le titre :
A CHAVE DE SALOMÃO

Pocket, une marque d'Univers Poche,
est un éditeur qui s'engage pour la préservation
de son environnement et qui utilise du papier fabriqué
à partir de bois provenant de forêts gérées
de manière responsable.

© José Rodrigues dos Santos/Gradiva Publicações, S.A., 2014
© 2014, Éditions Hervé Chopin, Paris,
pour l'édition en langue française
ISBN : 978-2-266-25429-8

*À Florbela, ma femme,
et à Catarina et Inês, mes filles.*

La voie qui peut être exprimée par la parole
n'est pas la voie éternelle.
Le nom qui peut être nommé
n'est pas le Nom éternel.
(L'être) sans nom est l'origine
du ciel et de la terre ;
avec un nom il est la mère de toutes choses.

C'est pourquoi,
lorsqu'on est constamment exempt de passions,
on voit son essence spirituelle ;
lorsqu'on a constamment des passions,
on le voit sous une forme bornée.

Ces deux choses ont une même origine
et reçoivent des noms différents.
On les appelle toutes deux profondes.
Elles sont profondes, doublement profondes.
C'est la porte de toutes les choses spirituelles.

Tao Te King, Livre Premier Chapitre premier,
Le Livre de la Voie et de la Vertu,
composé par Lao Tseu au VIᵉ siècle av. J.-C.
et traduit par Stanislas JULIEN, membre de l'Institut
et professeur au Collège de France

AVERTISSEMENT

Toutes les informations scientifiques et techniques ici présentées sont authentiques.

Toutes les théories et hypothèses ici exposées sont défendues par des scientifiques reconnus.

PROLOGUE

L'homme au regard glacial traversa le vestibule d'un pas décidé en direction du dispositif de contrôle d'accès au CERN. Il ne se souvenait pas d'avoir vu tous ces appareils de surveillance la dernière fois qu'il était venu, mais les drapeaux tricolores accrochés dans le hall lui rappelèrent que le Président français devait visiter les installations la semaine suivante.

— Foutus Français !… marmonna-t-il.

Agacé, il ignora le tapis roulant sur lequel il était censé déposer le contenu de ses poches et se dirigea directement vers le détecteur de métaux. Il s'immobilisa alors, telle une momie.

Un agent de sécurité suisse lui fit signe d'avancer. Le visiteur, apparemment marqué par le poids des ans, fit deux pas en avant et, tout en lisant « Jean-Claude Bloch » inscrit sur le badge qui pendait au cou du garde, franchit le détecteur. Le portique sonna.

Un scanner à la main, l'agent s'approcha.

— Écartez les bras, s'il vous plaît.

L'homme s'exécuta et le garde le balaya de son scanner. Au niveau des hanches, l'engin émit un son significatif. Le visiteur mit les mains dans les poches, tel un enfant qui se serait fait prendre en train de voler des bonbons.

— Ce ne sont que des clés, quelques pièces de monnaie et mon téléphone portable, murmura-t-il, rien d'extraordinaire, comme vous pouvez le constater.

Le dénommé Bloch le regarda d'un air désapprobateur et désigna le tapis roulant :

— La prochaine fois que vous viendrez ici, vous y déposerez vos objets en métal. Ça nous facilitera le travail, dit-il, une pointe d'irritation dans la voix.

L'inconnu maugréa et le garde, impassible et tout à sa tâche, reprit l'examen à l'aide du scanner. Il le passa sur les jambes, puis ordonna à l'homme d'ôter ses chaussures. Il fit glisser ensuite l'appareil le long de ses épaules et de ses bras. Lorsqu'il arriva à la poitrine, l'appareil émit un nouveau son.

— Merde ! vociféra le vieux, contrarié. J'ai oublié mon petit joujou.

Il plongea la main à l'intérieur de sa veste. Le garde écarquilla les yeux, atterré, lorsqu'il vit le visiteur sortir un revolver de sa poche. Il recula d'un bond, se figea un instant, puis dégaina son arme d'un mouvement rapide.

— Pas un geste ! cria-t-il, tenant en joue le visiteur. On ne bouge plus !

Alertés par les hurlements de leur collègue, les autres agents de sécurité sortirent leurs armes à leur tour. L'alarme commença à retentir dans le hall, provoquant une confusion totale. Certaines personnes se mirent à crier, d'autres couraient vers la sortie. En un instant, la tranquillité avait laissé place au chaos généralisé.

— Allons, messieurs, n'exagérons rien, ce n'est que mon vieux colt ! Un honnête citoyen ne peut plus se protéger dans un monde si violent ?

— Pas un geste ! insista Bloch, son Glock de service pointé vers l'intrus. Baissez-vous lentement et posez votre arme par terre. (Il fit un geste menaçant pour souligner son ordre.) Très lentement, vous avez entendu ? Au moindre mouvement suspect, je n'hésiterai pas à tirer.

— C'est bon, c'est bon ! rétorqua le visiteur, apparemment peu impressionné par toute cette agitation. Je connais la procédure, ne vous en faites pas.

Le vieux se baissa doucement et posa son colt par terre. Puis il se releva, les bras en l'air. Du bout du pied, le garde qui se trouvait près de lui écarta le pistolet puis, tranquillisé, désigna le sol avec son arme.

— Couchez-vous. Les mains derrière la nuque !

L'inconnu lança avec flegme :

— Écoutez, vous ne trouvez pas que vous en faites trop ? Ce qui s'est passé, c'est simplement un petit...

— Couchez-vous !

Le visiteur se tint un long moment debout, jaugeant de son regard glacial les gardes qui le tenaient en joue, évaluant froidement la situation. Finalement, il soupira et baissa lentement les bras. Tous attendaient qu'il se couche par terre, comme ils le lui avaient ordonné, mais le vieil homme resta debout.

— Vous n'avez pas entendu ce que j'ai dit ? insista Jean-Claude Bloch en le menaçant de son arme. Couchez-vous immédiatement !

Toujours avec des gestes lents et précis, les yeux

rivés sur les hommes qui l'entouraient, l'inconnu plongea de nouveau la main à l'intérieur de sa veste.

— On ne bouge pas ! brailla Bloch, craignant que le visiteur ne sorte une autre arme. Les mains en l'air ou je tire !

Le vieux ignora une fois de plus l'avertissement. Lentement, il glissa les doigts dans la poche intérieure de son costume, en sortit une carte et la présenta à l'agent de sécurité.

Malgré la tension, Bloch jeta un coup d'œil sur le document. Il compara la photo au visage de l'homme qui se tenait en face de lui. Les iris bleus et calculateurs étaient les mêmes, tout comme les rides au coin des yeux, le visage long et sec, le menton carré et les cheveux, blancs comme neige. Pas de doute, il s'agissait bien du visiteur.

Il examina le reste de la carte. À droite, un cercle bleu entourait la tête d'un aigle, en bas il y avait un long code-barres. Entre la photo et le cercle, des données identifiaient le détenteur du document. En haut figurait la mention *Employee 1123-x0*, au milieu, l'indication *Status : Directorate of Science and Technology, Director*, et en bas le nom et l'habilitation de sécurité de niveau cinq.

— Bellamy, se présenta le vieux au regard glacial, avec l'assurance de ceux qui étaient habitués à commander. Frank Bellamy.

L'agent de sécurité suisse regardait la carte d'identité, bouche bée.

— Vous êtes de…

— La CIA, confirma Bellamy d'un ton cassant.

16

Félicitations mon garçon, vous savez lire. Vous êtes un vrai petit génie.

Un brouhaha fébrile emplissait le centre de contrôle du CERN. Ingénieurs, informaticiens et physiciens s'y côtoyaient, les uns le regard rivé sur des écrans, les autres silencieux ou murmurant nerveusement quelques observations. La tension était palpable. Et cela n'avait là rien de surprenant. Tous préparaient une expérience d'une importance cruciale. Une expérience qui pourrait permettre de répondre à certaines des questions les plus fondamentales de l'humanité. Comment l'univers a-t-il été créé ? Combien de dimensions existe-t-il ? Y a-t-il un antiunivers ?

Les ordinateurs et les climatiseurs fonctionnaient à plein régime, générant un bourdonnement qui emplissait la salle de contrôle. Une rumeur constante, seulement interrompue par la voix sèche du directeur qui, tel un chef d'orchestre, coordonnait les opérations, et par les réponses syncopées des opérateurs auxquels il posait ses questions.

— Le booster ? s'enquit le directeur, tenant dans la main un mug de café orné du logo du CERN. Il fonctionne à pleine puissance ?

— Négatif, répondit l'opérateur. Il est encore en phase d'accélération.

— À quel niveau ?

— Énergie : 70 MeV[1], en augmentation.

— La prochaine injection se fera dans l'anneau un, segment un, deux paquets.

---

1. MeV : méga-électron-volt *(toutes les notes sont des traducteurs)*.

— Vérification.

Le directeur se tut ; 70 MeV représentaient une énergie relativement faible. Mais les microparticules venaient de sortir du Linac 2 à 50 MeV, et il fallait un certain temps pour que le booster atteigne 1,4 GeV[1], l'énergie nécessaire pour que les protons soient dirigés vers le plus vieil accélérateur de particules du CERN, le synchrotron à protons. Il avala une gorgée de café tout en contrôlant les données sur son écran.

— Paul, où en sont les aimants ? Ils sont en phase avec l'accélération des protons ?

— Affirmatif, répondit Paul, chargé de surveiller le fonctionnement des aimants de niobium et de titane. Le champ magnétique a été créé, il augmente à mesure que les protons accélèrent. Pas de problème dans ce secteur.

Le directeur ne quittait pas des yeux l'écran où les chiffres se succédaient à un rythme croissant.

— Max, l'hélium ? demanda-t-il à un troisième technicien. Il est stable ?

— Affirmatif.

Les yeux rivés sur l'écran, le directeur examina une colonne de chiffres et ce qu'il vit lui déplut. Il grommela, posa son mug de café et se tourna vers l'autre côté de la salle.

— Comment va le PS, Heinrich ? s'enquit-il, impatient de connaître l'état du synchrotron à protons. Est-il prêt ?

— Négatif, *Herr Direktor*. Il faut encore un peu de temps pour atteindre 1,4 GeV.

— Quel est le niveau actuel ?

---

1. GeV : giga-électron-volt.

— Énergie : 90 MeV, en augmentation.

— Bon sang ! protesta-t-il, conscient que le timing était essentiel au succès de l'opération. Le passage du booster à la phase suivante ne peut souffrir aucun retard. Accélère ! Je veux que le PS soit prêt lorsque les protons atteindront 1 GeV, tu entends ?

— *Jawohl, Herr Direktor.*

Frank Bellamy avait la nette impression qu'il était suivi depuis quelques minutes. Il s'arrêta et regarda en arrière, scrutant l'espace à la recherche de mouvements ou d'ombres suspectes, mais il ne décela rien d'anormal. La rumeur croissante qui montait de l'accélérateur de particules l'empêchait de distinguer un éventuel bruit suspect. Si quelqu'un le suivait, ce n'était pas comme ça qu'il allait le découvrir.

— C'est pas vrai ! pesta-t-il. Soit je deviens sénile, soit le type qui me suit est vraiment très fort…

Il tourna à l'angle du couloir désert et continua tout droit, toujours attentif aux spectres menaçants qu'il croyait sentir dans son dos. Il le savait : son intuition le trompait rarement ; s'il pensait être suivi, c'est qu'il l'était. Il avait déjà eu ce genre d'impression à Berlin-Est et à Addis-Abeba, au bon temps de la guerre froide ; là-bas, son flair ne l'avait pas trompé et il avait réussi à éliminer ses poursuivants.

Il s'efforça de reprendre ses esprits. Le lieu où il se trouvait contribuait sans doute à lui brouiller les sens et la raison. Qui sait si la force du champ créé par les puissants électro-aimants du synchrotron n'était pas à l'origine du problème ? Il savait parfaitement qu'à partir d'un certain seuil, le magnétisme pouvait interférer avec les processus cognitifs des êtres humains. Peut-être que c'était ce qui se passait en ce moment même.

Au bout du couloir se trouvait une porte commandée par un boîtier numérique sur lequel un panneau indiquait : « collisionneur de hadrons ». Bellamy savait que l'accès était réservé au personnel autorisé et qu'il était totalement interdit durant les opérations comme celle qui était en cours. Mais ce n'était pas ce genre de détail qui allait arrêter le responsable de la Direction de la science et de la technologie de la CIA, l'une des quatre directions de l'agence d'espionnage américaine.

Il composa le code d'accès qui lui avait été donné quelques jours auparavant par les responsables du CERN sur le clavier encastré dans le mur. Deux mots en anglais apparurent sur le petit écran : *Access denied*.

— Merde ! jura le responsable de la CIA, en cognant sur le mur. Merde ! Merde ! Merde !

Les mots qui clignotaient sur l'écran semblaient le narguer, mais il reprit très vite le contrôle de ses émotions. Le code qui lui avait été remis devait lui permettre d'accéder à la totalité du complexe, mais nul ne pouvait s'approcher du grand collisionneur de hadrons lorsque celui-ci fonctionnait.

Il allait devoir improviser. Il glissa la main dans le holster sous sa veste et, s'apercevant qu'il était vide, il se rappela que les gardes avaient confisqué son pistolet. Il fouilla dans la poche de son pantalon et, avec la pointe d'une de ses clés, se mit à dévisser le clavier. En cinq minutes à peine, il démonta le boîtier et accéda aux fils électriques qui l'alimentaient.

Bellamy saisit alors son portable et appuya sur une touche qui fit sortir une lame, transformant le téléphone en un ersatz de couteau suisse. L'homme de la CIA sourit. Ces portables mis au point par la CIA étaient décidément très pratiques. Il saisit les fils et les coupa avant de mettre les extrémités en contact.

— Bingo !

La porte s'ouvrit en douceur.

Avant d'aller plus loin, il scruta à nouveau le couloir derrière lui. La sensation que quelqu'un le suivait était devenue plus vive.

À mesure que les paquets de protons étaient injectés d'accélérateur en accélérateur, la tension montait dans la salle de contrôle. Le murmure des physiciens avait cessé et l'atmosphère était devenue beaucoup plus lourde. L'instant crucial était imminent.

— Heinrich, cria le directeur, quelle est la vitesse des protons ?

— Énergie : 405 GeV, en augmentation, *Herr Direktor*.

Le directeur se tourna vers l'autre côté de la salle.

— Maurice, le grand collisionneur de hadrons est-il prêt pour recevoir la charge ?

— Oui.

— Paul, où en sont les aimants ?

— Le champ magnétique augmente en phase avec l'accélération des protons, *sir*.

La force du champ créé par les super-aimants devait augmenter de manière à accélérer les protons, les contraignant ainsi à courber leur trajectoire et, par conséquent, à se maintenir à l'intérieur du grand collisionneur de hadrons. Tous ceux qui se trouvaient dans la salle étaient conscients que cette phase délicate constituait une étape critique de l'opération.

— Heinrich, alors, ça y est ?

— Presque, *Herr Direktor*.

— Lance le décompte final.

— Énergie : 415 GeV, en augmentation… Énergie : 420 GeV, en augmentation… Énergie : 425 GeV, en augmentation…

— Attention… modalité en mode paquets, préparez la rampe.

— Énergie : 430 GeV, en augmentation… Énergie : 435 GeV, en augmentation… Énergie : 440 GeV, en augmentation…

— Attention… mode paquets, rampe. Commencez le groupe de puissance un, deux, trois.

— Énergie : 445 GeV, en augmentation… Énergie stabilisée à 450 GeV.

— Injection !

Le dénommé Maurice appuya sur un bouton et les protons furent alors déviés vers les deux tubes de faisceaux du grand accélérateur de hadrons ; l'accélération finale commençait.

— Injection complète ! rugit l'ingénieur français. Énergie stabilisée au *flat top*.

— Mode paquets, ajustez, ordonna le chef de l'opération. On a vingt minutes pour arriver aux 7 TeV.

Arriver à un niveau de 7 TeV était quelque chose de tout simplement prodigieux, nul ne l'ignorait dans la salle. Le symbole TeV était formé des initiales de téra – « monstre » en grec – électrons et volts. Sept TeV, cela voulait dire qu'avec la dernière accélération les protons allaient atteindre l'énergie monstrueuse de sept billions d'électron-volts. En d'autres termes, ils s'apprêtaient à transformer l'énergie en une masse équiva-

22

lente à sept mille protons, une énergie comparable à celle que possédaient les particules subatomiques une minuscule fraction de seconde après le Big Bang, la création de l'univers. À 7 TeV, l'accélération des protons allait atteindre au moins 99,9 % de la vitesse de la lumière, tout au long d'un faisceau aussi fin qu'un cheveu, et s'étirant sur 27 km autour de l'accélérateur. Cela donnait une idée de l'accélération gigantesque obtenue dans le grand collisionneur de hadrons du CERN, la machine la plus complexe et la plus perfectionnée jamais conçue par le génie humain.

— Paul, les aimants sont-ils toujours en phase ?

— Affirmatif, *sir*. Comme prévu, ils seront au maximum dans une vingtaine de minutes.

Poussés à leur limite, les aimants supraconducteurs parvenaient à créer un champ magnétique cent soixante-dix mille fois supérieur à celui de la Terre elle-même, niveau indispensable pour obliger les protons à se maintenir à une vitesse proche de celle de la lumière dans le tube du grand collisionneur de hadrons. Si l'accélération des protons dépassait les 7 TeV, leur trajectoire ne pourrait pas être incurvée de manière à épouser l'anneau de 27 km du tunnel du CERN, et ils se disperseraient.

Le directeur de l'opération appuya sur une touche d'intercommunication.

— CMS bêta. Prêts ?

— Affirmatif, répondit par haut-parleur la responsable des opérations du solénoïde compact pour muons. Nous sommes prêts pour le début des collisions.

— ATLAS bêta, appela ensuite le directeur qui appuya sur une nouvelle touche. Prêts ?

On entendit tout d'abord un grésillement, qui s'interrompit rapidement.

— Nous… hésita la voix dans le haut-parleur, manifestement désorientée. Nous avons un… un problème.

C'est alors que des voyants rouges commencèrent à clignoter dans la salle de contrôle. Les ingénieurs et les scientifiques échangèrent des regards perplexes, sans comprendre l'origine du problème, ni sa gravité. Un incendie dans le détecteur ATLAS ? Le grand collisionneur de hadrons aurait-il éclaté sous l'effet de l'énergie gigantesque qui y circulait ? Étaient-ils en danger ?

Comme il se devait, le premier à réagir fut le directeur. Dépité, il leva le bras, et, la voix troublée par la défaite, il donna l'ordre tant redouté.

— Annulez ! cria-t-il. On arrête tout.

Le clavier ne donna signe de vie qu'une fois le champ magnétique désactivé. Jean-Claude Bloch composa le code et la porte s'ouvrit avec un bruit d'aspiration.

— On y va ? demanda son collègue de l'équipe de sécurité, plus pour se donner du courage que pour avoir une réponse.

Les deux membres du service de sécurité franchirent la porte et pénétrèrent dans le périmètre où se trouvait l'installation du grand collisionneur de hadrons. Après être entré dans le tunnel, Bloch s'arrêta un moment, redoutant les terribles forces de la nature qui s'y concentraient. Ses yeux se posèrent sur le large conduit d'acier qui occupait le centre du tunnel, à la recherche d'un signe trahissant une quelconque anomalie. Les deux hommes savaient qu'en cas de panne les plus grands dangers se situaient à l'intérieur de ce tube, tels que les faisceaux de protons, les aimants de niobium et de titane et, surtout, le système cryogénique utilisé pour maintenir les aimants à moins de deux kelvins, soit – 271 °C, une température proche du zéro absolu, nécessaire pour assurer les propriétés supraconductrices des aimants. S'il y avait une fuite et que de l'hélium liquide s'échappait des tubes, leur mort serait rapide.

Bloch alluma sa radio.

— Faucon 1 à Nid. On est entrés. À vous.

La radio grésilla.

— Nid à Faucon 1. Quelle est la situation ?

— Tout semble OK, on ne voit rien d'anormal. Que faisons-nous à présent ?

— Allez vers ATLAS, Faucon 1, c'est là que se trouve le problème. Terminé.

Le tunnel était bien éclairé, mais les deux agents de sécurité gardèrent leur lampe allumée pour inspecter le long tube au fur et à mesure qu'ils avançaient. Les ronds de lumière dansaient sur l'acier tandis que les pas des deux agents résonnaient dans le tunnel.

— Brrr, gémit Jean-Claude Bloch, c'est sinistre…

Son compagnon frissonna.

— Tu l'as dit !

Ils avancèrent ainsi pendant une dizaine de minutes, attentifs à la moindre anomalie susceptible de constituer une menace. Devant eux, le tunnel s'élargit et se transforma en une vaste caverne creusée dans la roche. L'espace était occupé par une gigantesque machine de 25 m de diamètre, composée de cylindres concentriques successifs, un véritable titan d'acier qui semblait dormir sous terre.

— ATLAS.

Ils étaient arrivés. ATLAS était l'un des plus importants détecteurs de particules du CERN, la machine où le fameux boson de Higgs, aussi appelé la « particule de Dieu », avait finalement été détecté. C'était là que les paquets de protons entraient en collision à une vitesse proche de celle de la lumière, chocs qui produisaient des myriades de microparticules, quarks, électrons, muons, gluons, neutrinos, particules Z et W, photons, et peut-être même gravitons, et permettaient d'identifier les forces et particules fondamentales de la nature.

Bloch ralluma sa radio.

— Faucon 1 à Nid, dit-il. Nous sommes arrivés à la cible. Vers où devons-nous aller ? À vous.

— Nid à Faucon 1, l'ordinateur indique que le problème se situe à proximité du détecteur externe de muons. Allez-y et vérifiez.

Les deux agents regardèrent immédiatement vers la grande roue où se trouvait le détecteur externe de muons. Il s'y passait effectivement quelque chose. Sans oser faire un pas de plus, ils dirigèrent leurs lampes vers ce point et furent saisis par la peur en découvrant le nuage de vapeur qui planait.

— L'hélium ! s'exclama Bloch. Il y a de l'hélium qui fuit d'ATLAS !

— Qu'est-ce qu'on fait ? interrogea l'autre garde, terrorisé. On demande du renfort ?

— Quel renfort ? C'est nous le renfort, idiot ! rétorqua Bloch, qui contenait mal sa nervosité. On doit y aller pour comprendre exactement où se situe la fuite.

Avec la plus grande précaution, les deux hommes s'approchèrent d'ATLAS. La machine était bel et bien gigantesque ; ils se sentaient comme des nains à côté d'elle.

Ils contournèrent la grande roue du détecteur externe de muons et fixèrent leur attention sur le nuage de vapeur qui s'échappait d'une petite section de ce monstre d'acier.

— On dirait qu'il y a quelque chose au milieu de la vapeur.

— Où ça ?

Jean-Claude Bloch dirigea sa lampe.

— Là, tu ne vois pas ?

À cette distance et avec la vapeur qui se dégageait, il leur était impossible de discerner quoi que ce soit. Ils devaient s'approcher encore. La peur au ventre, chaque pas leur coûtant autant que s'ils escaladaient un volcan, les foyers de leurs lampes torches tremblotant dans la vapeur, ils se dirigèrent vers la grande machine.

Ils s'arrêtèrent à deux mètres de distance, craignant d'être touchés par la vapeur d'hélium. Il faisait froid. Au contact de l'air, le gaz se vaporisait et remplaçait l'oxygène. S'ils s'approchaient un peu trop près, ils risquaient d'être asphyxiés. À cette distance, ils avaient atteint le seuil de sécurité. Un pas de plus et c'était la mort.

Luttant contre le froid qui le paralysait, Bloch éclaira la forme qui se détachait à travers la vapeur.

— Bon sang !

Un corps était couché, le tronc à l'extérieur de la machine, les jambes à l'intérieur, le visage violacé. De toute évidence, l'homme était mort, soit par manque d'oxygène, soit parce qu'il avait inhalé de la vapeur d'hélium, provoquant de mortelles brûlures internes. L'autopsie permettrait de déterminer la cause du décès. Le faisceau de la lampe se posa sur le visage de la victime et Jean-Claude Bloch s'écria, stupéfait :

27

— C'est le vieux, le type de la CIA !

— Qui ?

— C'est le gars qui a voulu entrer ce matin avec une arme, tu te souviens ?

— Tu en es sûr ?

— Absolument ! C'est moi qui ai eu affaire à lui. C'est le vieux de la CIA. Frank… Frank quelque chose. (Il avait le nom sur le bout de la langue.) Bellamy ! C'est ça ! Frank Bellamy. Je crois que c'est une huile de la CIA.

— Qu'est-ce que ce type est venu faire ici ?

Bloch ne se donna pas la peine de répondre. Scrutant le corps à la lumière de sa lampe, il s'aperçut que l'un des bras était tendu et qu'il serrait un morceau de papier entre ses doigts.

— Qu'est-ce que c'est que ça ? Tu vois ce morceau de papier ?

Son collègue regarda attentivement la feuille.

— Oui. Il y a quelque chose d'écrit. Tu vois ?

Les deux hommes se tournèrent pour pouvoir déchiffrer ce qui était inscrit sur la feuille.

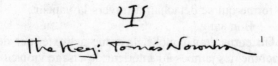

— C'est quoi, cette devinette ?

Jean-Claude Bloch détourna la lampe vers la fuite de l'hélium liquide. Le tube du système de cryogénie était

---

1. La clé : Tomás Noronha.

percé et un instrument de perforation haute température se trouvait juste à côté.

— Regarde-moi ça ! s'exclama-t-il.

— Mon Dieu ! réagit son collègue, stupéfait. La fuite… la fuite d'hélium, quelqu'un a fait ça délibérément !

Bloch reprit sa radio et appuya sur le bouton.

— Faucon 1 à Nid. On a identifié la source du problème. On a trouvé un cadavre à l'arrière du détecteur externe de muons et un instrument de perforation haute température à côté de la fuite d'hélium. Ce n'est pas un accident. Je répète, ce n'est pas un accident. J'attends les instructions. À vous.

La radio grésilla l'espace de quelques secondes.

— Nid à Faucon 1. Pouvez-vous répéter ?

— On a trouvé un corps dans ATLAS et un perforateur haute température à côté de la fuite d'hélium liquide. Le cadavre tient un papier dans la main avec un nom. Je suppose que c'est celui de son assassin.

Cette fois, le grésillement se prolongea pendant plus de dix secondes. Les responsables du central de sécurité devaient discuter de l'information qu'ils venaient de recevoir.

— Nid à Faucon 1, répondit-on enfin. Revenez immédiatement pour le debriefing. Nous voulons un rapport complet. On va envoyer les pompiers s'occuper de la fuite d'hélium et récupérer le corps. Le détecteur ATLAS et toute la caverne seront placés sous scellés jusqu'à nouvel ordre. Terminé.

Les deux agents de sécurité jetèrent un dernier coup d'œil au cadavre et se précipitèrent vers la sortie. Ils contournèrent à nouveau la grande roue du détecteur externe de muons et s'engouffrèrent dans le tunnel en direction de la porte par laquelle ils étaient entrés un peu plus tôt.

À mesure qu'ils avançaient, Bloch se remémorait l'incident survenu le matin même dans le hall du CERN et ce qu'il avait ressenti lorsqu'il avait compris que le vieux était un des chefs de la CIA.

— Qui que soit ce Tomás Noronha, murmura-t-il avec un sourire dénué d'humour, la CIA va lui tomber dessus. Ils ne lui feront pas de cadeau.

Mais ce n'était pas son problème. Il haussa les épaules et accéléra le pas. Plus vite ils seraient sortis de là, mieux ce serait pour eux.

I

Enfin, l'arrosage venait de s'arrêter et l'herbe brillait au soleil. Un porte-documents à la main, l'homme aux yeux verts traversa tranquillement la pelouse et pénétra dans le très moderne bâtiment de la fondation Calouste-Gulbenkian. Il fredonnait un air qu'il venait d'entendre à la radio. Après avoir salué le personnel de l'accueil, il se dirigea vers un bureau au fond du vestibule. Il ouvrit la porte ; la secrétaire était assise à l'ordinateur.

— Bonjour, Albertina.

La secrétaire leva les yeux de son écran pour regarder celui qui venait d'entrer.

— Professeur Noronha ! Vous avez fait bon voyage ?

— Excellent, répondit Tomás Noronha en se dirigeant vers la pièce où il exerçait les fonctions de consultant scientifique de la fondation. Je suis arrivé hier après-midi à Lisbonne ; je suis rentré plus tôt que prévu pour échapper à la grève des contrôleurs aériens espagnols. Il s'en est fallu de peu !

— C'était comment, Genève ? Il devait faire très froid, non ?

L'historien glissa la main dans sa poche.

— Glacial, dit-il en tendant une petite boîte rouge à la secrétaire. Tenez, je vous ai rapporté des chocolats.

Albertina prit le cadeau et sourit.

— Ah, professeur ! Il ne fallait pas vous donner cette peine, voyons…

Tomás posa la serviette au pied de son bureau.

— Ça me fait plaisir, dit-il en accrochant son pardessus à un cintre près de la fenêtre. (Il tourna la tête et regarda vers la porte.) Il y a du nouveau ?

Albertina adopta aussitôt une attitude plus professionnelle et feuilleta l'agenda.

— Oui, quelqu'un de l'université nouvelle de Lisbonne a appelé. Je lui ai répondu que vous étiez en voyage, il doit rappeler demain. Il ne m'a pas dit de quoi il s'agissait.

Tomás ne put s'empêcher de sourire.

— Ce n'était pas nécessaire. Ils me tannent pour que je retourne à la faculté…

— À mon avis, ils ont tout à fait raison, déclara Albertina, sentencieuse. C'est vrai, on n'a jamais vu ça, un universitaire de votre niveau, l'un des plus grands cryptologues au monde, docteur en je ne sais combien de langues anciennes, sans parler du reste, qui ne donne pas de cours à l'université ! Franchement, c'est une honte !

L'historien préféra couper court. Il tira sa chaise, s'assit et alluma son ordinateur.

— Autre chose ?

— L'ingénieur Ferro veut vous voir à 15 heures. C'est au sujet de l'achat que vous êtes allé faire à Genève. (Elle lui jeta un regard interrogateur.) Vous avez trouvé ce que vous cherchiez ?

Tomás se pencha et saisit la serviette qu'il avait posée près de son bureau.

— Oui, j'ai réussi.

La secrétaire fixa intensément la serviette, dévorée par la curiosité.

— C'est vrai ? Je peux voir ?

À l'aide d'une petite clé, Tomás ouvrit sa mallette et en retira un paquet.

— Voilà ! dit-il. Vous n'imaginez pas le travail que ça m'a donné.

Il caressa le paquet. La négociation avec l'antiquaire de Genève avait été très difficile ; l'objet était un manuscrit rare dont il avait vivement recommandé l'acquisition à la fondation Gulbenkian. Après avoir expertisé le document, Tomás avait fait une offre et, finalement, l'affaire s'était conclue sur un prix à peine plus élevé que celui de départ. L'historien se trouvait dans un tel état d'excitation qu'il lui était difficile d'attendre la réunion avec Ferro ; le directeur du musée de la fondation allait certainement être enchanté.

— Je peux le voir ? demanda Albertina. Ou votre petit trésor doit rester emballé ?

Tomás éclata de rire.

— Je n'ai jamais vu quelqu'un de si curieux ! C'est bon, je vais vous le montrer.

Il ouvrit le paquet en décollant le ruban adhésif et en sortit un codex en papier jaunâtre, enveloppé dans un plastique scellé pour empêcher que le parchemin ne se détériore au contact de l'air. Il tendit l'ouvrage vers sa secrétaire et lui montra le titre au-dessous duquel apparaissaient les premières lignes du texte en calligraphie médiévale.

— *Tabula Samri... Smiragda... na* ? bredouilla Albertina, intriguée.

— *Tabula Smaragdina*, corrigea l'historien. Aussi appelée *La Table d'émeraude* ou *Le Secret d'Hermès*. Il s'agit d'un texte attribué à Hermès Trismégiste, vous en avez déjà entendu parler ?

— Oui, bien sûr. C'est un mage de l'Antiquité, n'est-ce pas ?

— En quelque sorte. Hermès Trismégiste était un célèbre alchimiste dont la véritable identité demeure un mystère. D'aucuns pensent qu'il s'agit d'un personnage né de la fusion du dieu grec Hermès et du dieu égyptien Thot, deux divinités de la magie et de l'écriture. On suppose que c'est le grand prêtre égyptien Imhotep qui se cache derrière le personnage d'Hermès Trismégiste. Les Grecs le vénéraient lorsqu'ils occupaient l'Égypte à l'époque ptolémaïque. Trismégiste signifie « trois fois grand » ; ce serait un sage, auteur d'une multitude de textes de l'Antiquité. Les plus célèbres sont les *Livres hermétiques*, un ensemble de dialogues des IIe et IIIe siècles, dans lesquels un professeur, Hermès Trismégiste lui-même, enseigne à un élève les lois du divin, de l'esprit et de l'univers.

— Ces textes existent encore ?

— Bien sûr. À l'origine, ils étaient sur papyrus ; on dispose de traductions en latin qui remontent aux XVe et XVIe siècles. (Il sortit de sa serviette les documents qu'il avait rassemblés au cours des dernières semaines pour préparer l'expertise du manuscrit.) *Les Livres hermétiques* énoncent une sagesse antique de grande valeur. (Il rechercha avec le doigt un passage dans les notes qu'il avait prises.) Écoutez cette citation du livre XIII :

« Je sortis de moi-même pour me fondre en un corps immortel. Ainsi je ne suis plus celui que je fus un jour, mais j'ai été façonné par l'Âme-Esprit. »

— « J'ai été façonné par l'Âme-Esprit » ? Qu'est-ce que ça veut dire ?

L'historien haussa les épaules.

— C'est de la sagesse hermétique. Cela signifie que nous avons affaire à une connaissance occulte. Cette phrase, « J'ai été façonné par l'Âme-Esprit », semble vouloir dire que la réalité véritable est celle de l'Âme-Esprit. Nous sommes ce que notre esprit conçoit. Le réel n'existe pas au-delà de l'esprit.

L'idée étant trop étrange pour qu'Albertina la prenne au sérieux, elle porta son attention sur le manuscrit que Tomás tenait entre les mains.

— C'est le manuscrit que vous avez acheté à Genève ? demanda-t-elle en désignant la *Tabula Smaragdina*. De quoi s'agit-il exactement ?

— *La Table d'émeraude* est le texte qui a donné naissance à l'alchimie, tant islamique qu'occidentale, et qui a valu à Hermès le surnom de Trismegistus, car c'est là que l'auteur affirme connaître les trois parties de la sagesse de l'univers. L'une d'elles est justement l'alchimie, l'art de la transmutation des éléments.

— Encore des boniments, quoi !

Tomás ébaucha une grimace.

— Détrompez-vous, rétorqua-t-il. L'alchimie est la science de la transmutation des éléments. Par exemple, l'un des grands projets des alchimistes était de transformer le fer en or. Nous savons aujourd'hui, si incroyable que cela puisse paraître, que la transmutation des éléments est effectivement possible. Le premier scientifique à l'avoir réalisée a été le physicien britannique Ernest Rutherford. Il a converti l'azote en oxygène et a commencé à découvrir les processus par lesquels les étoiles produisent du carbone, du fer et de l'or grâce à la transmutation d'autres atomes.

La secrétaire acquiesça et indiqua quelques lignes écrites en latin sur la première page du codex.

— C'est très intéressant. Ces phrases expliquent l'alchimie ?

— *La Table d'émeraude* traite de l'alchimie, mais ce qui est consigné ici sont les principes généraux de la connaissance hermétique. (Tomás approcha le livre et lut les premières lignes :) « *Verum, sine mendatio, certum et verissimum. Quod est inferius est sicut quod est superius, et quod est superius est sicut quod est inferius, ad perpetranda miracula rei unius. Et sicut omnes res fuerunt ab Uno, mediatione unius, sic omnes res natæ fuerunt ab bac una re, adaptatione.* »

Albertina rit.

— Professeur, je n'y comprends rien. Mon latin est un peu rouillé, vous savez…

— « Cela est vrai, sans mensonge, certain et très véritable, traduisit Tomás. Ce qui est en bas est comme ce qui est en haut, et ce qui est en haut est comme ce qui est en bas, pour réaliser les miracles de la chose unique. Et comme toutes les choses sont venues de l'Un, ainsi toutes les choses sont uniques, par adaptation. »

— Je ne comprends toujours pas…

L'historien ouvrit de nouveau sa serviette.

— Je vous ai dit que l'on avait affaire à une connaissance occulte, expliqua-t-il en rangeant le manuscrit.

Le sens des deuxième et troisième phrases est ambigu, mais Hermès Trismégiste semble vouloir dire que le réel est unique et que les différences entre les atomes, nous et les étoiles sont illusoires, nous sommes tous la même chose. « Ce qui est en bas est comme ce qui est en haut, et ce qui est en haut est comme ce qui est en bas. » Tout, y compris nous, est « la chose unique », parce que « toutes les choses sont venues de l'Un ». En d'autres termes, l'impression que nous avons d'être uniques n'est rien d'autre qu'une illusion. En réalité, tout est lié, tout est la même chose, tout est un.

Au moment où Tomás s'apprêtait à expliquer plus en détail les idées fondamentales exprimées dans le texte, la porte s'ouvrit et une employée de la fondation remit à Albertina un pli qui venait d'arriver par la poste. La secrétaire regarda le paquet et se tourna vers son chef.

— Professeur, c'est pour vous.

— Ah, ça doit être le livre que j'ai commandé sur l'hébreu ancien. Ça vient bien de Jérusalem ?

Albertina inspecta le paquet.

— Il n'y a pas le nom de l'expéditeur, professeur. Mais, d'après les timbres, ça vient de Suisse.

L'historien jeta un regard perplexe vers le paquet.

— De Suisse ? s'étonna-t-il en tendant le bras. Mais j'en viens…

La secrétaire se leva et lui remit le paquet avec un sourire malicieux.

— Vous y avez sans doute laissé une admiratrice…

II

Matinale, une lueur violette déchirait l'horizon, sur lequel se découpaient les grands pins américains de Bethesda. Le soleil était sur le point de chasser la nuit, mais Walter Halderman ne s'était pas encore couché. Il avait passé les huit dernières heures devant son ordinateur, à rédiger et amender le rapport qu'il devait envoyer le matin même à la Maison Blanche. Il était convaincu que son dévouement pour l'Agence serait remarqué et qu'un jour il en serait récompensé.

Son portable sonna.

Ce n'était pas une heure pour téléphoner, mais Halderman ne fut pas surpris ; il croyait savoir d'où venait l'appel, et lorsque le numéro apparut sur l'écran son intuition se confirma. Il décrocha et attendit.

— Halderman.

— Bonjour, monsieur, dit la voix à l'autre bout de la ligne. Veuillez m'excuser d'appeler à cette heure si matinale, mais notre homme, à l'ambassade à Berne, dit que c'est urgent et insiste pour vous parler.

— Passez-le-moi.

Quelques instants plus tard, une nouvelle voix se manifesta.

— Allô ?

— Ici Halderman, directeur adjoint de la Direction de la science et de la technologie de la CIA. Il paraît que vous avez besoin de me parler de toute urgence ?

— Oui, c'est exact. Je m'appelle Paul Zelazny, du Département de l'information de l'ambassade en Suisse. La police de Genève vient de m'appeler pour m'annoncer une mauvaise nouvelle. Je regrette d'en être le messager, mais il y a une demi-heure environ votre directeur, Frank Bellamy, a été retrouvé mort dans des circonstances… comment dirais-je, étranges.

— Frank Bellamy est mort ?

— Oui, monsieur.

Halderman serra le poing.

— Comment ?

Son interlocuteur respira profondément, comme s'il prenait son élan.

— Son cadavre a été retrouvé au CERN, dans un accélérateur de particules géant. Il semblerait qu'il soit mort asphyxié. La police suisse a ouvert une enquête ; elle pense qu'il s'agit d'un homicide.

— Un meurtre ? Qu'est-ce qui leur fait penser ça ?

— Eh bien, on m'a dit que Frank Bellamy a laissé un mot avec le nom de l'homme qui l'aurait tué.

— Tiens donc ! Et qui est-ce ?

— L'assassin serait un certain *Thomas Norona*. Cela vous dit quelque chose ?

— *Thomas ?* Ce ne serait pas plutôt Tomás Noronha ?

— Oui, ça doit être ça.

— Je sais qui c'est. La police l'a déjà arrêté ?

— Elle s'y emploie.

Halderman consulta sa montre ; il était presque 6 heures du matin.

— Écoutez, monsieur…

— Zelazny. Paul Zelazny.

— Écoutez, Paul. Lorsque vous recevrez la copie du message, envoyez-la-moi à Langley, de toute urgence. Je veux qu'elle soit sur mon bureau dès mon arrivée ; je vais m'occuper personnellement de l'affaire. Merci de votre appel. Bonne journée.

Sans attendre de réponse de son interlocuteur, il raccrocha. Il leva les yeux vers la fenêtre et admira l'éclat du matin naissant, un sourire de satisfaction sur les lèvres.

Maintenant que Frank Bellamy était écarté, de magnifiques perspectives s'ouvraient enfin devant lui.

III

Observant le colis qui venait de lui être remis, Tomás constata qu'il avait été expédié par courrier express. Il le prit dans ses mains et demeura un long moment à le contempler, intrigué. Qui donc avait bien pu lui envoyer ce paquet de Suisse ? Il vérifia les timbres, examina le sceau de la poste et remarqua que le colis avait été affranchi la veille dans un bureau de poste de Genève.

— Quelle coïncidence…

Un tel hasard le surprit. Pourquoi ne lui avait-on pas remis personnellement le paquet ? Peut-être ne savait-on pas qu'il s'y trouvait ; c'était la seule explication raisonnable qui lui venait à l'esprit. L'effet de surprise passé, il décida que la question ne méritait pas plus d'attention et ouvrit le paquet.

Il déchira les bords et en sortit le contenu. À première vue, il s'agissait d'une espèce de disque épais, mais l'emballage en cellophane ne permettait pas d'en savoir plus. Tomás acheva de défaire le paquet.

— Nom d'une pipe !

Il découvrit une espèce de gros yo-yo en cuivre,

avec des bords en cuir, suffisamment grand pour couvrir entièrement la paume de sa main. Sur l'une des faces était sculptée une figure géométrique, entourée de deux cercles couverts de caractères hébraïques et latins avec, au milieu, une étoile de David en relief, aux contours dorés.

La stupéfaction de Tomás attira l'attention de la secrétaire.

— Que se passe-t-il, professeur, il y a un problème ?

L'historien analysa l'objet et le dessin qui y figurait puis se tourna vers Albertina.

— Regardez, on m'a envoyé un pentacle.

— Qu'est-ce que c'est ?

— Un pentacle est une amulette qu'on utilisait pour des invocations magiques. (Il fit glisser son doigt sur les lignes géométriques.) En fait, celui-ci c'est le grand pentacle. (Il désigna les caractères מפתח שלמה, sur la partie supérieure du dessin.) Vous voyez ça ? *Mafteah Shelomoh*, c'est de l'hébreu. Je suppose que votre hébreu n'est pas meilleur que votre latin…

La secrétaire rit.

— Vous supposez bien.

— Eh bien, *Mafteah Shelomoh*, c'est le titre en hébreu de la *Clavis Salomonis*, un manuel de magie généralement attribué au roi Salomon. (Il baissa la voix, comme s'il faisait une confidence.) C'est ce que dit la légende, bien sûr. En réalité, la *Clavis Salomonis* est un produit de la Renaissance italienne des XIVᵉ et XVᵉ siècles. On pense même qu'elle a inspiré d'autres manuels de magie, comme le *Lemegeton*, ou *Clavicula Salomonis Regis*.

Albertina semblait un peu perdue.

— Ah, très bien, dit-elle. Et pour quelle raison vous l'a-t-on envoyé ?

Tomás rechercha sur le paquet déchiré une indication de l'expéditeur, scruta à l'intérieur pour essayer d'y trouver une lettre, ou même une note manuscrite quelconque susceptible de lui donner un renseignement sur l'origine et la raison du colis, mais en vain.

— Je ne sais pas, avoua-t-il. (Il examina à nouveau les timbres et le cachet de Genève, une idée lui traversa l'esprit.) Je crois que je sais. Ça doit être M. Perrin ! Qui d'autre pourrait m'envoyer une telle chose ?

— C'est l'un de vos amis ?

— C'est l'antiquaire à qui j'ai acheté la *Tabula Smaragdina*.

— Et pourquoi vous aurait-il envoyé cette… amulette ?

L'historien prit le pentacle, comme s'il voulait le soupeser.

— Je n'en ai pas la moindre idée, répondit-il. Il veut peut-être me convaincre de l'acheter. C'est une technique commerciale comme une autre, vous savez.

— Ah, vous voulez dire qu'il s'agit d'une copie ?

C'était une bonne question, pensa Tomás. Il examina le pentacle plus attentivement. Il voulait en saisir la texture, le sentir, caresser sa surface cuivrée et les bords en cuir. À y regarder de près, l'objet paraissait authentique. Tomás était un spécialiste habitué à expertiser des pièces anciennes. S'il s'agissait d'une copie, elle était exceptionnelle.

— Peut-être, je n'en suis pas sûr. (Il réfléchit un moment ; pourquoi diable l'antiquaire lui aurait envoyé un original, sans garantie qu'il l'achèterait ? Ça n'avait pas de sens, ça ne pouvait être qu'une copie. D'un geste soudain, il mit le pentacle dans la poche de son pantalon.) Je verrai cela plus tard. Je le montrerai aux gars du laboratoire pour avoir leur avis. Ils pourraient peut-être faire un test au carbone 14, qui sait ?

— Mais, puisque vous étiez hier à Genève chez ce commerçant, pourquoi ne vous a-t-il pas montré l'amulette à ce moment-là ? Pourquoi vous l'envoyer par la poste sans vous donner d'explication ?

— Je n'en sais rien. Comme je vous l'ai dit, c'est peut-être une technique de vente…

N'ayant pas de réponse à toutes ces questions, il décida qu'il reviendrait sur le sujet le moment venu. Pour l'heure, il avait beaucoup d'autres choses à faire, inutile de perdre son temps avec ça.

Il regarda son écran et consulta sa messagerie. Il lut

ses mails et envoya ses réponses. Puis il se connecta à l'intranet de la fondation Gulbenkian, ouvrit la page « Rapports concernant des acquisitions », et à la rubrique « Objet » il écrivit : « Acquisition de la *Tabula Smaragdina*. » Il commença à remplir le formulaire.

— Professeur Noronha ?

Il était plongé dans ses notes et, chaque fois que c'était nécessaire, il faisait appel à sa mémoire pour reconstituer la négociation. Il se rappela l'offre initiale, la contre-proposition de l'antiquaire, le psychodrame qui s'était ensuivi, la…

— Professeur Noronha ?

L'image de la négociation à Genève s'évanouit et Tomás posa sur Albertina un regard distrait.

— Oui ?

La secrétaire tenait le combiné du téléphone à la main.

— Un appel pour vous, dit-elle. C'est Mme Maria Flor qui vous appelle de Coimbra.

En voyant le téléphone que brandissait Albertina, plusieurs idées surgirent dans l'esprit de Tomás. La première fut l'image du téléphone qui sonnait ; comme si la sonnerie atteignait finalement sa conscience. Il avait l'impression d'une espèce d'écho psychique, comme si le son avait patienté quelque part dans sa tête et avait attendu son tour pour y pénétrer. La deuxième était que, la veille encore, à peine débarqué à Lisbonne, il avait parlé avec Maria Flor au téléphone ; il en avait assez de passer constamment d'une femme à une autre, il avait besoin de se poser, mais il ne voulait pas aller trop vite avec elle. Quant à la troisième idée, sans doute un peu idiote, mais non dénuée d'un certain

47

caractère pratique, c'était que son portable était éteint, car il n'avait plus de batterie, et qu'il devait la recharger dès que possible, sinon Maria Flor ne pourrait le joindre que sur le téléphone fixe.

Ces pensées se succédèrent en une fraction de seconde, jusqu'à ce qu'il sorte de sa léthargie et fasse signe à la secrétaire.

— Vous pouvez me la passer.

— Tout de suite.

Avant de répondre, Tomás se leva et ferma la porte ; les conversations avec Maria Flor étaient personnelles.

— Salut, Flor, dit-il d'une voix suave, ne me dis pas que tu es impatiente de voir le cadeau que je t'ai rapporté de…

— Tomás, coupa-t-elle d'une voix angoissée, assieds-toi et écoute-moi calmement. J'ai une mauvaise nouvelle.

En entendant ces mots, l'historien retint son souffle. Il savait qu'il devait se préparer à entendre quelque chose de très grave. Compte tenu des circonstances, il ne pouvait s'agir que de sa mère. Depuis quelques années, elle vivait dans la maison de repos que Maria Flor dirigeait à Coimbra et le ton de la voix de la directrice n'augurait rien de bon.

— C'est ma mère ? demanda Tomás après une pause. Il est arrivé quelque chose ?

Au fond, il espérait qu'elle le tranquilliserait, qu'elle lui dirait que l'appel n'avait rien à voir avec sa mère.

— Qu'y a-t-il ? insista-t-il, affolé, une boule au ventre. Que s'est-il passé ?

Il y eut un court silence, comme si Maria Flor

48

cherchait les mots justes pour annoncer ce qu'elle avait à lui dire.

La réponse lui fit l'effet d'une gifle.

— Ta mère a eu une crise cardiaque, annonça-t-elle sur le ton le plus doux possible. Viens vite. Vite, tu entends ?

La nouvelle laissa Tomás abasourdi. Il avait déjà perdu son père et il savait qu'un jour il allait perdre sa mère, mais il espérait que les choses iraient plus lentement, que les jours ne passeraient pas si vite, que l'inévitable serait indéfiniment ajourné, qu'il ne serait pas orphelin si brusquement.

— Elle… balbutia Tomás. (Il essayait de prononcer ce mot terrible, mais la seule idée de la mort le pétrifiait.) Elle…

Il entendit un soupir résigné.

— Elle est dans le coma et il lui reste peu de temps.

IV

Nouer sa cravate avait toujours été un problème, comme le lui confirmait le reflet dans le miroir. Il défit le nœud puis recommença en s'appliquant. À présent le nœud était parfait. Il regarda sa montre et constata qu'il était déjà 7 heures du matin.

Il prit son portable et chercha dans le répertoire le nom du directeur du Service national clandestin de la CIA. Il appuya sur Harry Fuchs et la communication s'établit.

— Halderman, vieux schnock, ironisa une voix à l'autre bout du fil, que me vaut le plaisir ?

— Bellamy est mort.

— Je sais. Bonne nouvelle, n'est-ce pas ? L'Agence n'avait plus besoin d'un dinosaure comme lui.

— Les Suisses enquêtent sur un homicide et ça peut compliquer les choses. Tu crois qu'il y a quelque chose qui cloche ?

La réponse tarda un peu, comme si son interlocuteur choisissait soigneusement ses mots. Fuchs répondit sur un ton très prudent.

— Tu insinues que c'est mon service qui a liquidé

le vieux ? demanda-t-il de manière sibylline. Figure-toi que, moi aussi de mon côté, je me suis demandé qui pouvait avoir intérêt à ce qu'il disparaisse. Et devine à qui j'ai pensé en premier ? À toi, enfoiré !

— N'essaye pas de me faire porter le chapeau, rugit Halderman. Hors de question !

— Il faudra bien que ça tombe sur quelqu'un, mon vieux. On l'a tué, c'est sûr, mais moi je me suis déjà arrangé pour ne pas être inquiété.

— Moi aussi j'ai préparé mes alibis, alors fais gaffe à ce que tu fais et à ce que tu dis, tu saisis ?

La conversation s'interrompit un instant, chaque partie s'efforçant d'évaluer la position de l'autre.

— Écoute, le mot laissé par le vieux peut être la solution au problème, suggéra Fuchs, sur un ton conciliant. Tu l'as vu ?

— Il m'attend sur mon bureau, l'ambassade à Berne me l'a envoyé. Quel est ton plan ?

— Ce mot mentionne un nom, n'est-ce pas ? C'est un coup de chance extraordinaire. Il faut absolument qu'on mette la main sur ce type. Au fait, tu sais qui c'est ?

— C'est un historien portugais, un cryptologue qui a déjà travaillé deux fois pour nous, contraint et forcé. Une fois à cause de l'Iran et la seconde à cause d'Al-Qaïda. Un type futé, il faudra se méfier de lui.

— Se méfier de lui ? Tu plaisantes ou quoi ? Depuis quand un petit enfoiré fout les chocottes au directeur du Service national clandestin de la CIA ?

— Tu ne te souviens pas qu'il a joué un rôle décisif lorsqu'on a neutralisé Al-Qaïda ?

— Al-Qaïda ? Attends, ne me dis pas que c'est le Portugais qui...

— Si, c'est lui. À l'époque, l'affaire a été classée top secret pour des raisons de sécurité nationale. Mais, moi, je l'ai vu en action, et je te le dis : c'est un malin. Il ne faut pas le sous-estimer.

— Ouais... Je me demande bien pourquoi son nom apparaît sur ce mot.

— Moi aussi. J'ai beau me creuser les méninges, je ne trouve pas de réponse. Frank ne le traitait pas très bien, c'est vrai, mais je sais qu'il l'appréciait. Pourquoi l'a-t-il désigné avant de mourir ?

Fuchs fit une pause. Lorsqu'il reprit la parole, le ton qu'il employa était devenu péremptoire.

— Envoie-moi ce papier dès que tu pourras, dit-il. Je vais lancer une opération spéciale et j'en aurai besoin.

— Très bien.

— Et ne t'en fais plus, tu entends ? Mystère ou pas, je vais faire ce qu'il faut pour que ça ne nous atteigne pas, compte sur moi.

Les deux hommes raccrochèrent. Halderman admira de nouveau le paysage de Bethesda au lever du soleil et fut surpris de voir comment, en si peu de temps, la lumière limpide du matin avait chassé la nuit. Puis il passa son pardessus bleu foncé, prit sa serviette et se dirigea vers le miroir. Il avait passé toute sa vie à lécher des bottes et à être humilié pour plaire aux puissants, convaincu que, dans une organisation, qui plus est une organisation publique, ce ne sont pas les gens intègres et compétents qui sont promus, mais ceux qui savent comment conspirer et intriguer pour évincer les concurrents. Bellamy rayé de la liste, il ne lui restait qu'un dernier pas à faire pour devenir le chef de la Direction de la science et de la technologie de la CIA. S'il jouait les bonnes cartes et si Fuchs faisait ce qu'il avait à faire, les derniers obstacles seraient écartés et il prendrait la place du défunt directeur. Elle serait à lui et à lui seul. Il se passa la main dans les cheveux et se dirigea vers la porte, le sourire aux lèvres. Tout allait bien, le Portugais allait porter le chapeau.

V

Dès que Tomás mit le contact, la Volkswagen ronronna. Il appuya sur l'embrayage, passa la première, et la voiture s'élança. Il sortit du parking de la fondation Gulbenkian et s'enfonça dans les rues de Lisbonne pour rejoindre l'autoroute en direction du nord.

Pendant les deux heures que dura le trajet jusqu'à Coimbra, Tomás se repassa en boucle la conversation qu'il avait eue avec Maria Flor. Il s'efforçait surtout d'interpréter le ton sur lequel elle lui avait parlé, pour tenter de comprendre s'il y avait encore de l'espoir. Puis, les mots fatidiques lui revinrent, ceux qui lui annonçaient que sa mère avait eu une crise cardiaque, qu'elle était dans le coma et que le temps pressait. Dans le coma ? À son âge, cela signifiait certainement qu'elle était dans l'antichambre de la mort. Peut-être même était-elle déjà morte. Il ne savait rien et ne pouvait rien savoir, car la veille, fatigué par le voyage à Genève, il avait oublié de recharger son portable.

— Quel idiot, mais quel idiot j'ai été ! dit-il tout en frappant sur le volant.

Il avait besoin de parler à Maria Flor, de savoir dans

quel état était sa mère, de connaître les circonstances du drame, d'entendre ce que les médecins avaient à dire et leur pronostic, de souffler quelques mots à sa mère et de lui faire ses adieux, même si elle ne pouvait pas l'entendre. Mais tout cela était impossible. Il allait devoir supporter l'isolement, le silence, l'ignorance et l'angoisse, cette angoisse terrible qui lui déchirerait les entrailles, jusqu'à ce qu'il arrive à Coimbra. Il avait besoin d'être rassuré.

Il secoua la tête comme s'il voulait chasser les sombres pensées qui le torturaient.

— Il faut que je pense à autre chose, marmonna-t-il sourdement. Ça commence à devenir insupportable !

Le pentacle, pensa-t-il. Il se souvint du colis qu'il avait reçu de Genève et tenta d'imaginer ce que l'anti-quaire pouvait bien avoir en tête lorsqu'il le lui avait envoyé. Il jouait gros, car, en fin de compte, rien ne lui garantissait que la fondation souhaiterait acquérir cet objet. D'ailleurs, si Tomás était malhonnête, il pouvait même garder le grand pentacle. Le colis n'avait pas été envoyé en recommandé, aucun accusé de réception ne prouvait donc qu'il l'avait bien reçu.

Était-il authentique ? L'objet paraissait l'être, songea-t-il, mais cela n'avait ni queue ni tête. Pour quelle raison l'antiquaire lui aurait-il envoyé une telle relique sans lui dire quoi que ce soit ? Ça ne pouvait être qu'une copie. Le laboratoire de la fondation Gul-benkian le confirmerait lorsqu'il le ferait analyser. Ce qui ne serait fait qu'à son retour de Coimbra, où sa mère…

« Elle est dans le coma et il lui reste, peu de temps. » Les dernières paroles prononcées par Maria Flor résonnèrent dans sa tête. « Elle est dans le coma. » Enfin, elle l'était quand il avait appris la nouvelle. Que s'était-il passé depuis ? Maria Flor ne lui avait-elle pas dit que le temps était compté ? D'ailleurs, qu'est-ce que cela voulait dire ? Quelques minutes, quelques heures, quelques jours ? Était-il possible qu'à son âge, après une crise cardiaque, elle soit encore dans le coma ? Et si, après ce coup de fil, pendant qu'il faisait le voyage, sa mère était…

— Ah, ça y est, je recommence ! s'écria-t-il, impuissant, frappant à nouveau le volant avec la paume de la main. Je n'arrive pas à me sortir ça de la tête…

Rien ne pouvait altérer cette dure et incontournable réalité. Sa mère était au seuil de la mort, et lui serait bientôt orphelin. Il savait que la vie était ce qu'elle était, un simple souffle dans l'éternité, un instant aussi fugace que le battement d'ailes d'un papillon, une victoire qui s'achève toujours par une défaite, un chemin qui conduit inévitablement à l'abîme. Il avait toutefois l'espoir, l'espoir inébranlable, qu'elle resterait encore un petit moment avec lui, juste un tout petit moment…

La vision de la ville, couronnée par le clocher de la vieille université, attira son regard. Il était arrivé à Coimbra.

Il gravit les marches quatre à quatre et parcourut le couloir de l'infirmerie en courant, zigzagant entre les brancards, respirant l'odeur aseptisée du Mercurochrome et de l'alcool éthylique qui flottait dans l'air. Il allait enfin savoir dans quel état se trouvait sa mère.

— Quatorze… quinze… seize ! murmura-t-il, essoufflé. C'est ici.

Il entra précipitamment et la première personne qu'il vit fut Maria Flor. Elle était assise au pied du lit, belle et sereine.

— Tomás ! s'exclama-t-elle, le visage illuminé par un sourire de soulagement. Enfin !

Tomás avança jusqu'au bord du lit, le regard inquiet. Il découvrit sa mère, une expression inattendue sur le visage.

Elle souriait.

— Mon fils. À la bonne heure !

Les yeux fixés sur sa mère, Tomás ouvrait et fermait la bouche sans émettre aucun son. Il avait l'air d'un poisson. Il s'attendait à la trouver au plus mal, probablement inanimée, voire déjà morte. Pourtant, elle lui souriait.

— Maman, finit-il par dire, tu vas bien ?

— Bien sûr que je vais bien, rétorqua-t-elle. Tu en fais une tête !

Le regard stupéfait de Tomás alla de sa mère à Maria Flor, essayant de comprendre la situation. Il s'était préparé à tout sauf à ça.

— Tu n'as pas eu… enfin, une… (Il hésita, évitant de prononcer certains mots, comme si l'expression « crise cardiaque » lui était interdite.) Un… problème ?

Graça Noronha fit une moue, qu'elle accompagna d'un vague geste de la main.

— Oh, mais ce n'était rien du tout, répondit-elle. Maria Flor s'est fait du souci, mais, pour être franche, je crois que c'était un peu exagéré. Beaucoup de bruit pour rien. (Elle souffla et leva l'index gauche, comme pour souligner son propos.) Vraiment exagéré, crois-moi.

« Exagéré » semblait être, en effet, le terme appro-prié. Comment faire croire à Tomás que sa mère est au seuil de la mort alors que deux heures plus tard, elle semble en pleine forme, fraîche comme une rose ?

Il lança un regard en direction de Maria Flor, avec l'air réprobateur de celui à qui on a causé une frayeur inutile.

La jeune femme ne se laissa pas impressionner. Elle se leva de sa chaise et dit à Tomás :

— Je peux te parler ?

Ils fermèrent la porte de la chambre pour que Graça ne les entende pas et regardèrent autour d'eux, à la recherche d'un endroit tranquille. Le couloir, encom-bré de brancards avec des patients qu'on n'avait pas pu caser dans les salles de soins, n'était pas le lieu le plus discret pour engager une conversation, mais ils trouvèrent un coin où ils purent discuter tranquillement.

— Ta mère a eu un malaise tôt ce matin et elle a perdu connaissance, commença Maria Flor. Pendant qu'on essayait de la ranimer avec le défibrillateur, j'ai appelé l'ambulance et l'urgentiste a diagnostiqué une crise cardiaque. On l'a aussitôt conduite à l'hôpital et le cardiologue de garde l'a emmenée directement en salle de réanimation. Ils y sont restés un bon quart d'heure. Pendant que j'attendais, j'ai essayé de t'appe-ler à plusieurs reprises sur ton portable, mais il était éteint.

— Oui, désolé, j'avais oublié de le recharger...

— Finalement, le cardiologue, le docteur Colaço, est

sorti pour me parler, ajouta-t-elle. Il a confirmé que ta mère avait eu une crise cardiaque et qu'il avait tenté de la ranimer, mais en vain. Comme tu peux l'imaginer, lorsqu'il m'a dit ça, je suis devenue livide. Le docteur m'a expliqué que, de fait, elle était morte, même si, techniquement, il ne pouvait pas encore prononcer le décès. D'après lui, le cœur avait cessé de battre et cela faisait quelques minutes que l'électroencéphalogramme était plat. C'est à ce moment-là qu'une infirmière est sortie en criant : « Docteur Colaço, venez vite, vite ! » Le médecin est retourné dans la salle de réanimation et, lorsque je me suis retrouvée seule, j'ai compris qu'il fallait absolument que je te parle. J'ai pensé que tu devais être au bureau et j'ai appelé la fondation. J'allais t'annoncer que ta mère était décédée, mais je n'en ai pas eu le courage. Et les cris de l'infirmière laissaient à penser que tout espoir n'était peut-être pas perdu. C'est pour ça que j'ai préféré te dire qu'elle était dans le coma.

Tomás indiqua la porte de la chambre de sa mère.

— De toute évidence, elle n'est pas morte…

— En effet, mais n'oublie pas que, techniquement parlant, ta mère est morte puis elle est revenue à la vie, insista Maria Flor. Il est important que tu en sois conscient lorsque tu vas parler avec elle, tu comprends ?

— Tu es en train de me dire que son cerveau a été touché ?

— Pas exactement. D'ailleurs, elle a l'air beaucoup plus lucide qu'avant. On a même l'impression que sa capacité de raisonnement s'est améliorée, à supposer qu'une telle chose soit possible. Je dirais même que, pour quelqu'un qui est atteint de la maladie d'Alzheimer depuis quelques années, ta mère se porte on ne peut mieux.

— Mais c'est... une excellente nouvelle !

— Certes, mais souviens-toi qu'elle est morte et qu'elle est revenue à la vie. Ne l'oublie pas, tu entends ?

L'historien esquissa une moue.

— Que cherches-tu à me dire ? Si elle est plus lucide qu'elle ne l'est habituellement, si ses capacités intellectuelles se sont améliorées et si son état mental paraît excellent, quel est exactement le problème ?

Maria Flor respira profondément.

— Lorsque tu parleras avec elle, tu comprendras...

Graça demeurait couchée. Elle était toujours souriante et affichait un air béat, l'air de quelqu'un en paix avec soi-même.

— Eh bien, mon fils, comment vas-tu ? demanda-t-elle. Tu continues à parcourir le monde ?

— Oui, je suis rentré de voyage pas plus tard qu'hier.

— Ne me dis pas que tu es allé dans un de ces pays, où des bombes explosent à tout bout de champ et où on n'arrête pas de couper des têtes, le sermonna-t-elle une certaine inquiétude dans la voix. Quand est-ce que tu auras de la jugeote, mon garçon ? Ton père m'a ordonné de veiller sur toi, mais tu sais, je suis vieille, je n'ai plus la force de t'aider...

— Ne t'en fais pas pour moi, répondit Tomás en essayant de changer de conversation. (Il lui caressa la main ; elle était étonnamment chaude et douce.) Et toi, comment te sens-tu ?

Un sourire satisfait illumina de nouveau le visage de Graça.

— Merveilleusement bien. Pour être tout à fait sincère, il y avait longtemps que je ne m'étais pas sentie aussi bien.

— Vraiment ? Et pourquoi donc ? (Il lui fit un clin d'œil.) Ne me dis pas que tu as mangé des chocolats en cachette…

Sa mère rit.

— Mais qu'est-ce que tu racontes ! Je me sens bien parce que j'ai vu ton père, voyons. Cela faisait si longtemps, si tu savais comme il me manque. Je l'ai trouvé très bien, si tu veux tout savoir.

— Ah oui ? Tu as feuilleté tes vieux albums photo ?

Graça éclata de rire.

— Quels albums ? J'étais avec lui, je l'ai vu. On a même échangé quelques mots. (Elle soupira.) Dommage que cela ait été si bref…

— Eh oui, les doux rêves sont toujours courts. On voudrait qu'ils se prolongent, qu'ils durent infiniment, mais ils s'achèvent trop vite. Quel dommage !

— Qu'est-ce que tu racontes ! protesta-t-elle, visiblement agacée. Je te répète que j'étais vraiment avec ton père. Tu ne me crois pas ?

Tomás lui caressa la main ; la maladie d'Alzheimer était si dure à vivre pour les autres !

— Écoute, papa n'est plus avec nous, lui expliqua-t-il avec douceur. Il est mort il y a quelques années déjà, tu ne te souviens plus ?

— Je le sais, mon fils. Je me souviens parfaitement de ses obsèques. Mais je suis en train de te dire que j'étais avec lui tout à l'heure.

— Tout à l'heure ?

— Ce matin. Il y a deux heures.

Tomás lança un regard étonné à Maria Flor, qui était assise sur une chaise au pied du lit. La jeune femme se contenta de hausser les épaules, l'air de dire : « Je t'avais prévenu. »

— C'était merveilleux, murmura Graça. (Une lueur traversa ses grands yeux verts.) Je suis morte et j'ai vu ton père… C'était merveilleux.

VI

— Et voilà, c'est tout ce que nous avons, monsieur.

Après avoir frappé à la porte, la secrétaire avait traversé le bureau et posé sur la table une chemise grise contenant des rapports et des photographies. Le nom de Tomás Noronha apparaissait sur la couverture avec la mention « top secret » tamponnée en rouge sous le logo de la CIA.

— C'est le document qu'Halderman t'a envoyé ?

La secrétaire ouvrit le dossier.

— Le voici, monsieur.

Harry Fuchs posa son regard sur la feuille.

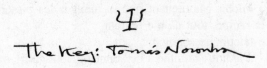

— Alors c'est ça la piste que le vieux a laissée ? dit-il en souriant avec malice. Le nom de ce « Thomas Norona » et une espèce de crucifix. (Il hocha la tête en signe d'approbation, satisfait de ce qu'il venait de voir.) Excellent.

— Ce sera tout, monsieur ?

Le directeur saisit le dossier que la secrétaire lui avait apporté et détailla son contenu. Le premier document était une photo de l'historien portugais, qui regardait l'objectif en souriant.

— Encore une chose, Tish, dit-il, l'attention fixée sur la photo. Appelez-moi notre homme à l'ambassade de Lisbonne. C'est urgent.

— Bien, monsieur.

La secrétaire sortit du bureau et ferma la porte. Fuchs feuilleta le dossier et parcourut un rapport sur l'affaire relative à l'Iran. Puis, il consulta le dossier suivant, qui concernait Frank Bellamy, et examina la liste des petits bijoux technologiques que la Direction de la science et de la technologie avait mis à la disposition des agents du Service national clandestin. Une découverte que le défunt directeur s'était toujours refusé à partager avec ses collègues de la CIA l'interpella : le *Quantum Eye*, l'« *Œil quantique* » ; un projet que le vieux n'avait jamais révélé à personne.

— C'en est fini de tes petits secrets, enfoiré, murmura Fuchs. Maintenant que tu manges les pissenlits par la racine, tout ça me revient.

Le téléphone sonna.

— J'ai notre homme à Lisbonne au bout du fil, monsieur, annonça la secrétaire. Il s'appelle Jim Krongard.

Elle transféra l'appel.

— Monsieur Krongard, dit Fuchs en guise de salutation. Nous avons un problème de plomberie et je veux que vous vous en occupiez. J'espère que vous êtes un bon plombier…

— C'est justement pour ça que je suis ici, monsieur. De quoi s'agit-il ?

— L'objectif s'appelle « Thomas Norona » ; il a assassiné à Genève le responsable de notre Direction de la science et de la technologie. Affaire extrêmement grave, comme vous pouvez vous en douter. On nous a informés que cet enfoiré est rentré à Lisbonne. Occupez-vous de lui.

— Comment voulez-vous que je fasse la liaison avec la police portugaise, monsieur ? Je leur refile simplement l'information ou je leur demande aussi de suivre l'affaire ?

— Je ne veux pas que la police locale soit mêlée à ça. D'ailleurs, ni la police ni personne d'autre en dehors de l'Agence. L'opération doit être menée avec discrétion et je veux que vous soyez le seul agent au courant.

Krongard semblait hésiter.

— Mais… Monsieur, notre politique au Portugal, et dans les autres pays de l'OTAN, a été…

— Ce fils de pute a tué un directeur de la CIA ! cria Fuchs. Vous trouvez qu'on doit prendre des gants dans un cas pareil ? Moi pas. L'enfoiré doit payer pour son crime. Trouvez-le et arrêtez-le.

— Et après qu'est-ce que je fais ? Je vous l'envoie ? Si c'est ça, il faut que vous autorisiez un avion de transport à décoller de…

— Je vais donner l'autorisation, soyez rassuré, l'interrompit Fuchs, irrité. Je vous enverrai aussi un dossier là-dessus et un ordre confidentiel pour le faire. Mais ce ne sera que de la paperasse pour nous couvrir. Je ne veux pas que notre homme arrive ici, est-ce que je me suis bien fait comprendre ?

La voix à l'autre bout de la ligne sembla à nouveau hésiter.

— Euh… pas très bien, en réalité. Vous pouvez être plus précis, monsieur ?

Harry Fuchs perdit patience.

— Vous êtes idiot ou vous vous foutez de moi ? Arrêtez le type et laissez-le s'enfuir, vous comprenez ? Ce salaud a buté l'un des nôtres, je ne veux donc pas qu'il vienne ici pour qu'on le mette en tôle. Ce serait trop beau pour lui.

Son interlocuteur paraissait perplexe.

— Que je le laisse s'enfuir ?

Le directeur du Service national clandestin de la CIA souffla, ulcéré par la lenteur intellectuelle de l'agent lisboète.

— Pour que vous puissiez l'abattre ! précisa-t-il à bout de patience, le visage cramoisi. C'est clair à présent ?

Son interlocuteur acquiesça sur un ton monocorde.

— On ne peut plus clair.

VII

Niant l'œuvre du temps et malgré les rides creusées par les années, le visage de Graça dégageait un air angélique. Elle paraissait sereine, en paix ; elle parlait doucement, comme si elle savourait chaque mot, chaque idée. De ses paroles émanait plus de lucidité qu'elle n'en avait montré toutes ces dernières années.

— Tout a commencé lorsque j'ai senti une douleur aiguë qui me serrait la poitrine, raconta-t-elle, posant la main sur son cœur. La douleur était très forte et je me souviens simplement d'être tombée par terre. Lorsque je me suis réveillée, j'étais dans une ambulance. Des fils étaient reliés à mon corps et un secouriste me comprimait la poitrine. (Elle regarda Maria Flor.) Vous étiez derrière cet homme et vous paraissiez très inquiète. Vous aviez la main sur la bouche pendant que vous m'observiez.

— Ah, alors tu es revenue à toi dans l'ambulance ?…

Maria Flor, qui suivait la conversation assise au pied du lit, secoua la tête.

— Pas du tout, j'étais dans l'ambulance et j'ai tout vu. Graça avait les yeux fermés à la suite de l'arrêt cardiaque. Pendant tout le trajet, le médecin a passé son temps à essayer de la ranimer, mais en vain. Le tracé de l'électrocardiogramme était plat. Elle était en arrêt, je n'ai aucun doute là-dessus.

— Mais ça n'a pas de sens, répondit Tomás. Si ma mère se rappelle avoir vu le médecin tenter de la ranimer, c'est qu'elle avait repris connaissance et ouvert les yeux, affirma-t-il comme s'il s'agissait d'une évidence. Comment expliquer autrement qu'elle l'ait vu en train de lui faire un massage cardiaque et qu'elle t'ait vue toi aussi ?

Comme pour répondre à cette objection, Maria Flor fit un geste en direction de la patiente.

— S'il vous plaît Graça, racontez-nous la suite.

— À un moment donné, la porte de l'ambulance s'est ouverte et on m'a posée sur un brancard. On m'a conduite dans un bâtiment ; je suppose que c'était l'hôpital. Là, j'ai vu des personnes en blouse blanche, toutes très affairées, et puis je me suis rendu compte que j'étais dans une salle remplie de machines.

— La salle de réanimation, expliqua Maria Flor. Je répète que quand je l'ai vue entrer, il ne fait aucun doute qu'elle était inanimée.

Graça essaya en vain de remettre de l'ordre dans ses cheveux.

— C'est à ce moment-là que je suis sortie de mon corps.

— Pardon ? interrompit Tomás. Tu t'es levée ?

— Non, je ne me suis pas levée. J'étais couchée sur un brancard et il y avait un autre médecin et deux infirmières autour de moi. Je ne sais pas très bien expliquer ce qui s'est passé, mais… je suis sortie de mon corps.

— Comment ça, tu es sortie de ton corps ?

Graça haussa les épaules comme si elle n'avait pas d'explication et se limitait à constater un fait.

— Je ne sais pas. C'était comme si je lévitais. Je suis sortie de mon corps, je ne sais pas le dire autrement. Je me suis retrouvée au plafond de la salle de réanimation, j'observais mon corps couché sur le brancard, et le médecin et les infirmières qui s'agitaient autour de moi. À un moment donné, le médecin s'est cogné le genou contre l'angle d'un meuble et il a crié de douleur, le pauvre. C'était la cohue, mais j'ai quand même réussi à entendre ce qu'ils disaient.

— Ah oui ? Et qu'as-tu entendu exactement ?

— Je n'en sais trop rien, dit-elle en riant. Si tu veux que je te dise, je n'ai pas bien compris la conversation. Ils utilisaient des termes cliniques incompréhensibles que les médecins emploient parfois, tu vois ce que je veux dire ? (Elle changea de voix, comme si elle imitait quelqu'un.) Administrez-lui je ne sais quoi, préparez-moi telle solution, dites-moi ce que le cardio-trucmuche enregistre, elle ne réagit pas au machin… Ce genre de choses. Ensuite, le médecin m'a comprimé la poitrine à plusieurs reprises, exactement comme dans les films.

— Je vois, acquiesça-t-il. Tu avais donc l'impression d'assister à tout cela du plafond. Et après ?

— Après, j'ai continué à léviter et à m'élever de plus en plus haut jusqu'à ce que, tout à coup, tout devienne obscur et que j'entre dans une espèce de tunnel. C'est à ce moment-là que j'ai vu une lumière, au fond du tunnel, comme si j'étais dans le métro.

— Tu devais être effrayée…

— À vrai dire, non. Je me sentais même tranquille, tout cela me semblait très agréable. Je me souviens même d'avoir pensé : alors c'est ça, la mort. À mon grand étonnement, cette situation ne m'effrayait pas le moins du monde.

— Et que s'est-il passé ensuite ?

— J'ai flotté en direction de la lumière, comme si elle m'attirait, jusqu'à ce que je sorte du tunnel, et puis je me suis retrouvée dans un bel endroit face à mes parents et à ma sœur Lourdes. Ils m'ont embrassée et Lourdes m'a emmenée quelque part où j'ai vu ma vie défiler. Tout est allé très vite, je ne parviens pas à m'expliquer comment on peut faire tenir ainsi la vie entière en un instant, mais c'est pourtant ce qui s'est produit. J'ai tout revu, mon enfance, mes amourettes d'adolescente, l'école, mon mariage, ta naissance… tout. Ensuite, ton père est apparu et il m'a dit de retourner d'où je venais, car mon heure n'était pas encore venue. Je me sentais si bien que j'ai refusé, je voulais rester avec lui, mais il a insisté, disant que ce n'était pas possible. Il m'a expliqué que je devais veiller sur toi parce que tu allais courir un grand danger lors de ton prochain voyage. C'est ça qui m'a convaincue de revenir. J'ai fait demi-tour et l'instant d'après je me suis retrouvée couchée sur le brancard. J'avais les yeux ouverts, l'infirmière l'a vu et elle est sortie en poussant des cris, en disant : « Docteur Colaço, venez vite, vite ! » (La vieille dame ouvrit les mains, comme pour conclure ce qu'elle venait de dire.) Et c'est comme ça que tout s'est passé.

Les paroles de Graça s'évanouirent dans un silence solennel. Tomás avait retenu son souffle pendant que sa mère parlait et il était encore en train de digérer ce qu'il venait d'entendre. Il échangea avec Maria Flor un regard perplexe et attendit un instant pour voir si elle allait parler. Lorsqu'il comprit que son amie n'avait rien à ajouter, il regarda sa mère.

— Tu as raconté cette histoire au médecin ?

La vieille femme soupira.

— Écoute, mon garçon, pour être tout à fait franche, j'ai failli ne rien dire. J'ai eu peur qu'on me mette chez les fous. Mais le pauvre médecin est arrivé dans la chambre en boitant et, lorsque je l'ai vu dans cet état, je lui ai conseillé de placer le meuble ailleurs, sinon il allait encore se cogner et se faire vraiment très mal. Il a été très étonné et m'a demandé comment je savais ce qu'il s'était passé.

— Vous vous êtes trahie, sourit Maria Flor.

— C'est ça, je me suis trahie. Je lui ai raconté que je l'avais vu heurter l'angle du meuble. Il a répondu que c'était absolument impossible, qu'à ce moment-là mon cœur s'était arrêté et que les instruments n'enregistraient aucune activité cérébrale, que je ne pouvais donc pas avoir vu ce qui s'était passé et que je racontais ce que j'avais entendu de la bouche des infirmières. (Graça fronça les sourcils.) Ah, lorsqu'il a dit ça, je me suis mise… je me suis mise dans un état, tu n'as pas idée ! J'étais furax !

— Pourquoi ? s'étonna son fils. Cette histoire est totalement incroyable. Il me semble normal qu'il ait douté…

— Le médecin me traitait de menteuse ! protesta-t-elle. Menteuse, moi ? Ah, non ! Ça, je ne pouvais pas l'admettre, hors de question. Je préfère qu'on me prenne pour une folle. Menteuse, certainement pas ! C'est pour ça que j'ai décidé de tout lui raconter. Absolument tout : depuis le moment où je me suis aperçue que j'étais dans l'ambulance jusqu'à ce que je revienne et que j'ouvre les yeux sur le brancard.

— Et lui, comment a-t-il réagi ?

Graça prit un air songeur.

— Il n'a rien fait de spécial. Il m'a écoutée en silence, m'a remerciée et m'a fait observer que j'avais vécu une expérience très spéciale. Il a ordonné aux infirmières de me faire quelques tests au cœur, puis de me mettre dans cette chambre individuelle. Voilà tout.

— Il a cru ce que tu lui as dit ?

— Elle est bien bonne, celle-là ! protesta Graça avec indignation. Pourquoi ne m'aurait-il pas crue ? À t'entendre, le docteur a eu tort de me faire confiance !

— Ce n'est pas ça, se défendit Tomás, comprenant qu'il devait mieux choisir ses mots pour ne pas heurter la susceptibilité de sa mère. Ce que j'aimerais savoir, c'est s'il a trouvé cette histoire normale. Reconnais que ce n'est pas tous les jours qu'on entend une histoire comme celle-là, non ?

— J'en conviens, dit-elle en se calmant. C'est pour cette raison que le docteur a dit que j'avais vécu une expérience extrêmement spéciale. Je ne mentais pas et il ne m'a pas semblé qu'il ait eu le sentiment que j'essayais de le tromper. (Elle fit signe à son fils.) D'ailleurs, tel que je te connais, j'ai l'impression que tu as plus de doutes que lui.

Touché, pensa Tomás. Les événements étaient encore trop récents et il valait probablement mieux ne pas montrer son scepticisme pour ne pas risquer de provoquer chez sa mère un nouveau malaise cardiaque.

— Non, je n'ai aucun doute, bien sûr, finit-il par dire. J'essayais simplement de… comprendre comment le médecin avait réagi à tout cela.

Graça hocha la tête.

— Mon fils, je te connais depuis si longtemps, fit-elle remarquer avec un sourire condescendant. Tu veux que je te dise ? Tu es exactement comme ton père. E-xac-te-ment. Tu ne crois qu'en la science, en ce qui peut être scientifiquement prouvé, et en rien d'autre. Tout cela est bien joli, la science, le rationalisme, la méthode scientifique et tout le reste, mais il y a des réalités que votre science ne peut expliquer. Et ce qui m'est arrivé ce matin en est une. Ton père le sait à présent, mais toi tu es plus têtu qu'un âne ! À moins que cela ne t'arrive, tu n'y croiras pas. Et, tel que je te connais, même si cela se produisait, tu persisterais à ne pas y croire…

— Je te crois, je te crois, insista Tomás en y mettant le plus de conviction possible.

— Menteur, répéta sa mère. Mais ça ne fait rien, je t'aime quand même. (Elle prit le bord de la couverture et la ramena sur elle.) À présent, et si cela ne vous dérange pas, j'aimerais me reposer. J'ai eu une matinée bien remplie, et tout ça n'est plus vraiment de mon âge.

Sans attendre, elle ajusta son oreiller et se blottit sous la couverture, prête à s'endormir. Son fils se pencha sur elle, déposa un baiser sur son front et alla baisser les persiennes. Puis il fit signe à son amie et ils sortirent tous les deux de la chambre sur la pointe des pieds.

Une fois dans le couloir, Tomás chercha en vain un

responsable, mais il ne vit que des patients allongés sur des brancards.

— Il faut que je parle au médecin, dit-il. Je veux comprendre l'état dans lequel se trouve ma mère.

— Le docteur Colaço est sorti pour déjeuner, mais il m'a dit qu'il reviendrait cet après-midi, expliqua Maria Flor. Je crois qu'il veut faire faire des examens plus approfondis à ta mère, notamment un nouvel électro-cardiogramme et un encéphalogramme. Ce sera une bonne occasion de parler avec lui.

— Le médecin est allé déjeuner ?

Son amie leva le bras gauche et lui montra le cadran de sa petite montre.

— Il est presque 13 heures, tu sais. C'est l'heure de manger un bout, tu ne crois pas ? Le docteur Colaço a beau être médecin, lorsque l'estomac crie famine, il faut le satisfaire.

— Dans ce cas, on devrait suivre son exemple.

Tomás prit la jeune femme par le coude et l'entraîna vers l'extérieur. Ils commencèrent à parcourir le couloir de l'hôpital côte à côte et Maria Flor, légère et d'humeur badine, le poussa contre le mur.

— Alors, comme ça, toi aussi tu as une petite faim…

L'historien se prit au jeu et la poussa à son tour contre le mur.

— J'ai faim et… j'ai envie de savoir ce qui est arrivé à ma mère, dit-il en reprenant son sérieux. Ce qu'elle a raconté, tu sais, ce n'est pas normal du tout.

— Non, ça n'est pas normal, reconnut son amie. Mais elle m'a semblé sincère. Tu ne crois pas ?

— Si, c'est certain, elle dit la vérité, répondit-il. La question n'est pas de savoir si elle disait vrai, je n'en doute pas un seul instant, mais plutôt de déterminer si cela lui est vraiment arrivé.

— Tu sais, j'ai déjà lu des récits racontant des faits similaires.

— Je sais, reconnut Tomás. Déjà Platon, au IVᵉ siècle av. J.-C., raconte dans *La République* l'histoire d'un soldat mort sur le champ de bataille et qui, après être ressuscité, a dit avoir fait un voyage dans les ténèbres jusqu'à une lumière où, accompagné par des guides, il a fait le bilan de sa vie et vécu une très belle expérience de paix et de joie.

— Mais, alors, quels sont tes doutes ?

— Je ne crois pas en tout ça. J'ai le sentiment qu'il s'agit de légendes et de supercheries qui exploitent la crédulité des gens. Qui ne souhaiterait pas pouvoir vivre après la mort ? Les gens sont facilement influençables parce qu'ils croient en ce qu'ils veulent croire.

— Tu penses que ta mère a été influencée par quelqu'un ?

Tomás marchait en regardant les patients sur les brancards qui engorgeaient le couloir de l'hôpital ; il mit un certain temps à répondre. Enfin, il regarda son amie.

— Ma mère souffre de la maladie d'Alzheimer…

VIII

Exigeant et particulièrement méticuleux, James Krongard s'arrêta devant l'immeuble. L'agent de la CIA observa avec attention le premier étage, attendant d'y déceler le moindre mouvement. Il s'approcha de l'interphone et identifia la sonnette. Il aurait préféré téléphoner, mais le portable ne répondait pas.

Il appuya sur l'interphone et attendit. Rien. Il appuya une nouvelle fois et n'obtint aucune réponse. Il insista, sans plus de résultat. Il attendit une dizaine de minutes avant de sonner à nouveau.

Convaincu que l'appartement était désert, il appuya sur un bouton du deuxième étage.

— Qui est-ce ? demanda une voix à l'interphone.

— Du courrier pour le professeur Noronha.

— Vous faites erreur, c'est au premier étage.

— Je sais, mais personne ne répond et j'ai un télégramme urgent de l'étranger à lui remettre.

On entendit un grésillement électrique, suivi d'un claquement, et la porte de l'immeuble se débloqua. Krongard entra et, avec calme et assurance, il monta

79

au premier étage puis s'arrêta devant l'appartement. Il mit ses gants, s'agenouilla et crocheta la serrure.

Il jeta un coup d'œil dans l'appartement. Tout était tranquille. Il se glissa à l'intérieur et referma délicatement la porte. Puis il passa toutes les pièces en revue. Il n'y avait personne. Il n'avait plus qu'à attendre.

Il alla à la cuisine et ouvrit le réfrigérateur. Il était presque vide, mais il restait une cannette de bière. Il l'ouvrit et retourna au salon, où il s'installa sur le canapé. Attendre n'était pas un problème. La vie d'un agent secret était faite de longs moments comme celui-ci et, tout compte fait, cet appartement n'était pas si mal ; cela n'avait rien à voir avec l'inconfort de ses précédentes missions à Kandahar et à Peshawar. Il espérait tout de même que son homme ne tarderait pas trop et qu'il pourrait rentrer à temps pour voir le match des Boston Celtics. Il souhaitait surtout que la mort de Tomás Noronha soit brève et propre.

IX

Sur l'estrade du restaurant aux allures médiévales dans lequel s'étaient installés Tomás et Maria Flor, un groupe de jeunes étudiants vêtus de capes et de soutanes noires jouaient les derniers accords d'un fado. Leurs voix étaient mélancoliques mais sans trémolos, comme il seyait au fado de Coimbra, dont la douceur résidait dans le texte plus que dans le chant.

Adeus Sé velha saudosa,   *O adeus da despedida*
Corn guitarras a rezar.   *Não dura mais que um*
                                minuto

Minh'alma parte chorosa   *Mas fica na minha vida*
No dia em que te deixar.   *Como cem anos de luto*[1].

Un tonnerre d'applaudissements salua les musiciens. Puis, lorsque ceux-ci entonnèrent *Verdes Anos*, dont

---

1. *Adieu Coimbra tant aimée,*   *À l'heure des au revoir,*
  Lumière de mes jeunes années.   *Ton chant m'est plus doux*
                                   que jamais.

  Par tes guitares longtemps bercée,   *Bref est l'instant du départ,*
  Mon âme pleure de te quitter.   *Éternel sera celui des regrets.*

les accords poignants font pleurer les guitares, la salle plongea à nouveau dans le silence. Les yeux brillants, les spectateurs accompagnèrent la mélodie ; aucune musique n'exprimait mieux l'âme portugaise.

Lorsque les étudiants eurent terminé, la salle se leva d'un bond pour les acclamer.

— Cette chanson m'émeut toujours, observa Maria Flor en séchant une larme au coin de l'œil. Chaque fois que j'écoute cette musique, c'est comme si j'entendais la voix du Portugal...

Tomás sourit en entamant son risotto. L'ambiance était agréable, mais ils commencèrent le repas en silence ; Tomás était ailleurs.

— Le médecin ne t'a rien dit après avoir entendu l'histoire de ma mère ? demanda-t-il soudainement.

— Rien. Mais qu'est-ce qui te préoccupe exactement ? Tu trouves tout cela si délirant ?

Sa fourchette en suspens, l'historien passa un long moment à observer la nourriture, comme si la décision de la porter à sa bouche dépendait de quelque délibération intérieure.

— D'un point de vue scientifique, la question se pose de manière très claire, dit-il, toujours songeur. Soit nous avons deux entités distinctes dans la tête, l'âme et le cerveau, soit nous n'en avons qu'une, le cerveau qui crée la conscience. Toutes les grandes religions, à l'exception du bouddhisme, disent que nous en avons deux.

— L'idée que l'âme est séparée du corps me semble naturelle, approuva Maria Flor. D'ailleurs cette idée est intuitive. Si j'ai l'impression forte qu'il existe dans mon corps un moi intérieur qui est unique et continu, c'est qu'il doit vraiment exister.

— En effet. Le problème c'est que la science a beau rechercher les deux entités, âme et cerveau, elle n'en rencontre qu'une : le cerveau.

— Ta mère avait raison, tu ne crois qu'en la science.

— Je suis un universitaire et je ne peux rien accepter qui ne soit dûment démontré. La question est la suivante : si nous avons une âme, où est-elle ? Comment l'âme interagit-elle avec le cerveau ? Si nos souvenirs sont enregistrés dans des cellules du cerveau, et si celles-ci meurent quand nous mourons, comment est-il possible qu'en tant qu'âmes déambulant hors de notre corps, nous nous souvenions de choses qui nous sont arrivées alors que nous étions vivants et que nous reconnaissions des parents qui sont décédés avant nous ? C'est impossible ! Les souvenirs sont gravés dans les cellules du cerveau, ils ne flottent pas dans un espace éthéré. Si les cellules cérébrales meurent, alors la mémoire meurt aussi.

— Il existe peut-être un mécanisme qui permet d'expliquer la survie du cerveau, argumenta Maria Flor. Comme tu le sais, maintes choses dans l'univers nous semblent absurdes, mais elles ont néanmoins une explication.

— Certes, mais il faut une démonstration.

— Alors comment expliquer la sensation que j'ai d'exister au-delà de mon corps ? interrogea-t-elle. Comment justifies-tu que chacun de nous ait fortement l'impression qu'il existe un moi intérieur conscient et indépendant du cerveau ?

— *Maya*.

— Qui ?

— *Maya* est un terme que les bouddhistes utilisent pour exprimer l'illusion, au sens où une chose est différente de ce qu'elle paraît. Selon Bouddha, la souffrance humaine découle d'une notion erronée du moi, et elle ne s'achève que si nous nous libérons des désirs et des attachements qui tendent à recréer constamment ce moi illusoire.

— Cela signifie que le moi intérieur n'existe pas ? Ma conscience ne serait rien d'autre qu'une illusion ? C'est absurde !

— Bien sûr que le moi intérieur existe, comme chacun de nous le sait, s'empressa de rétorquer Tomás. Mais il n'est pas ce qu'il paraît être. Le moi intérieur n'est qu'un nom conventionnel que l'on donne à un phénomène complexe lié à l'activité du cerveau. Bouddha a expliqué que tout dépend de tout. L'impression qu'il existe un moi intérieur indépendant de mon cerveau, c'est la *maya* ; de la même manière, l'impression que je suis une chose, que tu en es une autre et l'univers encore une autre, tout ça c'est la *maya*. Or, les études scientifiques sur la conscience vont dans le même sens. Le moi intérieur ne renvoie pas à quelque chose de continu, c'est une illusion, créée par la mémoire.

— Tu tiens un discours matérialiste, celui des scientifiques selon lesquels tout se résume à l'énergie et à la matière. Mais le matérialisme ne peut expliquer la conscience. Comment un cerveau composé de matière organique peut-il produire une chose aussi complexe et riche que la conscience ? C'est ça la question essentielle à laquelle personne n'a encore trouvé de réponse.

Le sujet n'était pas facile, Tomás le savait. Il plongea sa fourchette dans son assiette et la tourna longuement, se demandant quelle serait la meilleure manière de répondre à cette question.

— Il est surprenant de constater que nous savons aujourd'hui beaucoup de choses incroyables, par exemple sur l'origine de la matière, la façon dont l'univers est apparu, les lois de la physique, mais que nous ignorons encore ce qui se passe dans notre cerveau, remarqua-t-il d'un air songeur. Le cerveau humain est la chose la plus complexe que l'on ait jamais rencontrée dans l'univers, c'est la dernière grande énigme de la science. Il est composé de milliards de neurones, de deux hémisphères, de quatre secteurs, d'une structure unifiée qui s'appelle le cortex, le tout constituant un amalgame gélatineux qui pèse à peine mille cinq cents grammes. La grande question est bien celle que tu as posée : comment se fait-il que ces cellules cérébrales, les neurones, incapables, prises isolément, de produire une pensée, engendrent des choses aussi fantastiques que l'imagination, le rêve, les sentiments d'amour et d'amitié, les idées de beauté, de justice et de liberté, ainsi que la notion de moi intérieur ? Comment cela est-il possible ?

— C'est justement pour ça que l'âme doit exister. Il n'y a pas d'autre explication.

— Bien sûr qu'il y en a une. Nous avons la preuve que la conscience résulte de l'activité cérébrale lorsque nous voyons les effets d'un accident sur le cerveau ou de certaines drogues sur la personnalité. Une lésion au cerveau peut profondément altérer les états de conscience. C'est la preuve que la conscience procède de l'activité du cerveau.

— Mais comment ? Si le cerveau est constitué de cellules, comment peuvent-elles créer de la conscience ? Pour pouvoir dire que la conscience résulte exclusivement de l'activité cérébrale, tu dois d'abord expliquer comment est produite la conscience.

— Les propriétés émergentes.

Sur cette réponse laconique, Tomás replongea dans son assiette. Maria Flor demeura un instant interdite, attendant qu'il lui explique le sens de ces deux mots, mais l'historien continua à manger comme si ce qu'il venait de dire tombait sous le sens.

— Que veux-tu dire par là ? s'impatienta-t-elle. Les propriétés émergentes ?

Posant sa fourchette, Tomás mit la main dans sa poche et en sortit un stylo. La table était recouverte d'une grande nappe en papier, il griffonna une lettre dessus.

B

— Qu'est-ce que c'est ?
— La lettre B. Pourquoi ?

Avec le stylo, il ajouta d'autres lettres à la suite.

BELLE

— Et maintenant ?
— Eh bien, tu as écrit le mot « belle ». Et après, qu'est-ce que tu veux démontrer avec ça ?

L'universitaire ne répondit pas. Il gribouilla d'autres mots.

LA VIE EST BELLE ET TU ES BELLE

— Et ça ?

Son amie éclata de rire.

— C'est un compliment. Tu ne perds jamais une occasion…

— C'est vrai, je ne rate jamais une occasion de dire la vérité, répondit-il en souriant. Ce que je veux démontrer avec ce petit exemple, c'est que les lettres prises isolément ont un sens, mais, lorsqu'on les assemble d'une certaine manière, elles acquièrent des propriétés supplémentaires. En d'autres termes, le mot « belle » est plus que la simple somme des lettres e, l, b, l et e. De la même façon, les mots ont un sens quand ils sont isolés et ils en prennent un nouveau lorsqu'on les associe de telle ou telle manière. Si tu préfères, la phrase « La vie est belle et tu es belle » est bien plus que la simple somme des mots « es, belle, vie, la, tu, et, belle, est ».

— J'ai compris. Une équipe de football, c'est plus que la somme de onze joueurs ; un groupe de *fadistas*, c'est plus que la somme de quatre étudiants.

— Absolument. Il importe cependant de souligner que cet effet ne se produit pas seulement avec la langue ou sur le plan social, c'est un élément intrinsèque de la grammaire de la nature. Par exemple, décris-moi un atome, s'il te plaît.

— Un atome est une partie élémentaire de la matière. Il a un noyau, constitué de protons et de neutrons, autour duquel gravitent des électrons, un peu comme les planètes autour du Soleil, mais à l'échelle de l'infiniment petit.

— Je ne dirais pas que les électrons ressemblent à des planètes, mais plutôt à des nuages autour du noyau, précisa l'universitaire. Quoi qu'il en soit, il s'agit bien sûr de quelque chose de très simple. Ce qui distingue les atomes des différents éléments les uns des autres, c'est uniquement, et pour être tout à fait rigoureux, le nombre de protons. Pourtant, à elle seule, cette différence constitue une propriété émergente. L'atome d'hélium a un comportement distinct de celui de l'oxygène, mais la seule différence entre les deux c'est que l'atome d'oxygène dispose de davantage de protons et d'encore plus de neutrons et d'électrons. Lorsque des atomes s'assemblent en molécules, ils acquièrent de nouvelles propriétés, quelquefois inattendues. En s'associant à l'hydrogène, l'oxygène donne naissance à l'eau, mais lorsqu'il s'associe au carbone il produit quelque chose de complètement différent : du dioxyde de carbone. Prenons un autre exemple. La combinaison de molécules de sodium engendre un métal gris argenté, stable, mais quand elles sont associées à d'autres molécules plus tranquilles, comme celles de l'eau, il se produit une réaction extrêmement intense et violente. Comment se fait-il que deux molécules relativement tranquilles, celle de sodium et celle d'oxygène et d'hydrogène, qui donnent l'eau, provoquent, lorsqu'on les combine, un phénomène turbulent ? En revanche, le chlore est un gaz vert vénéneux, mais quand il est associé au sodium il forme le sel avec lequel on assaisonne nos aliments.

— Je commence à voir où tu veux en venir, observa Maria Flor. Le tout est plus que la somme des parties, et la physique et la chimie sont le résultat de propriétés émergentes.

— C'est encore plus que ça, reprit Tomás. Ce phénomène nous révèle une caractéristique sémantique profonde de la nature. Nous nous apercevons avec le temps que l'univers est constitué de couches de complexité successives, au sein desquelles chaque niveau est plus que la somme des parties du niveau antérieur. La physique est simple, elle se résume à un certain nombre de microparticules toutes identiques qui s'associent pour former des atomes différents. Cependant, quand les atomes entrent en relation les uns avec les autres, un ensemble très varié de molécules commence à apparaître, toutes dotées de propriétés différentes. La matière entre alors dans le champ de la chimie, mais ça ne s'arrête pas là. Les molécules chimiques s'associent les unes aux autres pour produire des choses chaque fois plus complexes et différentes. Certaines vont former des acides aminés et des protéines, et, grâce à une nouvelle propriété émergente, elles vont avoir un comportement encore plus complexe, que l'on appelle « téléologique », c'est-à-dire un comportement ayant un but autonome. La vie.

— La vie est une propriété émergente ?

— Absolument ! Notre corps est constitué d'hydrogène, d'oxygène, de carbone et d'autres atomes exactement identiques à ceux qui existent dans l'air, dans les roches ou dans une planète à l'autre bout de la Galaxie, voire à l'extrémité la plus éloignée de l'univers. Les blocs élémentaires sont les mêmes ; ce qui distingue les choses les unes des autres, c'est la complexité avec laquelle ces atomes interagissent et les propriétés émergentes qui découlent de chaque nouvel échelon de complexité. La vie elle-même est constituée de couches de complexité successives, chaque couche apportant avec elle de nouvelles propriétés émergentes.

Ce qui sépare une bactérie d'un insecte, c'est le niveau de complexité, et il en est de même entre un insecte et un rat, entre un rat et un ouistiti, entre un ouistiti et un être humain. Sur le plan élémentaire, nous sommes tous égaux – acides aminés, protéines, etc. –, ce qui nous distingue, c'est la complexité dans l'organisation des molécules et les propriétés émergentes à chaque niveau de complexité.

— Tout ça est très intéressant, convint Maria Flor, mais où veux-tu en venir ?

L'historien posa l'index sur sa tempe.

— La conscience est une propriété émergente, dit-il doctement. La conscience est un phénomène qui résulte de la complexification du cerveau.

— Quoi ?

— La première chose que tu dois comprendre, c'est que, d'une certaine manière, nous n'avons pas un cerveau unique, mais plusieurs cerveaux. Ils sont comme emboîtés les uns dans les autres. En d'autres termes, nous avons hérité des cerveaux de nos lointains ancêtres, comme les insectes et les reptiles, et avec l'évolution nous ne nous sommes pas débarrassés d'eux, nous les avons intégrés dans un cerveau plus grand.

Son amie feignit d'être scandalisée.

— Tu es en train de me dire que j'ai un cerveau de cafard et un autre de lézard dans la tête ?

Tomás rit, amusé.

— D'une certaine manière. Mais il va de soi que le tien est beaucoup plus beau, ça ne fait aucun doute…

— C'est ça, essaie de m'amadouer avec tes galanteries, répondit-elle en réprimant un sourire. Qu'est-ce que tout cela a à voir avec la conscience ?

— Tout, dit-il. Faisons un voyage dans le temps et revenons au moment où la vie est apparue sur terre. En réalité, personne ne sait comment cela s'est passé précisément, mais on suppose que les molécules qui existaient dans la nature se sont associées et ont créé des cellules, lesquelles ont commencé à agir de façon autonome dans un sens « téléologique », de sorte que la chimie a engendré la biologie.

— Tu parles des premiers micro-organismes...

— Exactement. Le comportement téléologique des premiers micro-organismes peut être expliqué comme un calcul binaire de zéros et de uns. Zéro signifie positif, un signifie négatif. Les premiers micro-organismes s'approchaient des éléments positifs pour assurer leur survie et s'éloignaient des éléments négatifs qui leur étaient nuisibles. C'est tout. Ils n'avaient aucune conscience, il s'agissait d'un simple comportement automatique de type binaire, soit ils s'approchaient, soit ils s'éloignaient. Or, il se trouve que ce processus a transformé les micro-organismes en créatures ayant des intérêts, primaires certes, mais des intérêts. Ils ont commencé à s'intéresser à ce qui se passait à l'extérieur d'eux, donnant ainsi naissance à un premier récit du monde. L'extérieur a acquis un sens, et l'intérieur aussi. L'organisme a ainsi établi une division entre lui et le monde, ce qui a été une évolution capitale.

— Pourquoi ? En quoi est-ce si spécial ?

Tomás regarda son amie en réfléchissant.

— Essaie d'avaler un peu de salive.

Maria Flor rit, mais elle s'exécuta.

— C'est fait. Et alors ?

Il montra un verre vide.

— À présent, pourrais-tu cracher dans ce verre puis avaler la salive que tu viens de cracher ?

— Quoi ? Quelle horreur ! répondit-elle avec un air dégoûté. C'est répugnant !

Tomás afficha un sourire satisfait.

— Tu es consciente que ta réaction, qui est par ailleurs parfaitement naturelle et commune à tous les êtres humains, n'est pas du tout logique ? Pour quelle raison le fait d'avaler la salive que tu as dans la bouche ne te dégoûte absolument pas, mais lorsqu'il s'agit d'avaler celle que tu as crachée dans ce verre, tu trouves ça parfaitement répugnant ? Ne s'agit-il pas de la même salive ? Quelle différence y a-t-il entre les deux ?

— Oui, en effet…

— La manière dont les êtres vivants établissent une distinction si nette entre eux-mêmes et ce qui leur est extérieur semble être programmée, profondément ancrée dans leur cerveau, et se situe au cœur de tous les processus biologiques. Moi, c'est moi, et ce qui est en dehors de mon corps, ce n'est pas moi. Ce trait fondamental a commencé à apparaître dans les processus évolutifs et le système binaire, « fuir » parce que c'est négatif ou « s'approcher » parce que c'est positif, a évolué pour devenir plus complexe et sophistiqué à mesure que le système nerveux se développait. Le calcul s'est complexifié, car les organismes avaient besoin d'informations plus élaborées sur le monde qui les entourait pour pouvoir lutter, survivre et, si possible, proliférer. Au départ, les êtres vivants n'avaient pas de plan, ils s'approchaient ou s'éloignaient, c'est tout, c'était une réaction automatique, mais la complexité du système nerveux leur a permis de commencer à planifier. Comment se procurer de la nourriture ? Où ? Comment se protéger du froid ? Comment identifier les menaces ? Comment échapper aux prédateurs ? Comment capturer une proie ? C'est dans la complexité de ce calcul primordial, « approcher » ou « fuir », que réside la genèse de la pensée.

— Je vois où tu veux en venir, dit Maria Flor. D'abord est apparu le calcul binaire élémentaire, puis un calcul plus complexe, ensuite la pensée élémentaire de survie, suivie de la planification simple, et enfin la conscience. Chaque nouvelle étape est un développement de l'étape antérieure.

— En somme, oui, c'est ça. Une partie importante de notre cerveau est composée de cerveaux plus primitifs, dont le fonctionnement renvoie à un calcul élémentaire et automatique du type « approcher » ou « fuir ». Mais la conscience ne constitue pas un phénomène instantané. Elle s'est développée au fur et à mesure que nos cerveaux ont évolué et acquis de nouvelles compétences. Nous savons aujourd'hui que les insectes et les reptiles n'ont pas de conscience, mais que les mammifères si. Il semblerait que la conscience soit apparue sur notre planète il y a environ deux cents millions d'années, lorsque des cortex primitifs se sont formés dans les cerveaux des mammifères, ce qui leur a donné un avantage sur les reptiles sur le plan de l'évolution. Nous avons gardé ces cerveaux primitifs, de telle sorte que la quasi-totalité de l'activité cérébrale est inconsciente. Quand on y réfléchit, c'est le cerveau qui règle les battements du cœur et coordonne le fonctionnement des intestins, des reins et de presque tout notre corps sans que la conscience intervienne. On a calculé que, tandis que onze millions de bits par seconde sont traités de manière inconsciente par le cerveau humain, cinquante seulement sont l'objet d'une analyse consciente de l'information.

Il griffonna les chiffres sur la table pour mettre en évidence la différence d'échelle.

$$Conscience = 50 \ bits$$
$$Inconscience = 11\ 000\ 000 \ de \ bits$$

— Mais, alors, à quoi sert la conscience ? Si le cerveau peut tout régler automatiquement, à quoi sert le moi intérieur qui est conscient de sa propre existence ?

— À planifier, déclara Tomás sentencieusement. Le cerveau humain est une machine à planifier et la conscience est nécessaire pour que l'on puisse mieux déchiffrer le monde et planifier de manière plus complexe et abstraite. C'est pour cette raison que la conscience est un atout décisif de l'évolution. Sans conscience, nous n'aurions pas inventé la roue, ni l'écriture, sans elle nous ne fabriquerions pas d'automobiles, ni de télescopes ou d'ordinateurs. C'est la conscience qui nous permet d'observer l'univers, de le comprendre et de s'approprier certains de ses éléments.

— Et alors que penser de ce que ta mère a vu ? demanda-t-elle, revenant au point de départ de leur conversation. Comment expliques-tu que ta mère soit morte et qu'elle ait vécu cette expérience alors que son électrocardiogramme traduisait une absence quasi totale d'activité cérébrale ?

Tomás consulta sa montre et, s'apercevant de l'heure, leva la main pour demander l'addition.

— Il se fait tard. Nous devons retourner à l'hôpital. Seul le médecin peut élucider ce mystère.

X

Tant de poussière accumulée sur les tables et les étagères de l'appartement attira l'attention de James Krongard. Il se pencha vers la table basse près du canapé, passa le doigt sur la surface et réfléchit.

— Soit ce Noronha vit dans une crasse répugnante, soit…

Pourquoi n'y avait-il pas pensé plus tôt ? Toute cette poussière laissait supposer que son homme n'avait pas l'habitude de passer beaucoup de temps chez lui. Il ne rentrerait donc probablement que dans la soirée. À supposer qu'il rentre. Il avait peut-être aussi une fiancée chez qui il pouvait très bien passer quelques jours après son séjour à Genève.

L'attente risquait de devenir interminable, se dit l'agent de la CIA, qui décida d'activer ses recherches.

Il se replongea donc dans le dossier de Tomás Noronha que le chef des agents de terrain de la CIA, Harry Fuchs, lui avait transmis une heure auparavant, en même temps que l'ordre d'arrêter et de transférer le suspect à Langley. Outre la note que Frank Bellamy avait laissée et les informations élémentaires sur l'iden-

tité du suspect, parmi lesquelles figuraient trois photographies, il y avait le numéro de son portable ainsi
que l'adresse de son domicile, où Krongard se trouvait
précisément. Peut-être y avait-il d'autres moyens de le
localiser. Le dossier précisait notamment que Noronha
avait enseigné à l'université nouvelle de Lisbonne, et
qu'il était aujourd'hui consultant pour la fondation
Gulbenkian.

Krongard rechercha le numéro de téléphone de la
fondation et le composa.

— Fondation Gulbenkian, bonjour, annonça une
voix féminine sur un ton mélodieux. Que puis-je faire
pour vous ?

— J'aimerais parler au professeur Noronha.

— Je vais vous passer son bureau. Veuillez patien-
ter.

Un signal d'appel se fit entendre et une nouvelle
voix féminine, plus sèche, répondit.

— Allô, oui ?

— Bonjour, je vous appelle de l'université de Harvard, mentit Krongard pour justifier son accent américain. Puis-je parler au professeur Noronha ?

— Je crains que ce ne soit pas possible. Il est venu
ce matin, mais il est déjà parti.

— Pourriez-vous me dire où je peux le joindre ? Il
s'agit d'une affaire de la plus haute importance.

— Vous voulez dire que c'est à cause de… comment ça s'appelle déjà ? La… la *Tabula Smigri… Sag-
mari*… Enfin vous voyez ce que je veux dire.

L'agent de la CIA fit la moue. Il ne savait pas de
quoi elle parlait, mais puisqu'il était censé appeler de
Harvard son ignorance pouvait paraître suspecte.

— Non, non, il s'agit d'une autre affaire.

— Écoutez, je crains, hélas, que ce ne soit difficile de lui parler aujourd'hui. Le professeur Noronha a été appelé d'urgence à Coimbra, car sa mère a eu une crise cardiaque. J'ai bien essayé de l'appeler pour avoir des nouvelles, mais son portable est éteint. Pouvez-vous rappeler demain ?

— Ah, le pauvre, murmura Krongard, feignant la compassion. Raison de plus pour que je le joigne. Il y a, parmi les enseignants de notre université, quelques-uns des meilleurs cardiologues et chirurgiens du monde.

— L'université de Harvard est effectivement très réputée. Elle peut se flatter d'avoir quelques prix Nobel, n'est-ce pas ?

— En effet, madame. Mais, comme vous le savez, il faut agir le plus vite possible dans ce genre de cas. Il y a urgence. Pourriez-vous m'indiquer le nom de la maison de repos où se trouve la mère du professeur Noronha ?

— Il s'agit de Mon Repos, précisa aussitôt la secrétaire. Je suis sûre que le professeur Noronha vous sera extrêmement reconnaissant de l'aide que vous pourrez lui apporter.

— Comptez sur moi. Merci infiniment.

L'agent de la CIA raccrocha et se dirigea vers la sortie à grandes enjambées. Il savait désormais où aller. Coimbra.

XI

Quand ils revinrent à l'hôpital, le lit de la chambre seize était vide. Tomás pensa que sa mère s'était levée pour aller aux toilettes, mais elle n'y était pas.

— Où est ma mère ? demanda-t-il avec anxiété pendant qu'il inspectait la chambre. Bon sang où est-elle ? Tu crois qu'il lui est arrivé quelque chose ?

— Il vaut mieux demander à une infirmière…

Ils sortirent de la chambre et parcoururent le couloir jusqu'à la salle des infirmières de garde.

— Ma mère ? demanda-t-il à la première infirmière qu'il vit dans la salle. Vous savez où elle est ?

La femme rousse, un peu ronde, leva les yeux de son ordinateur et ôta ses lunettes pour regarder le visiteur.

— Bonjour, dit-elle calmement. Vous pouvez me donner son nom ?

— Graça Noronha, chambre seize. Je l'ai laissée il y a deux heures et elle n'y est plus. Savez-vous ce qui s'est passé ?

L'infirmière remit ses lunettes et consulta l'ordinateur.

— Chambre seize, dites-vous ? Voyons cela… (Elle

pianota sur son clavier et attendit que la dossier de la patiente apparaisse à l'écran.) Ah, voilà, chambre seize. (Elle fronça les sourcils, comme pour confirmer ce qu'elle voyait.) Il s'agit bien de Mme Noronha, la dame qui est morte ?

Tomás écarquilla les yeux, abasourdi par la nouvelle.

— Elle est morte ? (Il fit un pas en arrière, sidéré.) Ma mère… est morte ?

L'infirmière ôta ses lunettes et le dévisagea à nouveau.

— Enfin, morte… c'est une façon de parler. Votre mère est en vie, soyez rassuré. C'est nous, ici, qui l'avons surnommée « la morte qui est ressuscitée ».

Tomás respira profondément, soulagé.

— Vous m'avez fait une de ces peurs ! J'ai cru que… Vous pouvez me dire où elle est ?

L'infirmière se tourna de nouveau vers son écran.

— Le docteur Colaço l'a emmenée faire des examens, précisa-t-elle. Elle est en salle de cardiologie.

Il la trouva couchée sur un brancard, reliée à un électrocardiographe par d'innombrables fils. Une infirmière surveillait la procédure et, à côté d'une secrétaire qui prenait des notes, il y avait un homme en blouse blanche, d'âge moyen, entièrement chauve à part quelques mèches qui résistaient sur les côtés, en particulier derrière les oreilles.

— Bonjour, jeunes gens, les salua Graça dès qu'elle les aperçut. J'ai presque fini l'examen. (D'un geste, elle désigna l'homme à la blouse blanche.) Le docteur m'a dit que, si tout allait bien, il m'autoriserait à sortir dès aujourd'hui.

— C'est vrai ? s'étonna Tomás. Si vite ?

Elle sourit.

— C'est ce qu'il a dit.

Ils la laissèrent finir l'examen et se dirigèrent vers le bureau où se trouvait le médecin. Entendant les visiteurs s'approcher, le docteur Colaço leva les yeux et reconnut Maria Flor.

— Bonjour. Vous êtes venue prendre des nouvelles ?

— En effet, docteur. Voici le professeur Tomás Noronha, son fils. Il vient d'arriver de Lisbonne.

Les deux hommes se serrèrent la main et le médecin désigna deux chaises vides en face du bureau.

— Asseyez-vous, dit-il. Votre mère passe un électrocardiogramme et, si tout va bien, je l'autoriserai à sortir.

— Ce n'est pas un peu risqué, docteur ? interrogea Tomás. Elle vient quand même de faire une crise cardiaque avec un arrêt cardiaque prolongé. Il ne vous semble pas plus prudent de la garder encore quelque temps en observation ?

— Ce serait la procédure normale, concéda la cardiologue. Cependant, les résultats des examens que je lui ai fait faire sont bons et… pour être tout à fait franc, l'hôpital est submergé de malades et on manque de lits. Je ne sais pas si vous avez remarqué, mais il y a même des brancards qui encombrent les couloirs. De plus, un cas très compliqué est arrivé tout à l'heure et nous avons besoin de la chambre individuelle qu'occupait votre mère. Bien sûr, on peut la laisser dans le couloir…

— Ça, c'est impossible ! coupa Tomás.

— C'est ce que je pense aussi, s'empressa d'ajouter

le cardiologue. C'est pourquoi, compte tenu des résultats positifs des examens effectués jusqu'à présent, et puisque la maison de repos de Mme Maria Flor se trouve à deux pas de l'hôpital, il me semble que votre mère y serait plus à l'aise et plus confortablement installée. Par ailleurs, on m'a dit que la maison disposait d'un défibrillateur, ce qui permettra de faire face à toute éventualité en attendant l'arrivée de l'ambulance. C'est ce qui s'est passé ce matin, non ?

— Mais vous ne pensez pas qu'il est tout de même risqué de la laisser sortir si tôt ?

— Je crois que la situation est maîtrisée. De toute façon, il faudra qu'elle vienne ici tous les matins pendant une semaine pour observation. Si je constate un quelconque problème, soyez sans crainte, j'ordonnerai immédiatement son hospitalisation.

Le raisonnement du médecin était suffisamment convaincant pour persuader Tomás.

— Eh bien, qu'il en soit ainsi. Qu'en est-il des examens du cœur et du cerveau ? Sont-ils normaux ?

— Sachant qu'elle souffre de la maladie d'Alzheimer, je dirais que oui.

Tomás se gratta la tête, se demandant quelle était la meilleure manière d'aborder le sujet.

— Vous savez, docteur, elle m'a raconté une histoire bizarre qui se serait passée pendant l'arrêt cardiaque. Elle vous en a parlé apparemment…

— Vous faites allusion à l'expérience de mort imminente et de sortie du corps ?

— Tout à fait. Vous pensez que c'est un symptôme de la maladie d'Alzheimer ?

Le médecin secoua la tête.

— Non, je ne crois pas.

— Vous êtes sûr ? Après tout, cette maladie se caractérise par une dégénérescence progressive du système neurologique. Il est donc probable que de tels troubles provoquent des hallucinations…

Le docteur Colaço lança un regard en direction du brancard de la patiente, visiblement gêné d'aborder la question en sa présence.

— Vous ne voulez pas prendre un café ? demanda-t-il en indiquant la sortie vers le couloir. Nous serions plus à l'aise pour que je vous dise la vérité sur les expériences de mort imminente.

— La vérité ?

D'un geste décidé, le médecin recula bruyamment sa chaise et se leva.

— Si incroyable que cela puisse paraître, votre mère a effectivement vécu une telle expérience.

XII

Un seul hélicoptère, parmi tous ceux qui occupaient la piste, venait d'atterrir sur l'aérodrome de Tires, près de Cascais, faisant trembler l'air sous l'effet des rotations rythmées de ses pales. James Krongard se tenait au bord de la piste, la mallette à la main, le visage fouetté par la poussière.

Un homme corpulent, vêtu d'un gilet jaune, s'approcha d'un pas rapide.

— Monsieur Krongard ?

— C'est moi.

L'homme désigna le Bell 206 blanc et bleu qui s'était posé. Une porte s'était ouverte du côté opposé au pilote, alors que les pales de l'hélicoptère, prêt à décoller à tout moment, continuaient à tourner.

— C'est l'appareil que votre ambassade nous a demandé d'urgence, dit-il en criant pour se faire entendre malgré le bruit. Faites attention en vous approchant, les pales ont tendance à se courber vers le bas et… enfin, si elles vous atteignent vous risquez d'avoir une sacrée migraine. (Il sourit, content de sa plaisanterie.) Avancez tête baissée, d'accord ? (Il lui tapa dans le dos.) Bon vol !

Sans prendre la peine de répondre, l'Américain se baissa et se dirigea vers l'appareil. Le vacarme des pales en rotation était réellement assourdissant.

— Le casque ! cria le pilote assis à côté de lui en désignant un casque rouge posé près du siège. Mettez le casque ! Et bouclez la ceinture. Dès que vous êtes prêt, on décolle.

Krongard obéit. Il enfila le casque et boucla sa ceinture de sécurité. L'agent de la CIA était habitué à voler en hélicoptère. Bien qu'il ne fût jamais monté dans un Bell 206, il avait volé sur tous les modèles dont disposait l'armée de l'air en Afghanistan pour les missions contre Al-Qaïda et les talibans autour de Kandahar et dans les zones tribales du Pakistan, et il n'eut donc aucune difficulté à s'adapter.

— Je suis prêt.

Le pilote s'assura que le casque et la ceinture étaient correctement ajustés et, satisfait, il brancha la radio et demanda l'autorisation de décoller.

La tour lui donna le feu vert ; quelques instants plus tard, le bruit du moteur redoubla d'intensité et l'appareil commença à prendre de l'altitude, projetant des nuages de poussière sur la piste.

Krongard regarda sa montre.

— Combien de temps pour Coimbra ?

— Une demi-heure environ, répondit le pilote, mettant le cap au nord. Peut-être moins.

XIII

Un léger étonnement saisit Tomás lorsqu'ils arrivèrent là où le docteur Colaço avait décidé de les emmener pour discuter. Le médecin ne les avait pas conduits à la cafétéria du personnel, comme ils s'y attendaient. Non, ils se trouvaient au réfectoire du service de psychiatrie, en compagnie de nombreux malades. Ils s'assirent à une table près de la fenêtre, à côté d'un patient qui n'arrêtait pas de baver. Pendant que le cardiologue était parti chercher des boissons, Tomás s'interrogea sur le message qu'il voulait leur faire passer. Pourquoi ce lieu ?

L'air intrigué de l'historien amusa le docteur Colaço lorsqu'il revint avec trois cafés fumants.

— Vous savez, chaque fois qu'un patient me raconte une expérience de mort imminente, j'aime bien venir ici, en psychiatrie, pour retrouver mon équilibre, dit-il en s'asseyant et en montrant d'un geste l'espace autour d'eux. Cela m'aide à me rappeler que la science existe encore, je ne sais pas si vous me comprenez ?

— Plus ou moins.

Le médecin parcourut le réfectoire du regard, puis désigna un malade près de l'entrée.

— Vous voyez cet homme assis près de la porte ?

Les deux visiteurs regardèrent l'endroit indiqué.

— Lequel ? Celui qui a la main gauche attachée à la poitrine ?

— Oui. Il s'appelle Jorge, il est venu pour une consultation. Vous savez pour quelle raison sa main gauche est attachée ?

— Il s'est blessé ?

Le médecin secoua la tête.

— Sa main gauche a tenté de le tuer.

— Vous voulez dire qu'il a des tendances suicidaires ?

— Non, absolument pas. Jorge Cristovão est un homme parfaitement normal, mais il vit dans la terreur depuis que sa main gauche a tenté de le tuer. Une nuit, alors qu'il dormait, il s'est réveillé en sursaut parce qu'il manquait d'air et ressentait une douleur lancinante à la gorge. C'était sa main gauche qui l'étranglait. Effrayé, il la saisit avec sa main droite et, après une lutte acharnée, il réussit à se libérer. Depuis lors, il vit avec la main gauche attachée.

Les visiteurs observèrent l'homme en question, tentant de deviner ce qui pouvait bien les opposer, lui et sa main gauche. L'homme paraissait assez tranquille, il buvait distraitement un thé et dégageait une certaine mélancolie.

— Comment est-ce possible ? demanda Maria Flor, sans pouvoir quitter le malade des yeux. Comment une main peut-elle agir de façon autonome ?

— On appelle ça le syndrome de la main étran-

110

gère ; c'est un phénomène très rare. Avant de s'attacher la main gauche, Jorge a vécu des expériences très étranges. Par exemple, un jour, alors qu'il boutonnait sa chemise avec la main droite, il s'est aperçu que sa main gauche s'amusait à la déboutonner. Souvent, il prenait un objet avec la main droite et la main gauche le lui retirait. Le malheureux ne savait plus quoi faire.

— Le pauvre…

— À présent, j'aimerais vous poser une question : quelle est la signification de ce phénomène, et quel est le rapport avec l'expérience de mort imminente vécue ce matin par Graça ?

— Eh bien… hésita Maria Flor, quelque chose a pris possession de sa main.

— Oui, mais quoi ? Un esprit ?

— … Pourquoi pas ?

— Et si je vous disais que cela n'a commencé à se manifester qu'après qu'une partie du cerveau, le corps calleux pour être exact, a été affecté par un infarctus au lobe frontal gauche ?

— Ah !

— À première vue, il semblerait que l'on ait affaire à un homme dont la main gauche est possédée par un esprit étranger. Mais, si on analyse mieux les choses, on s'aperçoit que ce phénomène bizarre n'a débuté qu'après une lésion au cerveau. En d'autres termes, ce qui pouvait passer pour un cas de spiritisme a en réalité une explication purement neurologique. (Il se tourna sur sa chaise et balaya le réfectoire du regard.) Observez à présent la dame en bleu, près du vase.

Les visiteurs regardèrent en direction de la femme.

— Laquelle ? Celle qui parle toute seule ?

— Mme São a trois personnalités différentes. Tantôt elle est l'autoritaire Vera, tantôt la timide Alexandra, et tantôt la grossière Luisa, une mégère insupportable. Chaque personnage a un nom, une biographie et une vie propre. D'après l'expérience vécue ce matin par votre mère, pourrait-on dire que le corps de Mme São est possédé par trois âmes différentes ?

— Oui, en effet.

— En fait, elle est atteinte du trouble de la personnalité multiple, une pathologie relativement commune. Il existe des milliers de cas similaires de personnes avec deux, trois, voire seize personnalités différentes. Les études montrent que presque tous ces patients ont une chose en commun : dans leur enfance, ils ont été victimes de violences graves, souvent de nature sexuelle. On en a conclu que leurs cerveaux avaient créé des personnalités multiples pour les protéger contre cette violence, comme s'ils avaient établi des frontières internes dans leur personnalité, la divisant en différentes parties de manière à mieux compartimenter le traumatisme et ainsi feindre que la violence ne touchait que l'une de leurs personnalités et pas les autres. En somme, les esprits n'existent pas, c'est l'inconscient de ces personnes qui crée des personnalités multiples comme mécanisme de défense.

— D'accord, ces personnalités diverses peuvent s'expliquer par des traumatismes liés à l'enfance. Mais on n'a jamais découvert une caractéristique physique du cerveau qui produise différentes personnalités dans le même corps.

— Eh bien, figurez-vous que si, corrigea le docteur Colaço, désignant un homme devant eux, qui lisait un livre. Vous voyez M. Abel ? En raison d'un grave problème d'épilepsie, on a dû lui couper le corps calleux qui unit les deux hémisphères du cerveau. Chez une personne normale, les hémisphères communiquent entre eux, mais sans le corps calleux ils cessent de communiquer. Mes collègues psychiatres ont fait passer plusieurs tests à ce patient, et vous savez ce qu'ils ont constaté ? Qu'il a deux entités dans la tête, chacune dotée de ses sensations et de sa volonté propre, bien que seule celle de l'hémisphère gauche dispose de la parole, car c'est dans cet hémisphère que se concentrent les compétences linguistiques.

Maria Flor respira profondément.

— Ça y est, j'ai compris. Vous pensez que l'expérience de mort imminente que Graça a vécue ce matin a une explication clinique…

— Ce n'est pas ce que j'ai dit, souligna le médecin. Je me suis limité à constater que, considérés sous l'angle psychiatrique, certains phénomènes ne sont pas ce qu'ils paraissent être. On pense que bien souvent ils sont liés au monde extérieur, alors qu'en réalité ils se produisent exclusivement dans le cerveau.

Tomás prit la parole.

— Cela me fait penser à cette question philosophique classique. Si un arbre tombe dans une forêt où il n'y a personne pour l'entendre, a-t-il fait du bruit ?

Son amie écarquilla les yeux.

— Bien sûr ! s'exclama-t-elle. Ce n'est pas parce qu'il n'y a personne pour l'entendre qu'il ne fait pas de bruit pour autant. Les choses existent indépendamment de nous, que je sache.

— Tu crois vraiment ?

— Sans aucun doute.

— Eh bien, voyons cela. (L'universitaire changea de position et s'inclina vers l'avant.) Qu'est-ce que le son ? C'est le résultat du mouvement de molécules dans un milieu quelconque, tel que l'air ou l'eau, par exemple. Lorsqu'un arbre tombe par terre, les molécules d'air sont perturbées et génèrent des pulsations successives qui se propagent en onde. Or, quand il se produit entre vingt et vingt mille pulsations par seconde, cette variation de pression provoque une vibration sur une membrane appelée le tympan, qui la transforme en impulsions électriques et la transmet à un nerf. (Il leva l'index pour souligner le point essentiel.) Notez que le tympan n'a enregistré aucun son, il a simplement vibré en raison des pulsations rapides qui modifient la pression de l'air. En réalité, le tympan a stimulé le nerf en fonction du rythme de ces pulsations de molécules, créant ainsi un phénomène que la conscience désigne comme étant le son. Le cerveau aurait très bien pu transformer ce stimulus en image, mais il a choisi de lui faire prendre la forme du son. Un sourd, par exemple, ne peut pas percevoir ce stimulus, ce qui ne l'empêche pas de sentir les vibrations des molécules d'air, mais sur sa peau.

— Exactement, le son tel que nous le connaissons est créé dans notre cerveau, il n'existe pas hors de lui, résuma le docteur Colaço. Il en est de même, comme il ressort implicitement de ce que vient de dire le professeur Noronha, de la vision. (Il désigna une lampe allumée au plafond.) Cette lampe émet des petits paquets d'ondes électromagnétiques. Notez que ni l'électricité ni le magnétisme ne sont, en tant que

114

tels, des phénomènes visuels. Pourtant, lorsque ces ondes électromagnétiques parviennent à un être humain dans des longueurs d'onde comprises entre quatre cents et sept cents nanomètres, leur énergie stimule les cellules coniques de la rétine et elle est transformée en impulsions électriques qui sont envoyées, par un nerf, vers le lobe occipital du cerveau, à l'arrière de la tête. Lorsqu'ils reçoivent ces impulsions, les neurones sont activés et créent ce que nous appelons une image. C'est la vision.

— D'ailleurs, il suffit d'observer ce qui se passe lorsque nous voyons un arc-en-ciel, ajouta Tomás. L'arc-en-ciel n'est rien d'autre que la réfraction de la lumière au contact de l'eau selon un certain angle de vision. Si quelqu'un se rend à l'endroit où il a observé un arc-en-ciel, il ne verra rien du tout, ce phénomène n'étant qu'un simple effet visuel capté par nos yeux à partir d'un point donné. Une personne à dix mètres de là le verra avec une intensité de couleur différente ou bien ne le verra pas. En somme, l'arc-en-ciel est une illusion.

— Mais il peut être photographié, argumenta Maria Flor.

— C'est vrai. L'arc-en-ciel n'existe pas en tant qu'objet matériel, mais il est réel d'une certaine manière puisque nous le voyons et nous pouvons le photographier. Mais, et c'est là le point essentiel, il n'est réel que s'il est observé. Tu saisis la nuance ? C'est l'observation qui, associée à la réfraction de la lumière dans l'eau, crée l'arc-en-ciel. Sans observateur il n'y a pas d'arc-en-ciel.

— J'ai compris, l'image est également créée dans notre cerveau.

— C'est en effet ce qu'il importe de comprendre, acquiesça le médecin, montrant à nouveau la lampe. Au plafond il n'y a aucune lumière. Ce qui existe, ce sont des ondes électromagnétiques que notre système neurologique transforme en images. Le cerveau pourrait convertir ces images en… que sais-je, en chatouillements, en maux de ventre, en sons ou en goût, ou en n'importe quoi d'autre, mais il a opté pour l'image.

La jeune femme croisa les bras.

— Tout ça est bien joli et très logique. Mais j'attends toujours que l'on me donne une explication raisonnable de ce qui est arrivé ce matin.

— Avant d'en arriver à l'expérience de Graça, il me paraît important que nous comprenions dans quelle limite la conscience domine notre esprit, dit le médecin en tendant le doigt vers la corbeille de pain posée sur la table. Maria Flor, avez-vous l'impression que lorsque vous prenez une décision consciente, comme vous lever pour aller à la fenêtre voir ce qui se passe dehors, c'est vraiment votre conscience qui a pris cette décision ?

— Bien sûr. Comment pourrait-il en être autrement ?

— Attention !

Le docteur Colaço lança soudainement un morceau de pain à son interlocutrice. Maria Flor réagit instantanément et esquiva le petit pain.

— Que… faites-vous ? balbutia-t-elle. Pourquoi m'avez-vous lancé ce petit pain ?

Le cardiologue sourit.

— Pour pouvoir vous poser une question, dit-il.

Lorsque vous avez esquivé le morceau de pain, avez-vous préalablement pensé à le faire ou bien avez-vous eu une réaction… comment dire, automatique ?

— Eh bien, j'ai eu un réflexe ou une réaction automatique, appelez ça comme vous voulez. Je n'ai guère eu le temps de réfléchir…

— Exactement, vous avez réagi de façon automatique, confirma le médecin. Comme vous avez dû décider très vite comment éviter la menace, votre cerveau a réagi sans consulter la conscience. Il n'en a pas eu le temps. Et s'il l'avait eu ? Quel délai aurait-il fallu pour que le cerveau puisse consulter la conscience ? Pour répondre à cette question, un neurophysiologiste appelé Benjamin Libet a mené une série d'expériences qui ont suscité beaucoup de commentaires dans le monde scientifique. Stimulant la surface du cerveau avec des électrodes, Libet commença par démontrer que ce n'est qu'une demi-seconde après une stimulation électrique qu'un sujet dit l'avoir ressentie. Ce qui revient à dire que notre conscience est constamment déphasée d'une demi-seconde par rapport à la réalité, bien que l'on ne s'en rende pas compte, car on reconstruit les événements comme s'ils se produisaient à un moment précis.

— En d'autres termes, si mon corps avait attendu une décision consciente, j'aurais pris le pain dans la figure.

— Ce n'est pas ce que nous voulions, n'est-ce pas ? plaisanta le cardiologue. Libet n'en est pas resté là. Il a aussi cherché à savoir ce qui se serait passé si le cerveau avait eu le temps de consulter la conscience. Par exemple, si l'un de nous part regarder par la fenêtre, cette décision n'exige pas une réaction immédiate. Quel sera alors le processus de décision ? Pour le savoir, Libet a mené une expérience. Il a demandé à des sujets de bouger le poignet, ce qui lui a permis de mesurer trois choses : le moment où les sujets décidaient consciemment de bouger le poignet, le moment où l'activité cérébrale commençait, et enfin le moment où le poignet bougeait. L'expérience a donné des résultats surprenants. Libet a découvert que le premier événement à se produire était le début de l'activité cérébrale. Puis, trois cent cinquante millisecondes après, la décision consciente était prise, et deux cents millisecondes plus tard le poignet bougeait.

— L'activité cérébrale a précédé la décision consciente ? s'étonna Maria Flor. Vous voulez dire que la décision consciente ne serait pas à l'origine de l'action ?

— C'est bien ce que l'expérience de Libet a démontré, confirma le médecin. Les conséquences de cette découverte sont immenses, comme vous pouvez vous en douter. Il semblerait que le cerveau prenne d'abord une décision, puis qu'il en informe la conscience, en prenant soin néanmoins de la convaincre que c'est elle qui en a eu l'initiative. En d'autres termes, les décisions « conscientes » nous paraissent conscientes, mais elles ne le sont pas. La conscience n'est rien d'autre qu'une illusion, non pas dans le sens où elle n'existerait pas, mais en ce qu'elle est différente de ce que nous pensons.

Maria Flor semblait perplexe.

— Mais alors, dit-elle, cela signifie que nous ne sommes que des… machines ?

— C'est cela. Des machines à calculer. Le cerveau est un ordinateur biochimique.

— Mais comment expliquer la sensation que j'ai d'exister, de penser, de sentir, d'être moi, d'avoir un passé, de prendre des décisions, d'aimer le chocolat et l'odeur des fleurs, et tous les événements qui se sont produits et qui continuent de se produire dans ma vie, et qui font de moi le résultat de tout cela ? L'idée de ma propre existence ne serait qu'une illusion ?

— Je le crains, en effet… D'ailleurs, non seulement notre conscience a une demi-seconde de retard sur le monde réel, mais en plus elle doit prendre en charge un monde entièrement élaboré dans notre tête. D'un côté, nous transformons des stimuli électromagnétiques en images et des pulsations de molécules en sons, créant ainsi quelque chose qui n'existe pas sous cette forme dans la réalité, mais uniquement dans notre esprit. De l'autre, même la perception et la mémoire déforment les stimuli que nous recevons. Maintes études prouvent que l'esprit sélectionne les stimuli extérieurs et les modifie constamment.

— Les modifie de quelle façon ?

— La mémoire n'est pas fiable. Le premier indice qui a permis de montrer que la mémoire ne pouvait être considérée comme un enregistreur fidèle est apparu lors d'une expérience réalisée à Berlin en 1902. Durant un cours à l'université, deux étudiants se sont violemment disputés, l'un d'eux allant jusqu'à menacer l'autre avec un revolver, ce qui a conduit le professeur à s'interposer. En réalité, il s'agissait d'une mise en scène, mais les autres élèves n'en savaient rien, et le professeur leur a demandé de rendre compte par écrit de ce qui s'était produit. Lorsqu'il a lu les récits, le professeur a enregistré des taux d'erreurs factuelles entre 26 % au minimum et 80 % au maximum.

— Incroyable ! Tant que ça ?

— Les comptes rendus omettaient des phrases prononcées et des actes commis par les deux protagonistes. Par ailleurs, ils faisaient tenir des propos à des étudiants qui n'avaient rien dit et agir d'autres qui n'avaient rien fait. Cette expérience suscita toute une série d'autres tests qui confirmèrent le caractère faillible de la mémoire. On découvrit que la mémoire ne se fixe pas au moment où un événement est enregistré, mais qu'elle se réorganise au fur et à mesure que le temps passe, l'esprit effaçant certains éléments, en modifiant d'autres, voire en ajoutant de nouveaux. Tels qu'ils se manifestent dans notre esprit, les événements ne correspondent pas à une réalité extérieure, ils sont une reconstruction.

— Vous voulez dire que la mémoire que j'ai de moi-même est aussi une illusion ?

— D'une certaine manière. Il ne faut cependant pas mélanger mémoire et conscience, qui sont toutes deux bien différentes.

— Qu'entendez-vous par différentes ? Pour avoir de la conscience, je dois savoir qui je suis. La mémoire est un aspect fondamental de la conscience.

Le médecin se pencha et sonda des yeux les patients qui se trouvaient dans le réfectoire. Son regard s'arrêta sur un homme d'âge moyen, maigre et courbé, qui était à la fenêtre et regardait fixement vers l'extérieur.

— Vous voyez, là-bas, c'est M. Gonçalves. Il avait lui aussi de graves problèmes d'épilepsie, et il a dû être opéré à l'âge de vingt ans. Mais le chirurgien a commis une erreur et lui a involontairement enlevé l'hippocampe. M. Gonçalves se souvient de tout ce qui s'est passé jusqu'à ses vingt ans, mais depuis il n'est capable de retenir que ce qui s'est produit dix minutes au maximum avant le moment présent. Lorsqu'un médecin ou un parent vient le voir, c'est chaque fois comme s'il le voyait pour la première fois. La vie est pour lui un éternel présent, les événements se produisent, mais disparaissent aussitôt de sa mémoire, les souvenirs sont comme de l'eau qui s'écoule par un crible. Son journal commence toujours par cette phrase : « Aujourd'hui, je suis devenu conscient pour la première fois. »

— C'est terrible !

— Le cas de M. Gonçalves révèle qu'il est possible d'être conscient sans avoir de mémoire, bien que cela ait des effets étranges au quotidien. La conscience, bien qu'elle nous semble continue, est en réalité le résultat d'une compétition entre diverses instances de notre esprit. À tel moment, l'instance esthétique prend le contrôle pendant que j'admire un paysage, mais si une jolie jeune fille vient à passer devant moi, c'est l'instance sexuelle qui prend le relais, pour ensuite laisser la place à l'instance de l'appétit qui m'informe que j'ai faim et me fait penser aux bons petits plats du restaurant d'à côté, et ainsi de suite. C'est pour cette raison que nous avons tant de pensées différentes en l'espace de cinq ou dix minutes. Ce sont mes divers moi qui s'imposent les uns aux autres. Ce qui crée l'impression de continuité de la conscience, c'est justement la mémoire, parce que, en nous souvenant, nous avons la sensation que nous sommes une personnalité unique, dotée d'un seul fil de conscience et non de multiples entités qui se disputent le contrôle de la conscience.

L'histoire du patient planté devant la fenêtre et l'exposé sur le rôle de la mémoire dans l'organisation de la conscience arrachèrent Tomás à son silence.

— Aujourd'hui par exemple, en venant ici, il m'est arrivé une chose curieuse, observa-t-il. Je me souviens d'être monté dans ma voiture à Lisbonne et d'être arrivé ici, à Coimbra, mais je n'ai aucun souvenir de ce qui s'est passé entre les deux. Je me suis mis à penser à diverses choses, je ne me souviens pas d'avoir vu la route, les autres véhicules, le paysage, le trajet. Pourtant, j'étais bel et bien réveillé et attentif à ma conduite.

— C'est un bon exemple, fit observer le médecin. La question est la suivante : étiez-vous conscient lorsque cela s'est produit ?

— Bien sûr que je l'étais. Le problème c'est que, comme M. Gonçalves, je ne me souviens pas d'avoir fait le parcours entre Lisbonne et Coimbra. Je ne me souviens de rien.

— En réalité, comme le démontre l'expérience de Libet, ce n'était pas votre conscience qui conduisait, mais un ordinateur automatique appelé « cerveau », affirma le docteur Colaço. La conscience s'est occupée d'autres choses, et elle n'aurait été appelée à la rescousse que si le cerveau avait estimé qu'un événement important exigeait une attention spéciale, comme un risque de collision. Du reste, les expériences de Libet montrent que, bien que les décisions volontaires ne soient pas prises consciemment, la conscience a du moins le pouvoir de s'y opposer. En somme, la conscience n'est rien d'autre qu'un dispositif créé par le cerveau pour contrôler sa programmation biochimique et améliorer la planification.

Maria Flor n'était pas loin de se laisser convaincre. Quelque chose, cependant, l'incitait à résister. Elle ne pouvait pas accepter de se laisser réduire par la science à une simple machine et, tel un naufragé qui s'accroche à une frêle bouée malmenée par la mer déchaînée, elle revint à la question qui était demeurée sans réponse malgré toute cette conversation.

— Et l'expérience de mort imminente de ce matin ? interrogea-t-elle d'une voix fluette, comme si c'était là son dernier espoir de sauver « l'âme » qui risquait de disparaître, anéantie par les subtilités des scientifiques. Quelqu'un aurait-il la bonté de m'expliquer ce que Graça a vu alors qu'elle était cliniquement morte ?

Tomás et le docteur Colaço se regardèrent, comme s'ils se demandaient mutuellement l'autorisation de répondre.

— Elle souffre de la maladie d'Alzheimer, n'est-ce pas ?

Devinant ce qu'impliquait cette question, la directrice de la maison de repos fronça les sourcils ; y avait-il un lien entre la maladie et ce que sa pensionnaire croyait avoir vu pendant l'arrêt cardiaque ?

— Oui, et alors ?

— Les cas de patients atteints de la maladie d'Alzheimer offrent des pistes intéressantes pour l'étude de la conscience. Lorsqu'on observe de près l'un de ces malades, on constate que leur moi disparaît peu à peu. Quand on assiste à la déchéance graduelle d'une personne souffrant d'Alzheimer, on sait parfaitement que la conscience ne disparaît pas de but en blanc, que l'esprit ne s'évanouit pas du jour au lendemain. Les choses ne se passent pas comme ça.

— C'est bien vrai, acquiesça Maria Flor. Dans mon centre, de nombreuses personnes âgées sont atteintes de cette pathologie et je constate que la conscience s'éteint petit à petit, et non pas subitement. C'est comme si leur moi se désintégrait.

— Exactement.

— Mais ça ne fait que renforcer ma perplexité, constata-t-elle. Si Graça Noronha est condamnée à perdre graduellement la conscience du fait de la maladie d'Alzheimer, et si en plus elle était cliniquement morte pendant l'arrêt cardiaque, donc avec le cerveau inactif, comment expliquer qu'elle serait sortie de son corps, vous aurait vu vous cogner le genou contre un meuble, serait entrée dans un tunnel au bout duquel apparaissait une lumière, aurait vu des parents qui étaient déjà morts et conversé avec eux, et aurait même vu défiler sa propre vie ? Quelle explication avez-vous pour tout cela ?

Le docteur Colaço haussa les épaules et respira profondément, comme s'il était incapable de faire face à toutes ces questions.

— C'est un mystère, finit-il par reconnaître. Mais j'insiste sur ce point : l'expérience qu'elle a vécue était bien réelle.

XIV

Nonchalant, Krongard gara sa voiture sous un chêne, au bord du trottoir. Après avoir coupé le moteur, il retira ses lunettes noires et observa la villa, cachée derrière un muret couvert d'arbustes seulement interrompu par un portail en fer, portant une inscription bleue sur un carreau de faïence : Maison Mon Repos.

Le bâtiment blanc, sur deux étages, était bordé par un bosquet de pins parasols. Après avoir examiné les lieux, James Krongard sortit de la Ford blanche qu'il avait louée en arrivant à Coimbra et se dirigea vers la propriété. Il poussa le portail qu'il fixa avec un crochet, puis traversa le jardin en empruntant le chemin de dalles posées sur le gazon. Arrivé devant la porte, il pressa sur la sonnette.

La porte s'ouvrit ; une femme en blouse et coiffe blanches apparut.

— Que puis-je faire pour vous ?

— Bonjour, madame, la salua-t-il avec son fort accent. Je représente une université américaine et je dois voir le professeur Noronha de toute urgence. On m'a dit que sa mère avait eu un problème de santé et qu'il était ici.

— Oui, en effet. Mme Noronha a eu une crise cardiaque, la pauvre. La directrice l'a emmenée en ambulance à l'hôpital et je pense que le professeur Noronha doit également s'y trouver.

— Vous pouvez me dire dans quel hôpital ils sont allés ?

— À l'hôpital universitaire. Mais je pense qu'ils ne devraient pas tarder.

— Ah oui ?

— On a appelé la directrice pour avoir des nouvelles. Elle a dit que Mme Noronha allait beaucoup mieux et qu'elle allait pouvoir quitter l'hôpital dès aujourd'hui. Elles devraient être de retour dans le courant de l'après-midi.

— Et le professeur Noronha aussi ?

— Bien sûr. Vous voulez qu'on l'appelle pour l'informer de votre présence ?

— N'en faites rien, s'empressa de répondre l'Américain. Ne le dérangez surtout pas, il doit avoir assez de soucis comme ça. Je repasserai plus tard, ou bien demain. Je vous remercie.

Avant que l'employée n'insiste, l'agent de la CIA tourna les talons et quitta le centre. Il revint à sa voiture pour réfléchir à la situation. Que devait-il faire ? Aller à l'hôpital ? Mais si ce Noronha devait revenir à Mon Repos dans peu de temps avec sa mère, il risquait de le rater. Il valait mieux l'attendre bien sagement là où il était. Il ne lui restait qu'à préparer une embuscade.

XV

Sirotant leur café, cela faisait près d'une heure qu'ils étaient assis tous les trois autour d'une table du réfectoire du pavillon psychiatrique. La conversation concernant l'expérience de mort imminente de Graça était entrée dans une phase cruciale. Tomás voulait savoir ce que le médecin en pensait.

— Le XIXe siècle a été une période de grandes découvertes scientifiques sur le monde invisible, commença par rappeler le docteur Colaço. On a découvert le lien entre l'électricité et le magnétisme, les ondes hertziennes, les longueurs d'onde de la lumière, la radioactivité, les rayons X, et ainsi de suite. C'est dans ce contexte que s'est développé le spiritisme. Alors que l'on découvrait tout ce monde invisible à l'œil humain, la possibilité que des âmes errent ici et là sans être détectées ne semblait pas si extraordinaire que ça. La question a même suscité l'intérêt d'éminents scientifiques qui conduisirent des expériences pour comprendre ce qui se passait durant les séances de spiritisme. On pensait que l'âme avait une existence physique, qu'elle occupait un espace et que, par conséquent, elle devait avoir un certain poids.

— Ce n'est pas idiot. Le problème, c'est qu'il est impossible de la peser.

— Ce n'était pas l'avis d'un chirurgien américain appelé MacDougall, rectifia le médecin. Il a mis au point une méthode pour déterminer ce poids.

— C'est possible ?

— Bien sûr, confirma-t-il. L'idée de Duncan Mac-Dougall était d'ailleurs très simple. Il suffisait de peser une personne quand elle était vivante, puis de vérifier son poids lorsqu'elle décédait. La différence entre les deux était le poids de l'âme.

— Mais c'est absurde ! Lorsqu'elles sont en vie, le poids des personnes varie au fil du temps, voire d'une même journée. Comment pouvait-il être certain que la différence de poids correspondait à l'âme et non à des changements de régime alimentaire quand les personnes étaient vivantes ?

Le docteur Colaço regarda son interlocutrice comme s'il voulait souligner que c'était la question cruciale.

— C'est justement ce problème que MacDougall a réglé de façon ingénieuse. Il fallait que la mesure soit faite au moment où les patients mouraient. MacDougall eut donc l'idée de placer un lit sur une plate-forme posée sur une balance industrielle et d'y coucher un mourant. Il avait besoin de patients qui décédaient paisiblement et presque sans bouger. Il choisit donc des personnes âgées qui avaient la tuberculose. Leur corps était très léger et la maladie dont elles souffraient offrait un certain avantage dans la mesure où elle permettait d'anticiper plusieurs heures à l'avance l'imminence de la mort.

— Il a vraiment effectué de telles mesures ?

— Bien sûr. En 1901, a eu lieu le premier décès sur le lit de MacDougall. Au moment précis où le patient s'est éteint, et devant plusieurs témoins compétents sur le plan scientifique, l'aiguille de la balance a descendu rapidement et s'est stabilisée. Les mesures ont permis de conclure que la perte de poids était de vingt et un grammes.

Maria Flor resta bouche bée.

— Vingt et un grammes, ce serait le poids de l'âme ?

— C'est ce qu'a révélé la mesure de MacDougall. D'aucuns ont mis en cause la validité de l'expérience, faisant valoir que, lorsqu'une personne meurt, les muscles pelviens et le sphincter se relâchent, et que la légère différence pondérale peut donc être due à un épanchement d'urine ou de selles. MacDougall a démonté cet argument en rappelant que, s'il en était ainsi, on n'enregistrerait pas de diminution du poids étant donné que la balance industrielle pesait le lit et, de ce fait, les éventuelles pertes d'urine et de selles. On objecta également que la perte enregistrée par la balance était due au dernier souffle que rendait le mourant, puisque la respiration fait intervenir des molécules et qu'elle a donc un poids. En rendant son dernier soupir, le mourant perdait du poids. Pour tester cette hypothèse, MacDougall monta sur le lit et expira tout l'air qu'il avait dans les poumons. L'aiguille de la balance ne bougea pas.

— Ça veut donc dire que l'âme pèse vraiment vingt et un grammes…

— C'est possible. La difficulté est que, pour être valides, les expériences scientifiques doivent être répétées. MacDougall réalisa l'expérience sur cinq autres patients, mais les résultats ne furent pas très concluants. Le deuxième patient dont on a pesé l'âme est mort à 16 h 10, mais l'aiguille de la balance n'a bougé que quinze minutes plus tard. MacDougall a reconnu avoir eu beaucoup de mal à déterminer le moment exact du décès, et la variation de poids enregistrée n'a pas été de vingt et un grammes, comme dans le premier cas, mais de quatorze grammes. Le troisième patient a également perdu quatorze grammes lorsqu'il est mort. L'ennui, c'est qu'il a perdu vingt-huit grammes supplémentaires quelques minutes plus tard, ce qui jeta de nouveaux doutes sur la fiabilité de la méthode. Enfin, le pesage des quatrième et cinquième défunts a été compromis par des complications liées à la balance. En fin de compte, seule la première expérience fut menée à bien dans des conditions idéales.

— Quoi qu'il en soit, il est intéressant de voir que, chaque fois, la perte de poids a eu lieu au moment précis du décès, constata Maria Flor. Pourquoi n'a-t-il pas fait plus d'expériences ?

— Pour des raisons éthiques. S'amuser à faire des mesures scientifiques sur des malades à l'agonie, ce n'est pas bien joli, vous ne trouvez pas ?

La jeune femme rougit, choquée par sa propre insensibilité.

— Oui, vous avez raison, convint-elle. J'aurai dû y penser, mais j'étais tellement plongée dans la conversation que je n'ai pas envisagé cet aspect de la question.

— Les objections éthiques soulevées par la communauté scientifique furent telles que MacDougall décida de ne pas renouveler l'expérience sur des êtres humains. À la place, il s'est tourné vers le monde canin. Dans les années qui suivirent, il mena une quinzaine d'expériences sur des chiens. Il les empoisonnait puis les pesait lorsqu'ils mouraient. Mais la balance n'a jamais enregistré la moindre variation de poids. Il en conclut que les chiens, à la différence des humains, n'ont pas d'âme.

La conclusion arracha un sourire ironique à Maria Flor.

— Certains pensent exactement le contraire…

Tomás sortit de son mutisme.

— Il est vrai qu'au début les scientifiques ont prêté une certaine attention au spiritisme, dit-il. Cependant, si je me souviens bien de ce que j'ai lu sur la question, ils ont vite compris que ce n'était que l'œuvre de charlatans qui exploitaient la crédulité des gens, et la communauté scientifique s'en est complètement désintéressée.

— C'est exact, confirma le docteur Colaço. Passé la curiosité initiale, les scientifiques ont considéré que tout ce débat sur les esprits et les âmes qui rejoignent l'autre monde relevait du folklore. Les récits de personnes qui avaient été au seuil de la mort et qui racontaient leurs expériences de sortie du corps et de contacts avec des parents décédés étaient purement et simplement dénigrés, considérés comme des produits de l'imagination fertile d'individus naïfs influencés par des imposteurs.

— C'est bien l'idée que je m'en fais, dit Tomás.

Le médecin objecta :

131

— N'oubliez pas que les choses ont changé.

L'historien haussa les sourcils.

— Changé ? De quelle façon ?

— La persistance et la cohérence des récits de mort imminente qu'un grand nombre de personnes très diverses ont rapportés, et le fait que de nombreux médecins aient confirmé que la plupart de ces patients étaient techniquement morts, ou du moins au seuil de la mort, lorsqu'ils disaient avoir vécu de telles expériences, nous obligent à reconsidérer la question.

— Vous êtes sérieux ? demanda Tomás, étonné. Les scientifiques pensent vraiment que ces expériences sont authentiques ?

— La communauté scientifique reconnaît aujourd'hui qu'elles correspondent à quelque chose de bien réel, en effet. Bien sûr, elles peuvent ne pas être ce qu'elles semblent être, c'est une autre question.

— Ah !

— Une étude conduite pendant deux ans sur des personnes ayant survécu à des arrêts cardiaques dans dix hôpitaux aux Pays-Bas a permis de conclure que 12 % des patients avaient eu une expérience de mort imminente. Dans d'autres études menées aux États-Unis avec des personnes dans la même situation, les pourcentages étaient de 10 à 23 %. Ces expériences ne sont pas toutes identiques, bien qu'elles comportent des éléments communs. Certains survivants évoquent un tunnel et une lumière, d'autres disent qu'ils sont sortis de leur corps et qu'ils ont vu les médecins et les infirmières qui tentaient de les ranimer, d'autres encore qu'ils ont rencontré des parents morts ou qu'ils ont revécu toute leur vie en accéléré. Certains patients sont passés par deux ou trois aspects du phénomène, tandis que d'autres les ont tous vécus.

— C'est ce qui est arrivé à ma mère ce matin.

— Absolument. C'est très rare, mais cela arrive. Il convient de souligner que les chercheurs affirment catégoriquement que les survivants sont sincères. La plupart des patients évitent même d'en parler, de peur qu'on ne les prenne pour des fous. Nous savons également que l'expérience a tendance à provoquer chez eux un changement. Ils deviennent plus sereins, plus heureux, et semblent ne plus avoir peur de la mort. Ils sont convaincus d'avoir vécu une expérience authentique.

— Fort bien, admettons que les intéressés ne mentent pas et croient que tout cela leur est réellement arrivé, reprit l'historien. Ne peut-il s'agir tout simplement d'hallucinations ?

— C'est l'explication préférée de la communauté scientifique. Il faut savoir que l'imminence de la mort peut provoquer chez le mourant une peur extrême, un stress important et un défaut d'oxygénation du cerveau. Dans une telle situation, les zones qui commandent la vision peuvent être activées sans aucun contrôle et créer ainsi l'illusion d'une lumière au milieu d'un environnement obscur, le fameux tunnel. Des tests effectués sur des pilotes d'avions de chasse ont montré que, lors d'une accélération violente, le flux sanguin qui irrigue le cerveau diminue, ce qui a pour effet de plonger les pilotes dans des états de somnolence, d'euphorie et de distanciation.

— Eh bien, voilà ! s'exclama Tomás. Les patients qui font un arrêt cardiaque connaissent aussi une diminution de l'oxygénation du cerveau…

— Certes, mais il y a aussi des récits d'expérience de mort imminente constatée sans que le patient ait subi aucune lésion, par exemple dans les moments qui ont précédé un accident de voiture. Dans d'autres cas encore, les patients n'étaient pas en phase terminale et on n'a enregistré chez eux aucune interruption ou diminution du flux sanguin dans le cerveau. En outre, le défaut d'oxygénation du cerveau provoque des états cognitifs confus et de l'agitation, et non des situations structurées, cohérentes et sereines comme celles que l'on observe dans les expériences de mort imminente.

— Ah bon…

— Une autre hypothèse intéressante a trait à l'administration de médicaments à des personnes en danger de mort. Comme vous le savez, certaines drogues, telles que le LSD, provoquent des hallucinations complexes. Cependant, dans de nombreux cas, des patients ont vécu une expérience de mort imminente sans qu'on leur ait administré la moindre drogue ou le moindre anesthésiant. Plus important encore, les études montrent que les expériences de mort imminente chez des patients médicalisés tendent à être moins complexes que celles des patients qui ne sont pas sous médicaments. Votre mère, par exemple, a eu une expérience très complexe alors qu'on ne lui avait administré aucune drogue.

— Mais n'oubliez pas qu'elle souffre de la maladie d'Alzheimer et qu'elle était donc sous traitement…

— Les médicaments prescrits pour cette pathologie ne provoquent pas d'hallucinations. Lorsque je parle de drogues, je fais allusion à des hallucinogènes, précisa le médecin. On peut aussi expliquer les expériences de mort imminente en partant de l'hypothèse qu'il s'agit ni plus ni moins d'un mécanisme de défense. On sait que, face à un phénomène effrayant, certains d'entre nous peuvent être victimes de troubles de la dépersonnalisation.

Tomás fit un geste en direction de la patiente qui parlait toute seule, à côté d'une plante verte, au fond du réfectoire.

— Comme cette femme dont l'esprit est formé de trois personnalités ?

— Mme São est un exemple de dépersonnalisation et de dissociation. Dans des situations extrêmes, et pour se protéger sur le plan émotionnel, les personnes abandonnent leur propre identité et peuvent ainsi se dissocier de la terrible agression extérieure qu'elles sont en train de subir et construire une illusion agréable qui les réconforte.

— Cela peut expliquer ces expériences, continua l'historien. Il me semble naturel que des patients qui sont au seuil de la mort s'inventent une réalité plus agréable, qui les fait monter au ciel, rencontrer des membres de leur famille et comprendre que la mort n'est pas l'étape ultime. La dissociation par rapport à la réalité est un mécanisme de défense évident lorsqu'on se trouve face à une situation si dramatique.

— Certes, mais cette hypothèse est infirmée par deux faits importants, fit remarquer le médecin. D'une part, comme je viens de vous le dire, des patients dont la vie n'était pas en danger ont eu des expériences de mort imminente. D'autre part, ces expériences n'ont pas toutes été agréables. Bien que minoritaires, de nombreux récits rendent compte d'expériences douloureuses, ce qui contredit le scénario selon lequel une réalité pénible est remplacée par une illusion agréable.

Mal à l'aise, Tomás se redressa sur sa chaise. Les explications cliniques lui paraissaient intéressantes et prometteuses, mais elles comportaient à son sens de graves lacunes. En tout état de cause, il n'était pas convaincu et toujours disposé à poursuivre l'échange.

— Docteur, il me semble avoir lu dans une revue scientifique qu'une importante découverte a été faite au sujet du cerveau, qui expliquerait la sensation ressentie par de nombreuses personnes, parmi lesquelles ma mère, de sortir de son corps, dit-il. Ne trouvez-vous pas que cela élucide au moins cet aspect étrange des expériences de mort imminente ?

— Vous faites allusion aux travaux réalisés en Suisse ?

— Exactement.

— C'est réellement une…

Maria Flor, s'apercevant que la conversation devenait un dialogue dont elle risquait d'être exclue, intervint.

— Excusez-moi, messieurs, ça ne vous embêterait pas de m'expliquer cette grande découverte ?

— Oh, pardon, réagit immédiatement le docteur Colaço en se tournant vers elle. Le professeur Noronha évoquait une découverte faite accidentellement par des médecins suisses alors qu'ils soignaient une patiente qui souffrait d'épilepsie extrême. Dans le cadre du traitement, ils lui ont placé des électrodes dans le cerveau, en particulier dans une zone appelée *gyrus angularis*, qui contrôle l'image que la personne se fait de son propre corps. Lorsque les médecins ont activé les électrodes, elle leur a dit aussitôt qu'elle se sentait flotter près du plafond et qu'elle voyait son propre corps en bas. Les Suisses en ont conclu que la sensation de sortie du corps relatée par de nombreux patients qui avaient vécu des expériences de mort imminente était sans aucun doute liée à des altérations cérébrales qui stimulaient les neurones du gyrus angulaire.

— Vous voyez ! s'exclama Tomás, victorieux. En fin de compte, il existe une explication neurologique à cette « sensation » de sortie du corps.

Le médecin fit une grimace.

— Je n'en suis pas si sûr, rétorqua-t-il. Il s'agit certainement d'une découverte intéressante. Mais il est important de préciser que l'expérience de sortie du corps vécue par la patiente suisse ne présentait pas exactement les mêmes caractéristiques que celles des personnes qui ont connu un état de mort imminente. Elle ne pouvait voir que ses jambes et la partie inférieure du tronc, mais pas le reste de son corps, ni la salle, les meubles, les équipements ou même les médecins qui s'y trouvaient. Les patients qui vivent une expérience de mort imminente voient tout leur corps, la salle où ils sont ainsi que le personnel médical qui tente de les ranimer. En outre, la Suissesse était consciente, alors qu'en général les personnes à qui cela est arrivé étaient inconscientes et leur électroencéphalogramme indiquait qu'elles n'avaient aucune activité cérébrale au moment où elles disaient tout voir de là-haut. D'ailleurs, certains patients percevaient des détails qui n'étaient pas visibles du brancard sur lequel ils se trouvaient.

— Par exemple, lorsque Graça vous a vu vous

cogner le genou, dit Maria Flor. Elle était inconsciente et les yeux fermés, elle ne pouvait pas voir ça.

— C'est cela, acquiesça le docteur Colaço. Comment a-t-elle pu voir que je me cognais ? La thèse selon laquelle il ne s'agit que d'hallucinations ne permet pas d'expliquer des choses que les survivants ont vues on ne sait comment. Il faut mentionner le cas de cette femme qui a perdu la vue à la suite de complications chirurgicales et qui a été conduite d'urgence en salle d'opération. Elle a eu une expérience de sortie du corps et a ensuite raconté avoir vu son fiancé et le père de son fils qui regardaient le brancard sur lequel on l'emmenait vers l'ascenseur. Tous deux ont confirmé qu'ils étaient bien sur place lors de l'arrêt cardiaque. On pourrait aussi citer le cas de cette autre femme qui, après avoir fait un malaise cardiaque, a raconté à une assistante sociale avoir vu les médecins qui essayaient de la ranimer. Elle a ensuite affirmé être sortie de la pièce en flottant et a précisé qu'elle avait vu des chaussures de sport sur le parapet du troisième étage de la partie nord du bâtiment. Le même jour, l'assistante sociale est montée au troisième étage et a découvert des baskets à l'endroit indiqué. (Colaço prit un air pensif.) C'est curieux, mais beaucoup de femmes qui disent avoir visualisé des choses d'un angle d'où elles n'auraient pas pu les voir si elles hallucinaient auraient remarqué des chaussures… allez savoir pourquoi.

Maria Flor rit.

— On voit que vous ne connaissez pas les femmes. Elles aiment les chaussures de la même manière que les hommes aiment les voitures.

Le médecin sourit, tandis que Tomás demeurait

impassible, réfléchissant à tout ce qu'il venait d'entendre.

— Que les patients aient vu des détails qu'ils n'auraient pas pu voir s'ils hallucinaient me paraît important, souligna-t-il. Aucune étude n'a jamais tenté de systématiser ce phénomène ?

— Bien sûr que si. Par exemple, un professeur de l'université Emory, d'Atlanta, a fait une enquête portant sur deux groupes. Le premier était composé de personnes qui avaient survécu à un arrêt cardiaque et qui avaient vécu une sortie du corps. Le second était un groupe témoin de personnes qui avaient été suivies pendant un certain temps dans des unités de soins coronariens pour des situations d'urgence cardiaque, mais qui n'avaient pas connu d'expérience de sortie du corps. Le chercheur a demandé aux membres du premier groupe de décrire les procédures médicales qui avaient été pratiquées sur eux, et à ceux du second groupe d'imaginer les gestes des médecins pendant un arrêt cardiaque, choses qu'ils avaient déjà vu pratiquer sur d'autres patients dans l'unité de soins coronariens. Les résultats furent stupéfiants. Aucune des personnes du premier groupe n'a commis la moindre erreur dans la description des procédures cliniques. De surcroît, leurs récits correspondaient à ce qui avait été effectivement consigné dans le rapport médical établi par le personnel clinique après l'intervention. En revanche, vingt-deux des vingt-cinq personnes du groupe témoin ont commis des erreurs élémentaires lorsqu'elles ont essayé d'imaginer les médecins et les infirmiers tentant de les ranimer.

— C'est inouï ! s'exclama Maria Flor. C'est la

preuve que les personnes qui ont vécu l'expérience de sortie du corps n'ont pas fabulé...

Le docteur Colaço ouvrit les mains, comme s'il ne savait pas quoi penser.

— Je ne dirais pas que c'est la preuve, mais c'est pour le moins perturbant.

L'historien se frottait les yeux et le front, signe que quelque chose le dérangeait.

— Docteur, il y a une chose que je ne comprends pas, finit-il par dire. Pour autant que je sache, le passage de vie à trépas n'est pas l'affaire d'un instant. Il s'agit plutôt d'un processus biologique continu, à telle enseigne que la question de la détermination du moment exact du décès soulève un problème médical qui n'a jamais été entièrement réglé. Autrefois, on considérait que la mort survenait lorsque le cœur cessait de battre. Aujourd'hui, il est possible de ranimer une personne qui a fait un arrêt cardiaque de plusieurs minutes.

— C'est justement ce qui est arrivé à votre mère. Lorsque le cœur s'arrête, l'oxygène cesse d'irriguer le cerveau et la personne perd connaissance en vingt secondes. Les cellules cérébrales recourent alors à un transmetteur chimique à haute énergie qui leur permet de rester en vie pendant au moins cinq minutes, période à l'issue de laquelle la source d'énergie s'épuise et les cellules cérébrales commencent à mourir. Si le cœur n'est pas relancé dans les quinze à vingt minutes, la perte de cellules est considérable. Au-delà, c'est la mort cérébrale.

— Bien, reprit l'historien. C'est justement là que réside le problème. On parle bien de personnes qui ont fait un arrêt cardiaque, suivi d'une perte d'activité cérébrale, n'est-ce pas ?

— C'est exact.

— Comme vous avez dû vous en apercevoir, je suis très sceptique sur toutes ces questions, mais je ne suis ni aveugle ni obtus et il y a ici un détail qui ne cesse de me perturber. Ma perplexité peut se résumer à la question suivante : comment se fait-il que ces survivants aient des souvenirs si clairs et si détaillés de tout ce qu'ils ont vu et entendu alors que leur cerveau était arrêté ? Comment cela peut-il se produire ?

Le docteur Colaço se gratta la tête, visiblement embarrassé par la question. Il respira profondément avant de répondre.

— Je l'ignore, finit-il par reconnaître avec un geste d'impuissance. C'est une excellente question et, à ma connaissance, personne n'y a encore apporté de réponse satisfaisante. De fait, la majorité des patients qui se souviennent de l'expérience de mort imminente n'ont aucun souvenir des circonstances entourant leur incident cardiaque. La seule hypothèse à mes yeux, c'est qu'il existerait une activité cérébrale non détectée, une chose si infime que nos instruments ne sont pas assez sensibles pour la saisir.

— Mais est-il possible, dans cette hypothèse, que l'activité cérébrale soit suffisamment forte pour produire une si grande richesse cognitive ?

Le cardiologue secoua la tête.

— Ce n'est pas possible. Si la production cognitive était riche, elle serait nécessairement enregistrée par l'électroencéphalogramme. Il n'y a pas d'autre possibilité.

Il prononça ces mots sur un ton péremptoire puis consulta sa montre. Il constata qu'il se faisait tard et qu'il allait devoir se presser. Il se leva.

— Pourtant… le retint Tomás, les récits d'expérience de mort imminente débordent justement de détails et, d'après ce que je crois avoir compris, ils sont pleins d'images, de sons, de couleurs et d'émotions. Le cerveau étant arrêté, qu'est-ce qui a produit tout cela ?

La question provoqua une hésitation chez le médecin. Son visage se contracta en une moue qui exprimait un curieux mélange de perplexité, d'impuissance et d'incompréhension.

— C'est un fait, admit-il. De là vient le mystère.

XVI

Occupé à observer l'entrée de Mon Repos, Krongard fut surpris par la vibration de son portable. Il vérifia d'un coup d'œil le numéro qui s'affichait à l'écran. L'appel provenait de Washington D.C. De toute évidence, Langley voulait s'entretenir avec lui.

— Allô, ici Krongard.

— Tu as déjà attrapé l'enfoiré ?

La voix était reconnaissable entre mille.

— Bonjour, monsieur Fuchs. J'attends que la cible arrive à l'endroit où je me trouve, ce qui ne saurait tarder.

Le directeur du Service national clandestin de la CIA ne paraissait pas très satisfait.

— Pourquoi ce retard ?

— Il n'y a pas de retard, monsieur Fuchs, affirma l'agent sur un ton tranquille qui contrastait avec celui de son interlocuteur. Seulement la cible était dans une autre ville et j'ai dû m'y rendre.

La voix au bout du fil marmonna.

— L'avion a déjà quitté la base aérienne de Hanscom pour prendre livraison du colis et l'amener à Langley, où il sera interrogé. Mais je répète qu'il ne s'agit là que d'un écran de fumée pour protéger nos arrières au cas où les enfoirés du Congrès viendraient fourrer leur nez là-dedans. Je tiens donc à m'assurer que tu as bien compris que tu dois laisser fuir ce salaud pour pouvoir l'abattre. Des questions ?

— Aucune, monsieur.

— Tout est clair ?

— Comme de l'eau de roche, monsieur.

— N'oublie pas que ce type a tué l'un des nôtres, un directeur de l'Agence par-dessus le marché. Il doit payer.

— Oui, monsieur.

— Dès que tu as conclu la mission, tu m'appelles. Je veux être informé du moindre détail. Tu as compris ?

— Oui, mons…

Avant que Krongard ait pu finir sa phrase, Fuchs avait déjà raccroché. L'agent de la CIA regarda quelques instants son portable, irrité par les manières du chef. Dans des circonstances normales, ce rustre ne l'appellerait pas, ce serait au responsable de la section clandestine que reviendrait cette tâche. Non. Si un gros bonnet comme Harry Fuchs se donnait la peine de lui téléphoner personnellement, c'était parce qu'il accordait la plus haute importance à cette mission. Krongard comprit qu'il n'avait pas le droit à l'erreur.

Il glissa la main à l'intérieur de sa veste et, d'un geste discret, en retira son arme. Il inspecta le chargeur, la détente, et s'assura que le canon était propre. Satisfait, il la remit à sa place.

Il ne verrait pas les Boston Celtics jouer ce soir. Un autre type de jeu l'attendait.

XVII

Naviguant entre les gravillons qui recouvraient la rampe extérieure de l'hôpital, le fauteuil roulant retenu par Tomás dévala jusqu'à l'endroit où était garée sa voiture. L'historien tendit la main à sa mère pour l'aider à se lever.

— Ça va, maman ? Tu vas pouvoir marcher ?

— Bien sûr, rétorqua celle-ci, presque offensée par la question. Il ne manquerait plus que ça. Je ne suis pas encore infirme, que je sache.

Malgré son assurance, la vieille dame dut s'appuyer sur la main que lui tendait son fils pour parvenir à se lever. Pendant ce temps, Maria Flor avait ouvert les portes de la Volkswagen. Elle leur fit signe de prendre place à l'avant.

— Sans vouloir faire de toi mon chauffeur, je crois qu'il vaudrait mieux que je m'assoie à l'arrière pour être près d'elle, dit-il en lui tendant les clés de la voiture. Tu crois que tu peux conduire ?

Maria Flor ne discuta même pas. Pendant que mère et fils s'installaient sur les sièges arrière, elle s'assit au volant. Alors qu'elle s'apprêtait à démarrer, elle aperçut un étrange objet sur le siège du passager. Elle le prit et se tourna vers Tomás :

— Qu'est-ce que c'est que ça ?

L'historien regarda le grand pentacle qu'il avait reçu le matin même de Genève.

— C'est une amulette.

Maria Flor rit.

— Ne me dis pas que tu es superstitieux…

— Je ne crois ni à l'astrologie, ni aux amulettes, parce que je suis Bélier, rétorqua Tomás avec un sourire moqueur. Tu ne le sais peut-être pas, mais les Béliers sont sceptiques par nature…

— Très drôle, reconnut son amie. Mais tu ne m'as pas répondu.

— Ce que tu tiens dans la main est un grand pentacle. Il est inspiré d'un symbole trouvé dans un manuscrit intitulé *Clavicula Salomonis* ou *La Clé de Salomon*. C'est un livre de magie attribué au roi Salomon.

L'explication intrigua Maria Flor. Elle examina l'amulette de plus près, manifestement fascinée.

— Tu es sérieux ? Mais que fais-tu avec un tel objet ?

L'historien haussa les épaules.

— Pour tout te dire, je n'en sais rien.

Après un court trajet, la Volkswagen stationna derrière une Ford blanche, juste devant le portail de Mon Repos. Alors que Tomás et Maria Flor s'apprêtaient à ouvrir les portières, Garça éclata en sanglots.

— Maman, que se passe-t-il ?

Une larme roula le long du visage de la vieille dame, laissant une traînée brillante sur la peau ridée par les années.

— Ton père, se lamenta-t-elle la voix brisée. Avoir vu ton père ce matin m'a rendue nostalgique…

Son fils lui prit de nouveau la main.

— Allons, maman, c'est la vie, dit-il avec tendresse. Au moins tu sais à présent qu'il est mieux là où il est.

Graça leva les yeux sur son fils, comme si elle lui adressait une supplique.

— Tu sais ce que je voudrais maintenant ?

— Quoi donc ?

— J'aimerais voir l'album de notre mariage. Tu sais, celui avec les photos de la cérémonie à la cathédrale et de la réception.

— Bonne idée ! Allons feuilleter cet album.

La vieille dame baissa les yeux, peinée.

— Le problème c'est que… l'album n'est pas ici.

— Il est à la maison ?

— Oui, il se trouve dans ma malle en camphrier, au fond du couloir. Tu vois laquelle c'est ?

— Pas de problème, j'y vais !

Le visage de Graça s'éclaira.

— Tu es un amour, mon fils.

Observant la scène, Maria Flor intervint.

— Si je peux vous être utile, n'hésitez pas.

— Je crois que ce serait mieux si tu pouvais venir avec moi, dit Tomás. Il y a certaines choses dont j'aimerais parler, notamment l'organisation du suivi cardiologique dont ma mère va faire l'objet au cours des prochains jours.

La jeune femme, qui avait déjà ôté sa ceinture de sécurité, la rattacha.

— J'ai pris ma journée pour accompagner ta mère, dit-elle. Ça ne me dérange pas du tout.

Tomás ouvrit la portière.

— Alors c'est décidé. Laisse-moi juste l'accompagner, je reviens tout de suite.

Il descendit de la voiture et, après avoir aidé sa mère à en sortir, il lui donna la main et se dirigea vers le portail sans voir l'homme aux lunettes noires qui s'approchait d'eux.

XVIII

Garé à proximité, James Krongard avait suivi très attentivement l'arrivée de la Volkswagen bleue. La marque du véhicule ainsi que son numéro d'immatriculation figuraient dans le dossier que Langley lui avait fait parvenir. Il sut que le moment était venu de passer à l'action.

Les ordres qu'il avait reçus de Fuchs étaient très clairs. Mais il avait réfléchi et commençait à se demander s'il devait obéir aveuglément aux instructions. Non que le fait de tuer fût en soi un problème – il avait liquidé un chef d'Al-Qaïda chargé du recrutement à Peshawar et deux imams talibans aux alentours de Kandahar –, mais il devait d'abord être sûr que Tomás Noronha avait bien assassiné Frank Bellamy. Le dossier contenait des éléments à charge ; mais bizarrement, il ressentait le besoin d'entendre ce que le suspect avait à dire pour sa défense.

Lorsque la cible descendit de sa voiture, l'agent de la CIA se précipita pour lui barrer le chemin.

— Professeur Noronha, l'interpella-t-il. Vous êtes bien le professeur Tomás Noronha ?

Tomás s'arrêta et regarda l'inconnu aux lunettes noires.

— Oui, c'est moi.

L'homme fit un signe en direction du chêne situé à quelques mètres de là.

— J'aimerais vous parler une minute en privé, si cela ne vous dérange pas.

L'historien obéit machinalement, intrigué par le fait qu'un inconnu avec un fort accent américain l'interpelle à cet endroit précis.

— Que se passe-t-il ?

Après s'être assuré qu'ils se trouvaient à une distance suffisante pour que la vieille dame ne puisse pas les entendre, l'homme aux lunettes noires montra sa carte.

— Je m'appelle James Krongard, dit-il à voix basse. *Central Intelligence Agency*.

— Pardon ?

— CIA, précisa l'Américain, ôtant ses lunettes. Je suis chargé de l'antenne de la CIA au Portugal.

La déclaration laissa Tomás sans voix. Pour quelle raison un représentant de l'agence américaine des renseignements s'était donné la peine de venir à Coimbra pour lui parler ? Soudain, la réponse, la seule possible, s'imposa à lui.

— C'est Frank Bellamy, n'est-ce pas ?

Que pouvait bien lui vouloir à présent le chef de la Direction de la science et de la technologie de la CIA ? se demanda-t-il. De toute évidence, le vieux renard avait une fois de plus besoin de lui pour une mission insensée. Il serra les dents. Cette fois, Bellamy ne parviendrait pas à l'entraîner. On pouvait le menacer, l'agresser, voire lui poser une arme sur la tempe, cette fois il ne plierait pas.

— Vous avouez, j'en suis heureux, voilà qui va me faciliter les choses, dit Krongard.

— J'avoue ? Mais j'avoue quoi ?

— Que vous êtes l'assassin. Le fait de comprendre que ma présence ici est liée à Frank Bellamy constitue, de toute évidence, un aveu implicite.

— Mais un aveu de quoi ?

— Allons, inutile de faire semblant, dit l'Américain tout en indiquant la direction de sa voiture. Je pense qu'il est préférable que vous m'accompagniez.

Tomás était stupéfait.

— Vous accompagner où ? Écoutez, je ne comprends rien à ce que vous me dites, lança-t-il avec une pointe d'irritation dans la voix. Mais qui êtes-vous, monsieur, pour prétendre que je suis un assassin et que j'ai reconnu implicitement je ne sais quoi ? Que se passe-t-il, à la fin ?

— Vous le savez parfaitement, grommela Krongard. La mort de Frank Bellamy ne restera pas impunie. Faites-moi le plaisir de me suivre.

Le Portugais se figea.

— Frank Bellamy est mort ?

— Ne prenez pas l'air étonné. Suivez-moi sans faire d'histoire.

— Excusez-moi, mais il doit y avoir un malentendu. Tout d'abord, j'ignorais que Bellamy était mort. Deuxièmement, je ne comprends pas vos insinuations. Seriez-vous par hasard en train de suggérer que j'ai quelque chose à voir avec sa mort ?

— Je ne suggère pas, j'affirme.

Tomás rit, incrédule.

— Mais c'est ridicule, voyons ! Je n'ai pas vu Bellamy depuis des années. Je reconnais que j'ai déjà eu envie de l'étrangler, ce type m'a mis plusieurs fois dans le pétrin, mais ce n'est qu'une façon de parler. Je ne l'aurais jamais tué, voyons, c'est absurde !

L'Américain fixait sur lui ses yeux perçants.

— Vous pouvez me dire où vous étiez hier ?

— Il se trouve que je n'étais même pas ici, dit Tomás, comme si sa réponse devait régler la question. J'étais à Genève. Je peux vous le prouver, j'ai gardé la carte d'embarquement.

— Donc, vous reconnaissez. Pouvez-vous me donner votre emploi du temps de la journée d'hier, s'il vous plaît ?

La réaction de l'Américain déconcerta l'historien. Il avait espéré que son voyage en Suisse mettrait un terme à cet imbroglio, mais manifestement il n'en était rien. Son interlocuteur n'avait même pas semblé surpris. Tomás commença à s'inquiéter.

— Écoutez, il doit y avoir un malentendu…

— Quels organismes avez-vous visités à Genève ?

Le mieux était de répondre.

— Je suis allé chez Perrin, l'antiquaire, au bord du lac Léman, et puis je suis rentré à Lisbonne en fin de journée.

Krongard ouvrit le dossier qu'il tenait à la main.

— Vous n'êtes allé que chez l'antiquaire ? demanda-t-il. (Ayant trouvé la feuille qu'il cherchait, il la sortit.) Et ça, qu'est-ce que c'est ?

Tomás regarda le document et constata qu'il s'agissait d'une image provenant d'une caméra de surveillance, sur laquelle on le voyait entrer dans un bâtiment qu'il reconnut aussitôt.

— Ah oui ! s'exclama-t-il en se frappant le front. Je suis aussi allé au CERN, j'oubliais.

L'Américain lui lança un regard suspicieux, laissant entendre qu'on ne la lui faisait pas.

— Un oubli opportun, vous ne pensez pas ?

Le ton offensa Tomás.

— Vous insinuez que j'ai volontairement oublié de mentionner cette visite ? Écoutez, je me suis effectivement rendu au CERN, mais je ne m'en souvenais même plus, car je ne m'y suis pas attardé, ce n'était pas important.

Krongard ébaucha un sourire plein de malice.

— Ah non ? Et alors qu'êtes-vous allé y faire ?

La question perturba Tomás. Commençant à suspecter qu'il pouvait exister un lien entre la mort de Frank Bellamy et le CERN, il prit conscience que les détails de sa visite pouvaient sembler étranges.

— Je… c'est-à-dire que j'ai reçu une invitation pour… pour y aller.

— Une invitation de la part de qui ?

Le Portugais ne répondit pas. Chaque question était comme un coup de pioche qui révélait chaque fois un détail gênant. Les réponses qu'il avait à donner, bien qu'innocentes et sincères, pouvaient paraître étranges et ne servir qu'à l'enfoncer davantage.

— D'un antiquaire, dit-il à voix basse, conscient que sa réponse semblait ridicule. Il m'a dit qu'il possédait un objet ancien susceptible de m'intéresser et m'a invité à venir le voir au CERN.

L'agent de la CIA éclata de rire.

— Un objet ancien au CERN ? Depuis quand est-ce un musée ? Vous pensez vraiment que je vais avaler ça ?

— Je me rends compte que ça peut paraître absurde à présent, mais sur le moment je ne m'en suis pas aperçu. Je me trouvais à Genève pour acquérir des objets rares pour la collection du musée Gulbenkian et il m'a semblé que cela pouvait être une occasion intéressante. J'ai donc accepté la proposition de bonne foi.

— Et quel est le nom de l'antiquaire qui vous a donné cette information ?

La question mis Tomás mal à l'aise. Encore un coup de pioche qui allait l'enfoncer un peu plus.

— Je ne sais pas.

— Pardon ?

— Je n'ai parlé à aucun antiquaire, avoua-t-il, regrettant de ne pas avoir tout expliqué précisément depuis le début. En fait, lorsque je suis arrivé à l'hôtel, j'ai trouvé une note glissée sous la porte de ma chambre, m'invitant à venir voir cet objet ancien au CERN. La note précisait l'heure à laquelle je devais m'y rendre et le lieu de la rencontre, à proximité de l'accès au détecteur ATLAS.

— Où est cette note ?

— Je l'ai jetée.

— Elle était signée, au moins ?

Tomás se gratta la tête, embarrassé.

— Oui, mais la signature était illisible.

Krongard souffla ; aucune des réponses ne l'avait convaincu.

— Et l'objet, demanda-t-il comme s'il lui donnait

154

une dernière chance de prouver ce qu'il disait, où est-il ?

Là encore, il était difficile d'apporter une réponse plausible.

— Je suis arrivé à l'endroit où, selon la note, l'antiquaire m'attendrait, mais personne n'est venu. J'ai attendu une heure, et puis j'en ai eu assez et je suis parti, car je devais prendre mon avion pour Lisbonne.

L'Américain respira profondément et secoua la tête.

— Très franchement, professeur Noronha, dit-il sur le ton docte du maître qui ne croit pas aux excuses invraisemblables de l'élève qui n'a pas fait ses devoirs, vous ne pensez tout de même pas que je vais avaler ça ?

— C'est pourtant la vérité.

— Une vérité improvisée qui regorge de mensonges, accusa-t-il sur un ton soudainement autoritaire. Je me présente et vous faites tout de suite le lien avec Frank Bellamy. Je vous demande où vous étiez hier à Genève et vous évitez de mentionner le CERN. Lorsque je vous montre une photo qui prouve que vous y êtes bel et bien allé, vous alléguez que vous avez oublié d'évoquer cette visite parce que vous n'avez fait qu'y passer rapidement. Je vous demande pour quelle raison vous vous y êtes rendu et vous me dites qu'un prétendu antiquaire vous aurait proposé d'y voir un objet ancien. Ensuite, quand je vous demande le nom de cet antiquaire, vous changez d'avis et vous me dites qu'en réalité vous avez trouvé un billet glissé sous la porte de votre chambre et, cerise sur le gâteau, la signature était illisible. Vous en conviendrez, c'est une excuse imparable pour empêcher l'identification de l'expéditeur. Puis, je vous demande ce que vous avez fait du billet, et vous me dites que vous l'avez jeté. Quant au fameux objet ancien... Bref, c'est une histoire à dormir debout.

Tomás se rendait bien compte que la façon dont les choses s'étaient réellement passées importait peu, seules comptaient les apparences et les preuves qu'il pouvait fournir.

— Écoutez, la vérité c'est que vos questions m'ont pris au dépourvu, se justifia-t-il. Les choses se sont passées comme je vous les ai présentées. Ma seule faute est de ne pas m'être méfié, sur le moment je n'ai accordé aucune attention à tout cela. J'avais un peu de temps libre avant mon vol et j'ai saisi l'occasion pour éventuellement faire une acquisition de plus. Par la suite, je n'ai plus repensé à cette histoire, tant elle me semblait dérisoire. D'ailleurs, je n'y aurais jamais repensé si vous n'étiez pas venu me poser toutes ces questions.

— Vous n'allez pas me faire croire que le fait que Frank Bellamy ait justement été assassiné au CERN alors que vous y étiez, est une pure coïncidence ?

La situation était bien pire que ce que Tomás pouvait imaginer.

— Frank Bellamy est mort au CERN, quand je m'y trouvais ?

L'agent de la CIA le regarda avec mépris, convaincu que son interlocuteur était l'assassin.

— Ne faites pas l'innocent.

— J'ai supposé que Bellamy était mort au CERN lorsque vous m'avez posé toutes ces questions, mais j'espérais me tromper, dit Tomás sur un ton résigné. Quoi qu'il en soit, ce ne sont là que des indices circonstanciels qui n'auraient évidemment aucun poids devant un juge. Vous allez devoir trouver des preuves plus convaincantes que ma simple présence au CERN à l'heure du décès de Bellamy. Si l'on y songe, plus de mille personnes devaient y être à ce moment-là. Pourquoi me soupçonner moi plutôt qu'un autre ?

Krongard interpréta la résignation de l'historien comme une preuve supplémentaire de sa culpabilité. Tomás était loin de l'avoir convaincu.

— Vous avez donc décidé de vous protéger derrière des arguties juridiques, observa-t-il. C'est la tactique classique des coupables...

— Je n'ai rien à voir avec la mort de Bellamy, insista le Portugais. Mais vous ne me croirez jamais et, pour tout vous dire, je m'en moque. Si vous pensez que je suis coupable, prouvez-le !

— Vous savez, j'aimerais vraiment croire que vous êtes innocent, mais vos mensonges vous ont trahi, rétorqua l'homme de la CIA. Nous avons découvert que vous et M. Bellamy étiez descendus dans le même hôtel, le Marriott. (Il sortit une nouvelle photo du dossier que Langley lui avait transmis.) Ce cliché provient d'un enregistrement du système de sécurité de l'hôtel. Comme vous pouvez le constater, on vous voit assis dans le hall en train de lire un journal tandis que M. Bellamy passe devant vous.

Tomás examina l'image, perplexe.

— Nous étions dans le... même hôtel. Quelle coïncidence incroyable !

L'Américain rangea le cliché.

— Si j'ai appris quelque chose, professeur Noronha, c'est que dans la vie il n'y a pas de coïncidences, répliqua-t-il sur un ton sentencieux. Vous ne lisiez pas votre journal, vous le surveilliez.

— Je vous assure que notre présence simultanée à l'hôtel est une pure coïncidence, répéta l'historien. De toute façon, ce n'est qu'un indice circonstanciel de plus. J'ai l'impression que vous n'avez aucun élément concret qui m'accuse de la mort de Bellamy et vous essayez tout et n'importe quoi pour voir si je craque.

Krongard hésita, mais il finit par sortir un dernier document de son dossier qu'il présenta à Tomás.

— Que pensez-vous de ça ?

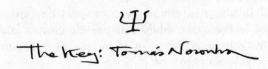

— Qu'est-ce que mon nom vient faire ici ?

L'Américain arbora le sourire du chasseur qui sent sa proie à sa merci.

— Surprenant, n'est-ce pas ?

— Vous n'avez pas répondu à ma question, insista l'historien, pressentant que ce petit bout de papier dissimulait une infinité d'informations. Qu'est-ce que mon nom vient faire ici ?

— Ceci est un document que nous a envoyé la police de Genève, expliqua-t-il. Il s'agit de la copie d'un papier retrouvé dans la main de M. Bellamy. Sa signification symbolique est évidente, surtout si l'on prend en compte votre emploi du temps. Le dessin en haut symbolise la crucifixion. M. Bellamy a voulu ainsi signifier sa propre mort. Au-dessous figure le nom de l'homme qui l'a tué et qu'il désigne comme *the key*, « la clé ». (Il agita le papier.) Ce document, professeur Noronha, prouve de façon définitive que vous avez assassiné le chef de la Direction de la science et de la technologie de la CIA.

Tomás gardait les yeux rivés sur le morceau de papier, songeant à toutes les implications de ce qu'il voyait et de ce qu'on venait de lui dire. Son nom écrit sur une feuille retrouvée dans la main de la victime constituait sans aucun doute un indice très compromettant. Il savait qu'il était innocent, mais comment allait-il pouvoir l'expliquer ? Frank Bellamy l'avait indubitablement mis en cause et nul doute que son dernier message aurait une grande influence sur le jury au moment du verdict.

— Vous avez la certitude que c'est Bellamy qui a rédigé ce mot ? demanda-t-il, comme s'il s'accrochait à un dernier espoir. Comment pouvez-vous être certain que cette preuve n'a pas été fabriquée par l'assassin pour m'accuser ?

L'Américain montra le dossier qu'il tenait à la main.

— Nous savons que M. Bellamy est le véritable auteur de ce message parce que nous avons procédé à un examen graphologique et avons fait analyser l'encre et le papier avec le plus grand soin. Les résultats préliminaires prouvent sans l'ombre d'un doute qu'il s'agit bien de son écriture, l'encre correspond à celle du stylo qu'il utilisait habituellement et les uniques traces d'ADN rencontrées sur le papier sont celles de M. Bellamy. Soyez assuré qu'il est bien l'auteur de ce message.

Pour Tomás, un nouvel espoir s'envola.

— Franchement, je ne comprends pas, confia l'historien. Mais une chose est sûre : ce n'est pas moi.

Krongard haussa les épaules.

— Je n'ai que faire de vos mensonges. Je vais devoir vous demander de m'accompagner.

— Vous accompagner où ?

Considérant que le débat était clos, l'Américain le saisit par le coude et le poussa rudement vers la Ford blanche.

— Vous êtes en état d'arrestation.

XIX

— Eh bien, Tomás, que fais-tu ? Je ne me sens pas très bien.

La voix de sa mère arracha Tomás à la torpeur dans laquelle il était plongé. Comprenant son erreur, alors qu'il se préparait à monter dans le véhicule de l'agent de la CIA, l'historien se dégagea d'un mouvement brusque et fit face à Krongard.

— Ça ne peut pas se passer comme ça, protesta-t-il. Ma mère a eu un malaise cardiaque ce matin et je dois l'aider. En outre, vous n'avez aucune autorité dans mon pays, que je sache. Seule la police portugaise peut m'obliger à aller quelque part contre ma volonté.

La colère se lisait dans les yeux de l'Américain.

— Vous avez tué un directeur de la CIA, grogna-t-il. En Amérique, un tel crime est passible de la peine de mort. Vous pensez peut-être que l'Agence va se lancer dans des démarches bureaucratiques qui ne la mène-ront nulle part, étant donné que le Portugal n'acceptera jamais d'extrader un de ses ressortissants pour qu'il soit jugé et exécuté aux États-Unis ? (Il secoua la tête.) Eh bien, vous vous trompez, professeur Noronha. À l'heure où je vous parle, un Hercules C-130 survole l'Atlantique pour venir vous chercher. À partir de maintenant, vous êtes détenu par la CIA. Vous serez transféré clandestinement cette nuit à Langley, où une procédure sera engagée contre vous. (Il fit un geste de la main, indiquant sa voiture.) Suivez-moi.

— Vous n'avez pas le droit de m'arrêter !

L'agent de la CIA entrouvrit sa veste, laissant apparaître le holster, la crosse du Glock bien en évidence.

— Voici mon autorité, murmura-t-il avec une voix menaçante. Vous venez de gré ou de force ? À vous de choisir.

L'argument était de poids. Les yeux de Tomás allaient de l'Américain à la silhouette fragile de sa mère, qui l'attendait près du portail.

— D'accord, finit-il par dire, reconnaissant sa défaite. Mais laissez-moi d'abord conduire ma mère dans sa chambre, vous voulez bien ? Elle est faible et a besoin de repos.

Krongard regarda en direction de Graça Noronha.

— OK.

Tomás retourna auprès de sa mère. Il lui donna la main et l'aida à franchir le portail, la conduisant vers l'entrée de la maison. L'Américain le suivait à un mètre, satisfait de la tournure que prenaient les choses. Il était maintenant convaincu de la culpabilité du suspect et savait qu'il l'abattrait sans la moindre hésitation ; il lui suffisait seulement de l'inciter à fuir et de lui donner une occasion de le faire.

— Madame Noronha ! s'exclama l'employée qui les accueillit avec chaleur. Comment allez-vous ? Un peu mieux ?

— Grâce à Dieu, dit la vieille dame avec un sourire fatigué. Mon cher fils est allé me chercher à l'hôpital. C'est un ange, vous ne trouvez pas, Ermelinda ?

— Oh, que oui ! Ça se voit.

Une fois dans le hall de la maison, Tomás hésita, ne sachant pas ce qu'il devrait, ou pourrait faire par la suite. Allait-il être menotté ou l'Américain lui accorderait-il encore un moment avec sa mère ? Il se retourna.

— Vous ne voyez pas d'inconvénient à ce que je conduise ma mère dans sa chambre, n'est-ce pas ? Je voudrais la coucher et la rassurer.

— Je vous en prie, lui répondit Krongard ostensiblement, avant de s'approcher de l'historien pour lui souffler à l'oreille : Prenez congé de votre mère et dites-lui adieu. C'est la dernière fois que vous la voyez, la chaise électrique vous attend.

À ces mots, Tomás lui jeta un regard méprisant.

— Allez vous faire foutre ! Allez vous faire foutre !

— Allons, allons ! répliqua l'Américain sur un ton moqueur. Contrôlez votre langage. (Il se retourna vers l'employée qui se retirait.) Chère madame, vous n'avez rien à manger ? Je meurs de faim…

L'employée s'arrêta, surprise de la demande, mais elle réagit en une fraction de seconde.

— Venez donc. Nous avons un cassoulet qui est un vrai délice. Mais il faudra le manger à l'office, si ça ne vous dérange pas. La salle à manger est réservée aux pensionnaires.

Le visiteur balaya des yeux l'espace alentour.

— Et où sont-ils ? voulut-il savoir, davantage pour des raisons opérationnelles que par curiosité. Ça a l'air désert…

L'employée rit.

— Oh, certains sont allés faire une promenade jusqu'à la pinède, d'autres sont dans leurs chambres, précisa-t-elle. Mais la majorité est au salon. C'est là que se trouve la télévision…

— En effet, je vois, dit l'Américain, se frottant les mains. Allons donc goûter ce cassoulet.

Pendant que Tomás accompagnait sa mère au premier étage, Krongard suivit l'employée jusqu'à la cuisine, un sourire béat aux lèvres. En insistant sur le fait que la chaise électrique l'attendait et en allant à l'office se restaurer, l'agent de la CIA donnait à l'historien l'opportunité de fuir.

Tomás fut surpris du comportement de l'Américain. Pendant qu'il aidait sa mère à gravir les marches, il ne cessa de s'interroger. Comment était-il possible que l'agent qui était venu l'arrêter se montre confiant au point de le laisser seul avec sa mère ? Ne se rendait-il pas compte qu'il lui offrait une occasion de s'échapper ?

Tomás s'efforça de se mettre à la place de l'agent de la CIA, afin de comprendre. En vain. Quel que fût l'angle, il n'y avait, lui semblait-il, qu'une réponse satisfaisante. Son ravisseur le sous-estimait. Il devait penser que Tomás n'était qu'un de ces universitaires qui passaient leur vie plongés dans des manuscrits anciens, un rat de bibliothèque, un intellectuel timoré, incapable d'une initiative quelconque. Une telle présomption lui semblait presque être une insulte.

— Ouf, je suis fatiguée ! se plaignit Graça lorsqu'ils parvinrent en haut de l'escalier. Je crois que je vais me coucher.

— Tu as raison, maman. Il faut te reposer. Ta journée a été très éprouvante. Ça n'arrive pas à tout le monde de mourir et de ressusciter le même jour, hein ? Jésus lui-même a dû attendre trois jours.

L'historien lança un dernier regard vers le rez-de-chaussée et s'assura que le hall était vide. Puis il conduisit sa mère jusqu'à sa chambre. Il l'aida à prendre ses médicaments et à se coucher.

— Merci, mon fils, murmura-t-elle en posant la tête sur l'oreiller. Je te vois au dîner ?

Tomás hésita ; initialement, il avait l'intention de passer une ou deux semaines à Coimbra, pour être aux côtés de sa mère pendant sa convalescence et ses déplacements à l'hôpital, mais les événements s'étaient précipités d'une manière inattendue, et rien de tout cela n'était possible à présent.

— Malheureusement non, répondit-il. Je dois immédiatement me rendre à Lisbonne pour régler une affaire urgente.

— Ah, quel dommage ! Sois prudent sur la route, tu entends ? Parfois tu roules un peu trop vite et ça peut être dangereux. En plus, il y a beaucoup de fous au volant...

— Je serai prudent, sois tranquille.

Vaincue par la fatigue, Graça ferma les yeux et sombra presque aussitôt dans les bras de Morphée. Son fils se pencha et l'embrassa sur le front, pour la dernière fois...

Les choses avaient changé du tout au tout depuis que l'agent de la CIA l'avait intercepté. La nouvelle situation était surréaliste, mais il ne pouvait l'ignorer. Compte tenu des circonstances, en particulier la pers-

165

pective d'être enlevé et envoyé clandestinement aux États-Unis, où l'attendait la chaise électrique, la seule possibilité qui s'offrait à lui était la fuite. Là-dessus il n'y avait pas le moindre doute.

Sa décision était prise. Il colla l'oreille contre la porte de la chambre de sa mère. N'entendant rien, il entrouvrit doucement la porte et regarda à l'extérieur. Le couloir était désert. Il sortit de la chambre, referma la porte avec mille précautions et s'avança à pas de loup, attentif à tout mouvement suspect. Comme le plancher de bois grinçait, il redoubla de prudence. Arrivé à l'escalier, il se pencha et regarda en bas. Le hall était vide. Le moment était venu de tenter une sortie.

Les grincements du plancher n'avaient pas échappé à James Krongard. Il savait qu'ils lui permettraient de savoir si Noronha chercherait à fuir.

— Alors, et ce cassoulet ? demanda l'employée. Il vous plaît ?

— Excellent, répondit l'Américain en avalant une dernière bouchée. Mais j'ai terminé.

— Comment ! Vous ne finissez pas ?

L'homme se leva et se dirigea vers le couloir.

— Je vous remercie de votre gentillesse, mais c'est trop. Et puis, je ne dois pas faire attendre le professeur Noronha.

Il sortit de la cuisine et alla se poster dans le couloir qui menait au hall. Le grincement du plancher avait cessé. Krongard s'efforça de rester concentré. Le dénouement était on ne peut plus prévisible. Le Portugais n'avait plus le choix.

— Allez, mon garçon, chuchota-t-il, avance donc.

Krongard glissa la main à l'intérieur de sa veste et caressa la crosse froide du Glock. Il ne pouvait pas le sortir trop tôt. Mais il devait se tenir prêt à faire feu. Du bout de l'index, il décrocha la courroie qui fixait l'arme à son holster. Puis, avec le pouce, il le déverrouilla. Le plancher à l'étage se mit à grincer.

XX

Sentant que quelque chose clochait, Tomás jeta un coup d'œil sur le hall qui était désert. C'était comme si un sixième sens l'avertissait de ne pas saisir cette chance qui s'offrait à lui. Or, il avait appris à écouter son intuition, non qu'il fût convaincu qu'il s'agissait d'une capacité extrasensorielle permettant d'accéder à un monde surnaturel, mais au contraire parce que cela résultait d'une analyse complexe faisant intervenir ses propres processus cognitifs qui avaient décrypté la situation, sans passer par la conscience. Bref, son sixième sens avait donné l'alerte et il devait donc revoir son plan de fuite.

À n'en pas douter, quelque chose clochait.

— Tu m'attends, murmura-t-il, l'estomac noué, tandis qu'il regardait du côté de la porte d'entrée. Tu es caché quelque part, guettant ma fuite…

Peut-être le regretterait-il, mais Tomás décida de se fier à son instinct. Il jeta un dernier regard au hall vide. Toujours avec la plus grande prudence, il recula et revint à la chambre de sa mère.

Il ferma la porte à clé et, le cœur battant à tout rompre, regarda sa mère profondément endormie.

— Et maintenant, s'interrogea-t-il à voix basse, comment est-ce que je vais sortir d'ici ?

Il regarda autour de lui, acculé. Son regard se porta inévitablement sur le balcon. Si le couloir n'était pas la bonne voie, il ne restait que cette solution. Il s'y précipita et regarda en bas. Il avait beau n'être qu'au premier étage, la hauteur restait considérable et le sol n'était guère accueillant. S'il se risquait à sauter, il avait toutes les chances de se casser une jambe et quelques côtes. Il valait mieux ne pas y songer.

C'est alors qu'il remarqua le pin.

Les grincements du bois à l'étage supérieur inquiétèrent James Krongard.

— Que peut bien faire ce type ?

L'agent de la CIA attendit encore. À mesure que les secondes s'écoulaient, Krongard sentait que les choses lui échappaient. Soit les nouveaux bruits indiquaient que des pensionnaires circulaient à l'étage, soit…

Il ouvrit grands les yeux.

— Si ça se trouve…

Sans perdre une seconde, il abandonna sa position et se dirigea vers l'escalier. Personne. Craignant d'avoir commis une terrible erreur, l'agent de la CIA gravit les marches quatre à quatre et parcourut à la hâte le couloir jusqu'à la chambre numéro huit, où l'employée lui avait dit que logeait la mère de Tomás.

Il frappa à la porte.

— Professeur Noronha ? appela-t-il, s'efforçant de contrôler sa voix pour ne pas perturber le calme du lieu. Vous êtes là ? (Il frappa de nouveau.) Professeur Noronha ?

Pas de réponse. Il tourna la poignée. La porte était fermée.

— Enfoiré !

Tomás Noronha avait pris la fuite. Il allait devoir employer les grands moyens. Il fit deux pas en arrière, sortit son Glock et visa la serrure.

Lorsque la détonation retentit, Tomás était accroché au tronc du pin. Il avait entendu les coups frappés à la porte alors qu'il était encore sur le balcon. Il avait tout de suite compris qu'il ne lui restait plus beaucoup de temps. S'il voulait vraiment s'échapper, c'était maintenant ou jamais.

Il serra le tronc dans ses bras et, alors qu'il commençait à négocier la descente, il entendit le coup de feu qui fit voler en éclats la serrure de la chambre de Graça. Il pensa à sa mère, à la frayeur qu'elle aurait, et imagina le pire. Il regrettait presque d'avoir tenté de s'enfuir, mais comment aurait-il pu imaginer que l'Américain puisse utiliser son arme dans un tel endroit ? De toute façon, il était trop tard pour faire marche arrière, la seule solution qui lui restait était de poursuivre sa fuite. Et vite.

— Professeur Noronha !

La voix provenait de la chambre. Tomás avait descendu la moitié du tronc et, la hauteur lui paraissant raisonnable, il se laissa tomber. Il roula par terre, se releva et traversa le jardin en courant vers la voiture.

Un nouveau coup de feu résonna et le fugitif vit une motte de gazon se lever devant lui. Il réalisa alors que l'Américain avait tiré sans sommation. Il avait simplement tiré pour tuer. Le dos de Tomás allait être une cible facile pendant encore quelques secondes, le temps qu'il lui faudrait pour parvenir à l'angle du bâtiment et se mettre à l'abri.

Il s'élança sur sa gauche, un nouveau coup de feu retentit.

Tomás fit encore quelques pas en ligne droite, mais, sachant qu'il faisait une cible facile, il feignit d'aller à droite et s'élança à nouveau sur sa gauche. Cette fois encore, il échappa à la balle.

— Et merde !

Trois fois de suite, l'Américain avait raté sa cible. Jamais auparavant il n'avait raté deux coups de suite. Le changement de trajectoire du Portugais l'avait surpris, mais il avait aussi mal choisi son point de mire. Il avait visé la tête, pour que la mort soit instantanée, mais les conditions n'étaient pas idéales pour ce genre de tir. S'il avait visé le tronc, le suspect n'aurait eu aucune chance. C'était justement le dos qu'il visait à présent.

Krongard rectifia son tir. Il savait que, cette fois, la balle atteindrait son but. D'abord sa victime tomberait. Lorsqu'elle serait à terre, la deuxième balle lui ferait voler la tête en éclats. Sachant qu'il ne disposait que d'une poignée de secondes, il contracta l'index, prêt à presser la détente.

— Gredin !

Un objet venu de nulle part atteignit l'Américain et le déséquilibra.

— Quoi... balbutia-t-il en s'appuyant au balcon. (Tomás disparut derrière le bâtiment, et il comprit une fois de plus qu'il l'avait raté.) Merde !

— Vaurien !

172

L'objet qui l'avait touché la première fois lui fut à nouveau asséné sur la tête. Il se protégea avec le bras, essayant de comprendre ce qui se passait. C'était Graça qui l'attaquait avec son sac à main, les cheveux hirsutes et les yeux en furie.

— Malotru !

— Poussez-vous de là, ordonna Krongard en se relevant, écartant la vieille dame avec le bras. Laissez-moi passer.

L'agent de la CIA traversa la chambre et le couloir en courant, le pistolet à la main, priant pour ne pas arriver trop tard. Une seule question résonnait dans sa tête : comment allait-il expliquer à Langley qu'une vieille femme sénile l'avait empêché d'abattre l'homme qui avait tué Frank Bellamy ?

XXI

Entendant les détonations successives, Maria Flor sursauta. Elle avait d'abord pensé qu'il s'agissait de pétards, mais elle s'était ravisée lorsque Tomás était apparu au portail, haletant.

— Que se passe-t-il ? demanda-t-elle, surprise, lorsqu'il ouvrit la portière de la voiture. Il est arrivé quelque chose ?

Tomás se jeta à l'intérieur de la Volkswagen.

— Démarre ! cria-t-il. Démarre !

Son amie le regarda sans comprendre.

— Quoi ?

L'historien lui montra le volant.

— Démarre, je te dis ! Il faut partir d'ici au plus vite !

— Mais que se passe-t-il ?

Du doigt, il indiqua la maison.

— Le type… qui m'a interpellé tout à l'heure, il me tire dessus, dit-il le plus calmement possible. Il veut me tuer.

— Quoi ? Mais qu'est-ce que c'est que cette histoire ?

Tomás hurla à nouveau.

— Démarre ! Dépêche-toi avant que le type n'arrive, dit-il en jetant des regards inquiets vers la villa.

Le moteur tournait déjà. Maria Flor appuya sur l'embrayage et passa la première, mais elle n'avait aucune intention d'obéir avant d'en savoir plus. Un homme tirant des coups de feu dans sa maison de repos ? Tout cela n'avait aucun sens !

— Écoute, dit-elle sur un ton serein, comme si elle cherchait à le calmer. Ce que…

Elle se tut au moment où elle vit un homme apparaître, pistolet au poing. En réalité, elle ne comprit pas ce qu'elle vit, ou n'en eut pas le temps, car l'instinct – le fameux sixième sens qui n'était en fait que l'esprit évaluant la situation sans passer par la conscience – avait réagi plus rapidement et s'était emparé de sa volonté.

Elle relâcha l'embrayage, appuya sur l'accélérateur et démarra en trombe. Une balle fit éclater la vitre arrière du véhicule, sans atteindre les occupants.

— Putain ! jura Krongard.

L'agent de la CIA tenta de tirer à nouveau, mais le véhicule des fugitifs disparaissait déjà au coin de la rue.

— Et merde !

Sans perdre de temps, Krongard courut vers la Ford blanche, qui démarra dans un crissement de pneus. À mesure qu'on approchait du centre de Coimbra, la circulation s'intensifiait. Avec un peu de chance, le trafic les retiendrait. Krongard ne tarda pas à apercevoir la Volkswagen bleue, coincée entre une fourgonnette et une voiture.

— Je te tiens ! marmonna-t-il.

Il appuya sur l'accélérateur et dépassa à contresens

une file de voitures. À ce rythme, songea-t-il, il aurait rapidement rattrapé sa cible.

Tomás suivait de près la progression rapide de la Ford blanche qui ne cessait de gagner du terrain, prenant des risques insensés.

— Plus vite ! implora-t-il. Plus vite !

— Je veux bien, mais comment ? s'énerva Maria Flor. Tu ne vois pas que le feu est rouge ?

— Tant pis ! Prends l'autre file et grille-le.

— Mais…

— Fais ce que je te dis ! insista Tomás, désespéré.

Maria Flor inspira profondément, fit une embardée et s'inséra dans la file à contresens. Arrivée au carrefour, elle accéléra et s'engouffra entre les voitures qui venaient de la gauche, mais, alors qu'elle pensait avoir aussi croisé sans heurt celles de la file de droite, un bruit sourd se fit entendre ; ils venaient d'être percutés.

— Ne t'arrête pas ! cria Tomás. Vas-y ! Fonce !

Retrouvant ses esprits, la conductrice prit conscience qu'ils venaient d'avoir un accident et qu'ils étaient arrêtés au milieu de la chaussée. Elle aperçut dans le rétroviseur le chaos qui régnait autour d'eux. La voiture qui les avait heurtés s'était retournée et le trafic était paralysé. Cependant, la Ford blanche s'apprêtait déjà à traverser le carrefour. Mais la Volkswagen s'était arrêtée dans le bon sens et le moteur tournait toujours ; Maria Flor engagea la première et démarra.

À côté d'elle, Tomás suivait la progression de la Ford blanche qui filait entre les voitures accidentées et reprenait sa chasse, trois cents mètres à peine derrière eux. Ils ne parviendraient pas à la semer. Il fallait prendre une décision.

Tomás balaya la rue du regard à la recherche d'une solution, de quelque chose qui inverserait le cours des événements.

— Oh, non ! gémit Maria Flor. Pas ça !

Des ouvriers repavaient le trottoir d'en face et la circulation était alternée. On roulait sur une seule voie, mais celle-ci était si étroite que seul un pilote chevronné parviendrait à accélérer. Derrière eux, Krongard avait encore gagné du terrain et n'était plus qu'à quelques mètres. Ils étaient perdus.

— Arrête-toi ! ordonna Tomás. Arrête-toi à côté des travaux.

Maria Flor écarquilla les yeux, paniquée. Mais, depuis le début de la course-poursuite, elle avait compris que la meilleure solution était d'obéir aux instructions, si absurdes fussent-elles. Tomás semblait avoir le don d'improviser sous la pression. Malgré la crainte d'arrêter la voiture à un tel moment, elle écrasa la pédale de frein et, dans un crissement de pneus, la Volkswagen s'immobilisa devant les cantonniers.

Sans perdre de temps, Tomás sortit de la voiture, ramassa deux pavés et les lança de toutes ses forces sur la Ford qui freinait, déjà sur leurs talons. Le premier projectile fit éclater le pare-brise du véhicule et le second atteignit le chauffeur.

L'historien se rassit aussitôt sur le siège passager et la Volkswagen redémarra en trombe, laissant l'agent de la CIA immobilisé, le visage en sang.

XXII

Sous peu, James Krongard allait devoir affronter le pire. L'infirmière lui avait fait un bandage à l'épaule et achevait de poser le pansement sur la tête. Mais ça, ce n'était rien. L'Américain leva les yeux vers la porte et aperçut la silhouette du policier qui attendait dans le couloir, des papiers à la main.

— Ah, la bureaucratie, murmura-t-il avec lassitude. Qu'est-ce qu'ils aiment la bureaucratie dans ce pays…

Mais la bureaucratie n'était pas non plus le pire de ses problèmes. Le pire serait d'expliquer son échec à Langley. Allait-il parler de la petite vieille qui, à coups de sac à main, l'avait empêché d'atteindre sa cible ? Ou raconter comment deux amateurs l'avaient semé au terme d'une course-poursuite dans les rues de Coimbra ? Le mieux serait peut-être d'inventer une histoire sans queue ni tête.

— Voilà, dit l'infirmière en reculant pour contempler son travail, c'est terminé. Les blessures à la tête saignent beaucoup, mais en fin de compte ce n'est rien de grave. Ne vous en faites pas. (Elle avait l'air d'une artiste qui contemple son œuvre.) Le pansement est une vraie merveille. Je parie que chez vous, aux États-Unis, vous ne faites pas mieux…

— Je peux m'en aller ?

— En ce qui me concerne, oui. La radio n'a révélé aucune fracture, vous avez simplement quelques contusions. (Elle désigna le policier bedonnant.) Mais… je crois que ce monsieur veut vous parler. Il paraît que vous avez provoqué une sacrée pagaille en ville ?

L'Américain ne répondit pas. Il remit son holster et enfila sa veste.

— Et mon arme ?

L'infirmière désigna de nouveau le policier.

— Il faut que vous voyiez avec lui.

La saisie du Glock était inévitable dans de telles circonstances.

Il quitta la salle des urgences et se dirigea vers l'homme qui l'attendait.

— Vos papiers, s'il vous plaît.

L'agent de la CIA lui tendit son passeport américain et ses papiers de l'ambassade des États-Unis, sur lesquels il était précisé qu'il jouissait de l'immunité diplomatique.

— Où est mon arme ?

Les sourcils froncés, le policier étudia les papiers comme si tout cela était extrêmement complexe et exigeait un examen approfondi.

— Il est indiqué que vous êtes attaché culturel de l'ambassade américaine à Lisbonne…

— C'est exact.

Une petite lueur scintilla dans les yeux de l'agent.

— Et… tous les attachés culturels de votre ambassade sont armés ?

— Vous avez peut-être entendu parler d'Al-Qaïda ? rétorqua Krongard en haussant les épaules. Je suis armé pour des raisons de sécurité. On ne sait jamais ce qui peut arriver…

Le policier parut déconcerté par la réponse. Il valait sans doute mieux s'en tenir aux questions strictement juridiques, conclut-il.

— Vous avez une licence de port d'arme ?

L'agent de la CIA porta de nouveau la main à la poche de sa veste et lui présenta un autre document. L'agent en vérifia le contenu, ainsi que le sceau et la signature, avec une expression de découragement.

— Tout est en règle ?

— Oui, marmonna le policier sur un ton contrarié.

Il était évident qu'il brûlait d'envie d'appréhender le suspect, mais il savait que ce ne serait pas possible.

— Alors, vous pouvez me rendre mon flingue ?

À contrecœur, l'agent prit un sac d'où il retira le Glock qu'il tendit à l'Américain. Krongard rangea l'arme dans le holster et signa un reçu. Puis, le policier lui rendit ses papiers.

— Je sais que vous jouissez de l'immunité diplomatique et que vous n'êtes donc pas tenu de faire de déclaration, reconnut l'agent. Mais est-ce que ça vous dérangerait de m'accompagner au poste pour nous expliquer ce qui s'est passé ?

Un sourire narquois anima le visage impassible de l'Américain, avant qu'il tourne les talons et s'éloigne en direction de la sortie.

— J'ai n'ai pas que ça à faire.

XXIII

Tombée subitement, la nuit avait enveloppé les abords de la ville. Tomás avait pris le volant. À côté de lui, Maria Flor, silencieuse depuis un long moment, s'efforçait de maîtriser ses nerfs. La course-poursuite de l'après-midi l'avait littéralement épuisée.

— Pourquoi as-tu pris la nationale ? demanda-t-elle, brisant son long mutisme.

Du pouce, le conducteur indiqua la vitre détruite et la carrosserie défoncée.

— Tu as vu dans quel état est ma voiture ? La police a certainement dû alerter la gendarmerie et les sociétés d'autoroute. Je parie qu'elles sont à la recherche d'une Volkswagen accidentée. Les caméras de vidéosurveillance sont partout. Si on avait emprunté l'autoroute, on se serait fait prendre tout de suite.

Maria Flor ne répondit pas, consciente du bien-fondé de l'argument. Elle n'était pas convaincue que la meilleure tactique était d'essayer d'échapper à la police, elle pensait même qu'ils auraient plutôt dû s'adresser directement aux autorités et leur expliquer ce qui s'était passé, mais elle supposait que Tomás savait ce qu'il faisait. S'il avait décidé de tenir la police à distance, il devait avoir ses raisons, et puis elle avait le choix entre lui faire confiance ou l'abandonner.

— Qui était cet homme ? s'enquit-elle enfin. Pourquoi nous poursuit-il ?

— Tu n'as rien à voir avec ça, rectifia le conducteur. Il ne « nous » poursuit pas, c'est après moi qu'il en a. Tu es mêlée à tout ça parce que tu m'accompagnes.

— Ça ne me dit pas ce qu'il te veut ?

— Il voulait m'arrêter… Enfin, je crois. (Il hésita et se reprit.) Ou bien il voulait tout simplement me tuer, je n'en sais rien.

— Mais pourquoi, qu'as-tu fait ?

Tomás soupira ; il ne savait pas trop par où commencer.

— Je n'ai rien fait, commença-t-il par dire. Il y a quelques années, j'ai un peu travaillé pour la CIA et à l'époque j'ai eu affaire à…

— Pour qui ?

— Pour la CIA. L'agence d'espionnage américaine.

Maria Flor lui lança un regard incrédule.

— Tu me fais marcher ? lui dit-elle, se demandant si elle devait le croire. Tu as vraiment travaillé pour la CIA ?

— Oui, j'ai participé à deux opérations. C'était il y a quelques années. À l'époque, j'ai eu affaire à un des directeurs de la CIA qui apparemment vient d'être assassiné à Genève. Les Américains sont persuadés que c'est moi qui ai fait le coup.

— Pourquoi ? Parce que tu étais aussi à Genève hier ?

— Exactement. Mais je ne l'ai pas tué, je ne savais

même pas qu'il y était aussi. C'est une pure coïncidence.

— Mais alors pourquoi t'accusent-ils ?

— Parce qu'on est descendus dans le même hôtel et qu'il a été tué au CERN au moment précis où je m'y trouvais, expliqua-t-il. Et puis parce que la victime a laissé un message disant que je suis la clé.

— La clé de quoi ?

— La CIA considère qu'il a ainsi révélé que je suis la clé de son homicide. En d'autres termes que je suis son assassin. Mais moi, je pense que la victime essayait de dire autre chose.

— Quoi ?

Tomás gardait les yeux fixés sur la route, le visage régulièrement illuminé par les phares des voitures qu'ils croisaient.

— Laisse-moi y réfléchir. Lorsque j'aurai assemblé toutes les pièces du puzzle, je te le dirai.

Déçue par la réponse, Maria Flor n'insista pas.

— Le message laissé par ce directeur de la CIA ne mentionnait que ton nom ?

— Non, il y avait aussi un symbole.

— Quel symbole ?

— La CIA semble penser qu'il s'agit d'un symbole ressemblant à un crucifix.

— C'est peut-être une référence à la religion d'un homme à l'article de la mort ? Après tout, quand on parle de crucifixion, n'est-ce pas l'image du Christ sur la Croix qui nous vient à l'esprit ?

L'historien haussa les épaules.

— Peut-être, qui sait ?

Il avait répondu sur un ton condescendant, ce qui ne plut guère à Maria Flor.

— Alors, à quoi penses-tu ? Si ce symbole ne représente pas la crucifixion de ce directeur de la CIA ou de Jésus, que représente-t-il, selon toi ?

Pour la première fois depuis de longues minutes, Tomás détourna les yeux de la route et dévisagea son interlocutrice.

— La plus mystérieuse équation scientifique jamais formulée.

XXIV

Résigné, James Krongard composa le numéro de Langley.

— Service national clandestin, répondit une voix mécanique. Que puis-je faire pour vous ?

— Ici James Krongard, à Lisbonne. Harry Fuchs attend mon appel.

— Un instant, monsieur Krongard.

L'interlude musical qui suivit fut rapidement interrompu par la voix du responsable des opérations clandestines de la CIA.

— Monsieur Krongard ! s'exclama Fuchs, particulièrement jovial. Quelles nouvelles ?

Le moment que Krongard avait le plus redouté ces dernières heures était arrivé. Il remplit ses poumons d'air pour se donner de l'élan, et se lança.

— Malheureusement… elles ne sont pas bonnes, monsieur Fuchs. L'oiseau s'est envolé.

Un silence s'installa, pendant que le directeur digérait la nouvelle. La voix s'était assombrie.

— Que s'est-il passé ?

— Conformément à vos instructions, j'ai laissé le

suspect s'échapper pour pouvoir le liquider. Mais la poursuite s'est mal passée, expliqua l'agent, se gardant bien d'exposer les détails qui ne le grandissaient pas. Il y a eu un terrible accident à un carrefour et j'ai bien peur d'avoir perdu sa trace. Je pense qu'on devra maintenant…

— Bordel de merde, Krongard ! éructa Fuchs, élevant la voix à mesure qu'il parlait. C'est quoi ces excuses bidons ? Depuis quand un agent de la CIA digne de ce nom vient m'annoncer en pleurnichant qu'il n'a pas rempli sa putain de mission, pourtant d'une simplicité enfantine ? Vous me prenez pour un crétin ? Je ne veux ni excuses ni pleurnicheries, vous entendez ? Je veux des résultats ! Et qu'est-ce que vous venez me raconter ? Que vous avez eu un accident, mais que ce n'était pas votre faute ! Et puis quoi encore ? Je vous ai confié une mission. Remplissez-la !

Des gouttes de sueur perlaient sur les tempes de Krongard.

— Oui, monsieur.

À l'autre bout de la ligne, la respiration de Fuchs était lourde, sa crise de furie l'avait essoufflé.

— Et maintenant ? demanda-t-il en essayant de se maîtriser. Comment allez-vous régler ce problème ?

— Il va falloir mettre d'autres agents sur le coup, monsieur. L'effet de surprise est passé. À présent, l'oiseau sait qu'il est recherché et il va se cacher. Il faut que je quadrille le terrain pour pouvoir le localiser, et pour ça j'ai besoin d'hommes.

— Très bien. Contactez les *marines* de l'ambassade. Je vais appeler l'ambassadeur pour le mettre au courant. Autre chose ?

— La police locale, monsieur.

— Ne mêlez pas les flics à cette opération, espèce d'idiot ! vociféra Fuchs, en élevant de nouveau la voix. Combien de fois dois-je vous dire que vous devez agir avec la plus grande discrétion ?

— Je sais, monsieur. Le problème c'est que la police est déjà sur le coup.

— Que voulez-vous dire ?

— Il y a eu un accident et des coups de feu ont été tirés. Je pense que la police doit avoir identifié la voiture de notre homme. Comme je n'ai pas collaboré à l'enquête, invoquant l'immunité diplomatique, les flics vont vouloir interroger les occupants du véhicule.

Le directeur du Service national clandestin analysa cette nouvelle information.

— Hmm… je vois, murmura-t-il. Et puis il y a toujours le risque qu'il demande la protection de la police.

— Affirmatif, monsieur. Mais je ne crois pas que ce sera le cas.

— Ah bon ? Et pourquoi ?

— J'ai lu attentivement son profil dans le dossier que vous m'avez envoyé et je ne crois pas qu'il soit du genre à aller se cacher derrière les flics. Au contraire, il va vouloir prendre les choses en main.

Fuchs fit à nouveau une pause pour se remémorer le dossier de Tomás Noronha.

— Vous avez peut-être raison. Si tel est le cas, l'affaire peut encore être rattrapée. Écoutez, soyez attentif à ce que fait la police locale, mais ne la mêlez pas directement à l'opération. Si elle met la main sur l'oiseau, nous ne réussirons jamais à venger Bellamy. Le vieux salopard était peut-être un emmerdeur, mais c'était l'un des nôtres. Si on ne se fait pas respecter nous-mêmes, qui le fera à notre place ?

— Oui, monsieur.

— Alors faites ce que vous avez à faire et réglez-moi le problème. Je vous préviens, vous n'avez plus le droit à l'erreur, c'est compris ?

— Oui, monsieur. Je vous assure que cette fois il ne…

Fuchs avait déjà raccroché.

XXV

Étrangement placé, le panneau indiquant l'entrée de Lisbonne semblait accessoire puisque depuis quelque temps déjà la Nationale 1 traversait le tissu urbain, le long de la rivière. Ils ne tarderaient pas à arriver et devaient prendre des décisions.

— Qu'allons-nous faire à présent ? demanda Maria Flor. Tu as une idée ?

— La première chose à faire, c'est de te déposer à la gare d'Orient, dit Tomás en regardant l'heure sur le tableau de bord. Si je ne me trompe pas, le train pour Coimbra part dans une demi-heure.

— N'y songe même pas !

Le conducteur quitta le regard de la route et fixa la jeune femme.

— Écoute, c'est très risqué de rester avec moi. Ce sont des gens dangereux.

— Précisément. Tu as besoin d'aide et ce n'est pas dans un moment comme celui-là que je vais te laisser tomber.

— Mais ce n'est pas…

— La discussion est close. Je reste.

Tomás n'osa pas la contredire. Mais les circonstances étaient trop risquées. Il essaya de trouver un autre argument.

— Tu me serais plus utile à Coimbra auprès de ma mère.

— J'ai déjà téléphoné à Mon Repos et tout est réglé, rétorqua Maria Flor. J'ai donné des instructions, ta mère sera suivie avec toute l'attention voulue. Margarida l'emmènera tous les jours à l'hôpital et s'occupera d'elle comme il faut, sois rassuré. La question est réglée.

Tomás la dévisagea. C'était une belle femme, cela ne faisait aucun doute, et la perspective de passer les prochains jours avec elle était fort tentante, malgré les circonstances.

— Tu en es sûre ?

— Absolument, répondit-elle. Nous devrions plutôt régler les problèmes pratiques, le premier d'entre eux étant de savoir où nous allons loger. Tu as une chambre d'amis chez toi ? Dans le cas contraire, tu devras dormir dans le canapé.

Tomás secoua la tête.

— Nous ne pouvons pas aller chez moi. Les types de la CIA doivent surveiller mon appartement.

— Alors où allons-nous ? À l'hôtel ?

— Trop risqué. Il faudrait montrer nos papiers à la réception.

La perplexité se lisait sur le visage de Maria Flor.

— Si on ne peut pas aller chez toi ni à l'hôtel, que suggères-tu ?

— La fondation Gulbenkian.

— À cette heure-ci ?

— À toute heure. Le problème, c'est que le bâtiment est surveillé par des agents de sécurité privés.

— Et ils ne nous laisseraient pas entrer…

— Bien sûr que si. Mais il est préférable qu'ils ne nous voient pas. Imagine que la CIA, qui sait sans aucun doute que je suis consultant à la fondation et que j'y ai un bureau, envoie quelqu'un demander aux gardes si, par hasard, ils ne m'auraient pas vu ?

— Que proposes-tu alors ?

Tout en restant concentré sur la route, Tomás fouilla dans sa poche et en retira un trousseau de clés, qu'il fit tinter avec un sourire.

— J'ai les clés.

Le parking souterrain de la fondation Gulbenkian était ouvert. Sans doute y avait-il un concert au Grand Auditorium, mais Tomás préféra garer la voiture de l'autre côté de l'avenue de Berne, à l'angle de la place d'Espagne, pour être sûr qu'aucun garde ne les verrait entrer. Ils descendirent et traversèrent l'avenue jusqu'au muret.

L'historien regarda d'un côté puis de l'autre pour s'assurer que personne ne les avait vus.

— Vas-y !

Maria Flor obéit et enjamba le muret ; elle entra dans le jardin, suivie de Tomás. Ils avancèrent entre les arbres et les arbustes, profitant de la végétation et de la nuit pour passer inaperçus. Ils contournèrent le bâtiment principal, progressant lentement et prudemment, ils parvinrent à proximité d'une porte de service.

— Et maintenant ? souffla Maria Flor. Que fait-on ?

— On entre.

L'historien regarda alentour ; ne voyant personne,

il sortit à découvert en marchant le plus naturellement possible. Maria Flor comprit la tactique. Arrivés à l'entrée de service, Tomás glissa la clé dans la serrure et ouvrit la porte.

Ils entrèrent dans le bâtiment, qui était plongé dans l'obscurité.

— Où allons-nous ?

— Pose les mains sur mes épaules et suis-moi. Attention, il y a deux marches...

À tâtons, sentant les mains de Maria Flor dans son dos, Tomás progressa dans le noir jusqu'à une porte qui laissait passer un filet de lumière. Ils attendirent un moment, essayant de savoir si quelqu'un s'y trouvait. N'entendant aucun bruit suspect, ils l'entrouvrirent. De l'autre côté s'étendait le hall d'entrée.

— Il y a quelqu'un là-bas, au fond, murmura-t-il. Mais la voie est libre pour aller jusqu'au laboratoire.

— Nous n'allons pas dans ton bureau ?

— La lumière trahirait notre présence. Alors que, dans le labo, il arrive que des gens travaillent toute la nuit. Je crois que c'est l'endroit idéal.

Maria Flor commençait à comprendre qu'il était inutile de contester les raisonnements de son compagnon ; Tomás pensait à tout avant d'agir. Ils ouvrirent la porte et traversèrent le hall, en se dirigeant tranquillement vers l'escalier. Ils montèrent au premier étage, tournèrent dans un vestibule qui n'était pas éclairé et empruntèrent un couloir jusqu'à ce qu'ils parviennent à une large porte métallique, qu'ils franchirent. Il faisait noir, Tomás tendit la main et appuya sur l'interrupteur. Plusieurs néons blancs et froids s'allumèrent, éclairant une salle remplie de matériel électronique.

— Le laboratoire.

Maria Flor contempla l'espace et les appareils ultra-modernes qui s'y trouvaient.

— J'ignorais qu'on faisait de la recherche scientifique à la fondation Gulbenkian…

— Bien sûr que si. Mais ce laboratoire n'est qu'une annexe. Le véritable centre de recherches se trouve à Oeiras, à l'institut Gulbenkian des sciences.

Inquiète, elle se tourna vers l'entrée.

— Tu crois qu'on est en sécurité ici ?

— Bien sûr. Ce labo n'est utilisé que de temps en temps, ne t'inquiète pas. Personne ne viendra nous chercher ici.

Ils prirent les coussins de quelques chaises et les posèrent par terre, en guise de matelas. Après avoir éteint les néons, ils se couchèrent. La journée avait été longue et difficile et ils devaient prendre des forces pour affronter la journée du lendemain.

Tomás tendit le bras et éteignit la lampe à côté de lui. Ils étaient plongés dans le noir. Au bout de quelques instants, il comprit qu'il ne serait pas simple de s'endormir. C'était la première nuit qu'il passait avec Maria Flor et il ne pouvait pas la toucher. C'était une torture pour lui.

Il eut envie de s'approcher d'elle ; il s'imagina lui disant qu'il faisait trop froid et qu'ils devaient se réchauffer, que Maria Flor serait d'accord et qu'il se serrerait contre elle, qu'il lui poserait les mains sur le ventre, puis qu'il monterait doucement, tout doucement jusqu'à…

Il soupira.

Après un long moment, la voix de Marie Flor résonna dans l'obscurité.

— Tomás ?

— Hmm ?

— Tu dors ?

— J'essaie. Mais c'est difficile, j'ai la tête qui bouillonne.

Il ne fallait même pas songer à lui avouer ses fantasmes.

— Moi aussi, rit-elle doucement. Je crois que je ne vais pas m'endormir de sitôt. J'ai beau essayer de ne penser à rien, tous ces événements me reviennent à l'esprit. Et puis je suis curieuse de comprendre le mystère dont tu m'as parlé.

— Quel mystère ?

— Celui du symbole dessiné sur le papier que le directeur de la CIA tenait dans la main, à Genève. Tu as dit qu'il renvoyait au plus grand mystère scientifique jamais rencontré, et ça… eh bien, ça a aiguisé ma curiosité. De quoi parlais-tu ?

La réponse n'était pas simple. Décidément, ils n'étaient pas prêts de dormir. D'un mouvement décidé, l'historien se leva et alluma la lumière.

— Tu as du papier et un stylo ?

Son amie semblait soulagée qu'ils aient renoncé à chercher le sommeil et elle se dirigea vers un tiroir dans lequel elle avait fouillé lorsqu'ils étaient arrivés dans le laboratoire. Elle l'ouvrit et en retira un bloc-notes avec le logo de la fondation, ainsi qu'un feutre noir.

— Tiens.

Tomás retira le capuchon du feutre et commença à écrire sur la première page du bloc-notes.

— Je n'ai pas gardé la copie de la note laissée par Frank Bellamy, expliqua-t-il, mais c'était quelque chose d'assez simple.

— Tu te souviens de ce qui était écrit ?

L'historien ne répondit pas aussitôt. Il griffonna sur le papier.

— Cela ressemblait à ça.

$$\Psi$$

The Key: Tomás Noronha

Maria Flor regarda le dessin. Le texte sous le symbole était simple, il désignait Tomás comme « la clé ». Compte tenu du contexte dans lequel ce message avait été trouvé, on pouvait penser que la victime avait désigné Tomás comme étant la clé de l'homicide. Mais ce symbole, que pouvait-il signifier ?

— Ce dessin pourrait effectivement représenter schématiquement une personne crucifiée, constatat-elle. On peut penser que la verticale symbolise le tronc, avec de chaque côté les bras levés, comme s'ils étaient cloués.

— C'est justement l'interprétation des types de la CIA, convint l'historien. Ou celle qu'ils ont voulu avoir.

— Mais tu penses, toi, que ce symbole renvoie à une énigme scientifique ?

Tomás posa l'index sous le symbole.

— Ceci est un *psi*.

— Un *psi*, comme dans la parapsychologie ? s'étonna-t-elle. Toi qui ne crois qu'en ce qui est scientifiquement prouvé, tu fais allusion à la perception extrasensorielle, au paranormal et à toutes ces choses ? Je ne te reconnais pas !

— Il est vrai que le *psi* est la première lettre du mot grec « psyché », qui signifie « esprit » ou « âme », admit-il, prenant à nouveau le feutre. Mais le plus important à comprendre dans cette énigme est que le *psi* est la vingt-troisième lettre de l'alphabet grec. Il s'écrit comme ça.

Il traça le mot et le symbole en lettres minuscules, suivis de leurs équivalents en caractères latins.

$$\Psi \upsilon \chi \acute{\eta} = psych\acute{e}$$
$$\Psi = psi$$

— Et qu'y a-t-il là de si mystérieux ?

— En physique, le *psi* est le symbole de la fonction d'onde, sans doute l'une des découvertes scientifiques les plus étonnantes. La fonction d'onde décrit une caractéristique de la matière à l'échelle la plus élémentaire, l'échelle subatomique, et permet à un photon, à un électron, à un atome, voire à une molécule, d'être à plusieurs endroits en même temps. En dernière instance, la fonction d'onde nous a révélé que la réalité n'existe que parce que nous la créons. (Il posa la pointe de l'index sur son front.) De la même manière que l'image de l'arc-en-ciel ou le bruit de l'arbre que personne n'entend lorsqu'il tombe dans la forêt, la réalité est psyché, elle est dans l'esprit. Le *psi* est au cœur du problème dans la mesure où il symbolise la fonction d'onde, la mystérieuse solution de la célèbre équation de Schrödinger.

— Schrödinger ? Le physicien autrichien ?

Tomás contempla la lettre grecque qu'il avait dessinée comme si elle contenait le secret des mystères de l'univers, du temps et de la matière.

— Celui-là même, dit-il. L'équation de Schrödinger est la formulation scientifique la plus énigmatique qui soit. Tu sais pourquoi ?

— Non, mais j'attends que tu me l'expliques.

L'universitaire leva les yeux vers la fenêtre et, avec un air énigmatique, il observa le croissant lumineux qui se détachait dans cette nuit limpide et constellée d'étoiles.

— S'il n'y avait personne pour regarder la lune, elle n'existerait purement et simplement pas.

XXVI

Soucieux, James Krongard roulait à vive allure sur l'autoroute dans la nouvelle voiture qu'il venait de louer à Coimbra. Tenant le volant de la main gauche, il manipulait son portable de la main droite, tandis que ses yeux suivaient les noms et les numéros qui défilaient sur l'écran.

La conversation avec Harry Fuchs avait donné un nouveau tournant. Il devait à présent établir des contacts pour mettre la main sur le fugitif. Il avait déjà parlé à deux retraités de la police judiciaire qui vivaient à Coimbra et les avait engagés pour qu'ils surveillent Mon Repos et l'appartement de Graça Noronha. Il était néanmoins convaincu que sa proie avait fui à Lisbonne, où il était plus facile de se cacher. Il allait devoir monter la principale partie de l'opération dans la capitale portugaise.

Il composa un numéro.

— Ici Swartz. Où es-tu, Jim ?

Greg Swartz était le responsable du personnel chargé de la sécurité à l'ambassade américaine à Lisbonne.

— Je suis sur l'autoroute. J'ai besoin de toi et de

tes *marines* pour une opération délicate que l'Agence a lancée ici, au Portugal. Il s'agit d'une mission top secret, tu piges ?

Son interlocuteur ne cacha pas son irritation.

— Avec la CIA, c'est toujours la même chose ! protesta-t-il. Vous vous prenez pour des malins, vous faites des conneries, et une fois que c'est le bordel, vous appelez les *marines* pour nettoyer.

— Ne me gonfle pas, Greg ! Au moment où je te parle, Langley est en train de prévenir l'ambassadeur, et vous allez recevoir incessamment sous peu des instructions vous plaçant sous mes ordres. Alors écoute-moi bien. (Il s'éclaircit la voix.) On tente de localiser un suspect appelé Tomás Noronha. L'ambassadeur va te remettre un dossier sur ce type. Il est professeur d'université. Le numéro d'immatriculation de son véhicule, une Volkswagen bleue, figure dans le dossier. La voiture a été accidentée, une balle a fait éclater la vitre arrière et la carrosserie est froissée du côté droit. Tu as enregistré ?

— Je prends note.

— Il est possible que le suspect soit accompagné d'une femme prénommée Maria Flor, plutôt jolie à ce qu'il paraît. On est en train d'établir un dossier sur elle, mais je doute qu'on ait grand-chose. À mon avis, elle n'est pas du genre à traîner dans nos fichiers. D'ailleurs, il n'est sans doute pas très important de l'identifier, notre professeur l'a probablement déjà renvoyée chez elle pour lui éviter des ennuis.

— Ce serait quand même mieux de vérifier...

— C'est ce qu'on fait. Dès qu'on l'aura localisée, certainement à Coimbra, elle sera interceptée et interrogée par d'anciens policiers que j'ai engagés. Elle nous donnera peut-être quelques tuyaux sur la planque et les intentions du suspect.

— Très bien, acquiesça Swartz. Je dispose de trois hommes ici, à l'ambassade. Que veux-tu qu'on fasse ?

— Dis-leur de s'habiller en civil et envoie un *marine* à l'appartement de Noronha, un autre à l'université nouvelle de Lisbonne, où il donnait des cours, et le troisième à la fondation Gulbenkian, où il travaille comme consultant. À première vue, ce sont les trois endroits où notre prof pourrait chercher à se planquer. Les adresses sont mentionnées dans le dossier que l'ambassadeur va t'envoyer.

— Qu'est-ce qu'on fait quand on l'a repéré ? On appelle la police ?

— Hors de question ! répondit Krongard. Si vous le localisez, et à moins qu'il ne tente de fuir, vous n'intervenez pas, compris ? Vous m'appelez et je m'en occupe. S'il cherche à fuir, vous l'arrêtez et vous attendez que j'arrive. La police portugaise ne doit être au courant de rien, tu piges ?

— Affirmatif. C'est donc une opération clandestine...

— Je ne veux pas de problèmes avec les autorités locales, ça ferait échouer toute l'opération. Il faudra ruser, car il se peut que la police soit aussi à la recherche du suspect, ce qui pourrait jouer en notre faveur. Je veux donc que tu mettes les flics sur écoute. Des questions ?

— Tout est clair.

— Je passerai te voir dès que j'arrive à l'ambassade. À plus tard.

Krongard raccrocha et regarda la route. Au loin, on distinguait déjà les lumières de Lisbonne, comme si la ville s'était parée de tous ses feux pour assister à la chasse à l'homme.

XXVII

— Oh, là, tu plaisantes, n'est-ce pas ?

Maria Flor questionnait Tomás pendant qu'il far-fouillait dans les équipements du laboratoire, s'effor-çant d'identifier les appareils un par un. Il en branchait certains pour voir comment ils fonctionnaient, puis les débranchait et en essayait un autre.

— Je ne plaisante pas, répondit-il distraitement. Je suis à la recherche d'un projecteur.

— Je ne parle pas de ce que tu es en train de faire, précisa-t-elle, impatiente. Ma question concerne ce que tu as dit tout à l'heure.

— Qu'est-ce que j'ai dit ?

— Que s'il n'y avait personne pour regarder la lune, elle n'existerait purement et simplement pas. Je suppose que tu plaisantais ? C'est impossible. La lune existe, qu'on la regarde ou pas !

L'historien cessa de tripoter la nouvelle machine qu'il tenait dans les mains et se tourna vers sa compagne.

— Je suis on ne peut plus sérieux, déclara-t-il avec conviction. Les choses n'existent que parce que quelqu'un les observe. Il ne s'agit là ni d'une image, ni d'une plaisanterie. Que tu le croies ou non, et si étrange que celui puisse paraître, c'est là la nature profonde de la réalité.

Maria Flor haussa les épaules.

— OK, d'accord ! Sois un peu sérieux…

Ignorant le ton d'incrédulité sur lequel elle avait prononcé ces mots, Tomás retourna à ses machines. Il examina certains appareils puis passa de l'autre côté du laboratoire. Au bout de dix bonnes minutes, il finit par dénicher ce qu'il cherchait.

— Eurêka !

L'universitaire prit le projecteur et le traîna jusqu'à un espace ouvert dans le coin du laboratoire. Il l'installa, le brancha et orienta le faisceau vers un écran accroché à un mur.

— Dis-moi ce que tu veux faire avec ça.

— C'est un projecteur, indiqua-t-il. Et ça c'est un écran qui détecte la lumière émise par le projecteur. Il s'agit, en réalité, d'une plaque photographique. (Il saisit une feuille de carton noir et, avec la pointe de son stylo, l'entailla au centre de deux rainures parallèles, étroites et longues, semblables au signe arithmétique « égal ».) On appelle ce que tu t'apprêtes à voir l'expérience de la double fente. Elle a été conçue au XIX\ siècle et perfectionnée au fil du temps. Elle n'a rien d'ésotérique, elle est simple et peut être faite avec plus ou moins de facilité, ici ou dans une école, et elle a déjà été reproduite des milliers de fois.

Maria Flor croisa les bras.

— Et alors ? lança-t-elle. Quel est le rapport entre ça, le *psi* laissé par le directeur de la CIA et la lune qui n'existe pas si personne ne la regarde ?

Occupé à achever les préparatifs, Tomás ne répondit pas directement à la question. Ce n'est qu'après avoir branché le projecteur et s'être assuré qu'il fonctionnait que, se redressant, il la regarda enfin.

— Qu'est-ce que la lumière ?

Son amie haussa les épaules, comme si la réponse était trop élémentaire pour qu'elle s'enthousiasme.

— C'est une radiation électromagnétique, répondit-elle. Tu l'as déjà dit à Coimbra quand nous avons parlé de la manière dont l'esprit construit les images.

— Très bien, approuva-t-il. Mais, pendant de nombreuses années, on a ignoré la véritable nature de la lumière. En quoi consistait exactement cette radiation électromagnétique ? Selon Isaac Newton, c'étaient des particules, plus tard appelées photons, mais Christiaan Huygens pensait qu'il s'agissait d'ondes, d'une certaine manière semblables à celles de la mer. Le débat s'est poursuivi pendant quelques années jusqu'à ce que le Britannique Thomas Young conçoive, en 1801, l'expérience de la double fente et obtienne la réponse. Ou, du moins, une réponse. Nous allons voir ce qu'il a découvert.

Il brancha le projecteur et un faisceau de lumière illumina entièrement l'écran. Il plaça le carton avec la double fente devant le faisceau, pour que la lumière ne passe que par les deux rainures, et la projection sur l'écran se modifia. Au lieu de le remplir complètement, la lumière apparut en bandes successives, tantôt lumineuses, tantôt sombres.

— Très intéressant, en effet, dit Maria Flor en bâillant. Que veux-tu prouver exactement ?

Tomás désigna les bandes de lumière sur la plaque photographique qui servait d'écran.

— Tu vois cette projection ? demanda-t-il. Si la lumière était constituée de particules, comme le pensait Newton, on ne verrait que deux bandes sur l'écran, l'une passant par une fente et l'autre passant par l'autre fente. Mais ce n'est pas ce qu'on voit, n'est-ce pas ? Il n'y a pas deux bandes de lumière, comme tu peux le constater, mais cinq.

— Effectivement ! constata-t-elle, visiblement intéressée par la démonstration. C'est curieux. Pourquoi y en a-t-il cinq ?

— Parce que la lumière n'est pas constituée de particules, mais d'ondes, expliqua-t-il. C'est comme l'eau. Si tu lances une pierre dans un lac, il se forme des ondes concentriques. Mais, si tu lances deux pierres, les ondes qui se forment interfèrent les unes avec les autres, de telle sorte qu'elles parviennent au rivage en bandes successives. La même chose se passe ici. En passant par les deux fentes, la lumière interfère avec elle-même et forme sur l'écran un modèle de bandes successives.

— Je comprends la conclusion, mais je ne saisis pas bien le mécanisme…

L'historien reprit le bloc-notes et griffonna rapidement un nouveau schéma.

— Tu vois ? dit-il en montrant le schéma. Voici ce qui se passe. La lumière du projecteur part du point S pour atteindre le carton, mais elle ne passe que par les deux fentes, S1 et S2. À partir de là, les ondes de lumière qui passent par S1 interfèrent avec celles qui passent par S2, de telle sorte que la lumière atteint l'écran avec une intensité maximale non pas en deux points, comme ce serait le cas si on avait affaire à des particules, mais en cinq, figurés ici avec les lettres B et D.

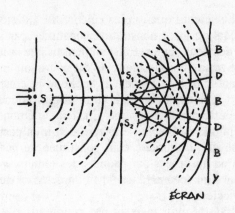

ÉCRAN

— En d'autres termes, la lumière se comporte comme une onde.

— Exactement. L'expérience de Young a permis de démontrer que Huygens avait raison et il a convaincu la communauté scientifique. On aurait pu croire que le débat était clos. Or, pour expliquer les étranges propriétés du rayonnement émis par des corps noirs – qui contrariaient les prévisions de la physique classique –, le physicien allemand Max Planck a posé l'hypothèse, en 1900, que l'énergie électromagnétique n'était pas émise ou absorbée de façon continue, mais par paquets, qu'il appela *quanta*, inaugurant ainsi sans le savoir la théorie quantique qui étudie le monde microscopique des particules et des atomes. La découverte de Planck réglait le problème du rayonnement des corps noirs, pour lequel la physique classique n'avait pas de solution crédible. Mais cette découverte était si étrange et si irréelle que seule une personne lui prêta attention. (Il leva les sourcils.) Albert Einstein.

— Le scientifique le plus célèbre du XXᵉ siècle…

— Malgré la démonstration constituée par l'expérience des deux fentes, Einstein pensait que la lumière était de nature corpusculaire. C'est pourquoi, en 1905, reprenant l'idée de Planck, il appliqua le concept de *quanta* pour expliquer une autre énigme de la physique, l'effet photoélectrique. Einstein a démontré que cette énigme ne pouvait être résolue qu'en partant du principe que la lumière était constituée de particules émises ou absorbées par paquets, les fameux *quanta*.

Maria Flor secoua la tête et fit un geste en direction du projecteur.

— Excuse-moi, mais je ne comprends plus rien. Alors, comme ça, l'expérience de la double fente n'a pas prouvé que la lumière était une onde ? Et Einstein aurait démontré qu'en fin de compte c'est une particule ? C'est une onde ou une particule ?

Ses interrogations arrachèrent un sourire à Tomás.

— La lumière est à la fois onde et particule.

— Mais ça n'a pas de sens. Je suis un être humain ou je n'en suis pas un, le Portugal est en Europe ou il ne l'est pas, la lumière est une onde ou une particule. Elle ne peut pas être les deux choses à la fois.

— C'est pourtant la vérité, la lumière est une onde et une particule.

— Comment est-ce possible ?

L'historien rebrancha l'appareil et, lorsque la lumière commença à se projeter sur l'écran, il plaça à nouveau le carton avec les deux fentes devant le faisceau lumineux.

— La réponse à ta question est très étrange, lui dit-il. Avec l'apparition de cette curieuse dualité onde-particule et grâce au progrès technologique, l'expérience de la double fente a été perfectionnée afin de tester le comportement de la lumière. Comprenant que la lumière est aussi une particule, le fameux photon, les physiciens se sont arrangés pour que les projecteurs émettent, non pas des paquets de plusieurs photons, mais un photon à la fois.

— On arrive à émettre un photon à la fois ?

— Bien sûr. (Il se pencha vers le projecteur.) On peut faire l'expérience ici, si tu veux. Regarde.

Tomás régla l'appareil afin de réduire le faisceau de lumière jusqu'à ce qu'il s'éteigne complètement. Des points sur l'écran apparurent alors, d'abord un, puis un autre, et ainsi de suite, toujours à intervalles plus ou moins réguliers.

— La lumière a disparu.

— Non, le projecteur continue d'émettre de la lumière. En fait, j'ai réduit l'émission pour qu'un seul photon soit émis toutes les deux secondes environ. Un photon est si petit qu'il est pratiquement invisible à l'œil nu, comme tu peux l'imaginer. Mais cet écran, qui est équipé d'un photomultiplicateur, est en réalité un détecteur de photons qui les enregistre lorsqu'ils arrivent, l'un après l'autre, à peu près toutes les deux secondes. Chaque point sur l'écran correspond donc à un photon, c'est-à-dire une particule.

— Ah, je vois. Et que veux-tu prouver avec ça ?

L'universitaire indiqua l'écran.

— Tu vois le modèle qui se forme sur le détecteur…

Maria Flor fixa son attention sur l'écran. Elle remarqua que les points s'accumulaient et qu'ils formaient un modèle à cinq bandes. Tomás reprit :

— C'est le modèle d'interférence, caractéristique de l'onde. Donc la lumière continue à se comporter

211

comme une onde, puisque les photons interfèrent les uns avec les autres, tu me suis toujours ?

La jeune femme ne répondit pas tout de suite. Elle continuait à regarder l'écran en écarquillant les yeux, signe d'une expression de perplexité croissante.

— Cela voudrait dire… attends un peu, il y a une chose… enfin, une chose étrange, balbutia-t-elle. Tu n'émets qu'un photon à la fois, c'est bien ça ?

— Exactement.

— Mais alors… avec quoi ce photon interfère-t-il ?

Tomás afficha un sourire victorieux.

— Grande question, n'est-ce pas ? acquiesça-t-il, l'air entendu. Si je n'émets qu'un photon à la fois, mais si la lumière forme par accumulation un modèle d'interférence sur l'écran, avec quoi interfère ce photon ?

— C'est ça. Il n'y a pas d'autres photons pour interférer avec ce photon unique. Alors avec quoi interfère-t-il ?

L'historien laissa la question en suspens pendant quelques instants, pour souligner le paradoxe.

— Le photon interfère avec lui-même.

Maria Flor fronça les sourcils.

— Pardon ? Comment un seul photon peut-il interférer avec lui-même ?

Tomás indiqua les deux fentes sur le carton placé entre le projecteur et l'écran.

— D'après toi, par laquelle des deux fentes passe-t-il ?

Elle haussa les épaules.

— Je n'en sais rien. Par l'une ou par l'autre, ça revient au même.

L'universitaire secoua la tête.

— Tu ne le croiras peut-être pas, mais le photon passe par les deux fentes en même temps.

— Hein ?

— L'unité élémentaire de lumière, c'est-à-dire le photon unique envoyé par le projecteur, se trouve à deux endroits en même temps, tu comprends ? Elle passe simultanément par la fente S1 et par la fente S2. J'ai réglé le projecteur de manière qu'il émette un seul photon à la fois, mais le modèle sur l'écran m'indique que cette unité élémentaire de lumière interfère avec une autre unité élémentaire de lumière qui est passée par l'autre fente. Mais quelle autre unité élémentaire ? Il n'y a pas d'autre photon puisque je n'en émets qu'un à la fois. L'explication est que l'unité élémentaire de lumière interfère avec elle-même parce qu'elle passe par les deux fentes en même temps.

— Tu veux dire que le photon s'est divisé en deux ?

— Non ! C'est un photon unique et indivisible qui est parti du projecteur. Il s'agit d'une unité élémentaire de lumière, elle ne peut pas se couper en deux. Mais, quand elle passe par une fente, cette unité élémentaire interfère avec elle-même en passant par l'autre fente. Si tu préfères, elle ne prend pas le chemin A ou le chemin B. Adoptant le comportement d'une onde, l'unité élémentaire de lumière qui est partie du projecteur en tant que photon unique, indivisible, prend le chemin A et le chemin B en même temps.

L'explication était trop incroyable pour être vraie et Maria Flor, rivée sur son interlocuteur, fit un effort pour comprendre s'il y avait un truc.

— Ce n'est pas possible !

— Il est vrai que c'est contraire à toute logique, mais c'est pourtant ce qui se passe dans l'expérience des deux fentes. D'aucuns, comme Richard Feynman, ont même avancé que le photon ne passait pas seulement par deux chemins, mais par tous les chemins possibles simultanément.

— Par tous… ! Qu'est-ce que ça veut dire ?

— « Tous », ça veut dire « tous ». Il faut envisager les trajectoires les plus évidentes, comme la ligne droite entre les points A et B, mais aussi toutes les autres trajectoires possibles. (Il indiqua la fenêtre.) Par exemple, le photon part du projecteur, va dehors, fait deux fois le tour de l'arbre et revient pour atteindre l'écran. Le photon fait le tour de Lisbonne, de la Terre, il va sur Mars, sur Jupiter, il va partout, puis il revient et touche l'écran. Il faut même considérer que le photon recule dans le temps, jusqu'à l'époque des dinosaures et au début de l'univers, et revient sur l'écran. Toutes les trajectoires possibles, même les plus improbables, doivent être envisagées. La trajectoire classique, celle de la ligne droite entre le projecteur et l'écran, est simplement la plus probable, mais c'est loin d'être la seule.

— Mais c'est… de la science-fiction !

— Cela a été avancé par Richard Feynman, un prix Nobel de physique. Ça s'appelle l'intégrale de chemin et ça permet d'arriver à une dérivation de l'équation de Schrödinger.

— Incroyable !

L'historien leva l'index, en guise d'avertissement.

— Alors prépare-toi, car il y a plus étrange encore. (Tomás caressa le projecteur, un sourire provocateur aux lèvres.) Je vais te montrer comment, par le simple fait d'observer, la conscience crée partiellement la matière.

XXVIII

Revenu à l'ambassade, Krongard écoutait attentivement les communications échangées sur la fréquence radio de la police, mais les incidents signalés ne semblaient pas présenter le moindre intérêt. Bouillant d'impatience, il prit le téléphone et composa le premier numéro sur la liste de Swartz.

— Ici David, répondit une voix au bout du fil. Je suis en position depuis une heure dans l'appartement du suspect.

— Des signes d'activité ?

— Négatif.

Krongard contacta ensuite l'homme qui surveillait l'université nouvelle de Lisbonne et obtint une réponse similaire. De son côté, l'agent envoyé à la fondation Gulbenkian indiqua que le bureau de l'historien était fermé à clé, qu'il n'y avait pas de lumière et qu'aucun agent de sécurité n'avait vu Tomás Noronha dans les parages.

Déçu, Krongard porta de nouveau son attention sur la fréquence de la police.

— ... CSP 77/64, rendez-vous dans le secteur de

Damaia, un guichet automatique de banque y aurait été défoncé. Plus de précisions suivent.

— CSP 21, ici CSP 77/64. La communication a été contrôlée ; se dirige actuellement vers Damaia. Précisez rue et numéro.

— CSP 77/64, correct. Rue Carvalho-Araújo et…

Rien de tout cela ne l'intéressait ; mais il n'avait pas d'autre choix que d'attendre. La vie d'un agent de la CIA, se disait-il souvent, était faite de beaucoup de patience et d'attention aux petits détails.

Il sentit une présence derrière lui et se tourna.

— Des nouvelles, Swartz ?

Le responsable de la sécurité à l'ambassade secoua la tête.

— Nous avons appelé tous les hôtels de la ville et des alentours. Tout est négatif. Personne avec les noms de nos deux fugitifs n'y a été enregistré.

— Merde ! râla Krongard. Le type ne s'est quand même pas volatilisé. (Il commença à se frotter le menton d'un air pensif.) Si ça se trouve, il n'est même pas venu ici et il a filé. Élargis la recherche à tous les hôtels et à toutes les *pousadas*[1] du pays.

Swartz roula les yeux.

— Tu es fou ? Tu te rends compte du travail que cela représente ?

— Je ne veux pas le savoir, répondit sèchement Krongard, laissant ainsi entendre que sa décision était irrévocable.

Swartz se retira en grommelant.

S'efforçant de dominer le sentiment de nervosité qui

---

1. *Pousada* : auberge.

le rongeait, Krongard contempla sur son écran la photo que lui avait transmise par e-mail l'un des retraités de la P.J. qu'il avait engagé pour surveiller Mon Repos. C'était celle de la directrice.

— Pas mal, murmura-t-il.

La jeune femme lui faisait penser à une actrice hollywoodienne. Il fit un effort pour se souvenir de son nom, il l'avait sur le bout de la langue, c'était la jeune femme qui donnait la réplique à Russell Crowe dans *Un homme d'exception*... Bon sang ! Comment s'appelait-elle ? La réponse ne venant pas, il abandonna rapidement. En fin de compte, cela n'avait aucune importance, la directrice de Mon Repos n'était probablement déjà plus avec le fugitif.

Cette pensée lui donna une idée. Il prit son portable et rechercha le numéro du policier qu'il avait engagé à Coimbra. Alors qu'il s'apprêtait à l'appeler, un nouveau message sur la fréquence de la police attira son attention.

— ... tiret soixante-dix. Avez-vous contrôlé ?

— Affirmatif. La CSP a contrôlé l'immatriculation et on procède aux vérifications... CSP 33/31, confirmez : marque Volkswagen, de couleur bleue ?

— Affirmatif.

— CSP 33/31, indiquez le motif du contrôle.

— CSP 21, il s'agit d'une voiture stationnée sur la voie publique, la vitre arrière éclatée, sans doute par une arme à feu, et l'aile arrière droite enfoncée. Pourriez-vous vérifier si le véhicule a été signalé ?

— CSP 33/31, patientez.

La communication fut brusquement interrompue, ce qui fit enrager Krongard.

— Où, bordel ? interrogea-t-il. Où diable est cette Volkswagen ?

L'agent de la CIA resta cloué sur sa chaise. De toute évidence, la police portugaise avait localisé la voiture de Tomás Noronha. Mais, sans précision sur le lieu, il pouvait uniquement conclure que le fugitif se trouvait à Lisbonne, et qu'il était donc inutile de le rechercher dans tous les hôtels du pays.

— Swartz ! cria-t-il, n'osant pas se lever de peur de rater une nouvelle communication. Amène-toi !

Il entendit à peine la voix de son collègue lui répondre, un grésillement à la radio lui signala que les hommes de la police s'apprêtaient à nouveau à communiquer.

— CSP 33/31, ici CSP 21.

— CSP 21, ici 33/31, j'écoute.

— CSP 33/31, ce véhicule a été impliqué dans un accident cet après-midi à Coimbra, avec un délit de fuite. Je vais contacter echo 31 pour qu'il envoie sur les lieux un agent qui attendra près de la voiture. Confirmez l'adresse, 33/31.

— CSP 21, angle avenue de Berne et place d'Espagne, sur un terrain désaffecté. J'attends l'arrivée de papa delta.

Krongard sauta sur sa chaise et leva un poing victorieux. Tomás était à la fondation Gulbenkian.

XXIX

Stupéfaite, Maria Flor répéta ce que Tomás venait de lui dire.

— Par le simple fait d'observer, la conscience crée partiellement la matière ?

La question semblait si invraisemblable qu'elle appelait une démonstration irréfutable. Le projecteur que l'historien avait disposé dans le coin du laboratoire ne suffisait pas. Il alla donc chercher un appareil qu'il avait laissé sur une table et l'installa entre le projecteur et l'écran, dans le prolongement du carton avec les deux fentes.

— On utilise cet instrument pour mesurer le passage de la lumière par les fentes, dit-il en achevant les préparatifs de la nouvelle expérience. Je vais le faire fonctionner et, lorsque le projecteur émettra l'équivalent d'un photon, le dispositif de mesure m'indiquera par quelle fente il est passé. (Il désigna l'écran de la machine.) La mesure est enregistrée dans ce système. Pourrais-tu m'aider à vérifier ce qui apparaît dans le dispositif ?

— Certainement.

Il acheva d'installer le nouveau système et le brancha.

— Ça, c'est l'instrument qui enregistre le passage d'un photon par les fentes, expliqua-t-il. Peux-tu me dire par laquelle des deux est passée la lumière ?

Il tourna l'appareil vers Maria Flor.

— Par la fente de droite, la S2, constata son amie. (Elle mit les mains sur les hanches, comme si elle le défiait.) Tu vois ? Contrairement à ce que tu disais tout à l'heure, le photon n'est pas passé par les deux rainures en même temps…

Tomás resta silencieux, se contentant de laisser le projecteur émettre des photons et le dispositif enregistrer par quelle fente ils passaient, chaque passage, signalé sur l'écran, produisant le même son métallique. Des particules de lumière passaient par la fente S1, d'autres par la fente S2. Marie Flor affichait une expression de triomphe, le photon ne passait donc pas par les deux fentes en même temps, mais par l'une ou par l'autre. Tomás demeura néanmoins imperturbable. Au bout d'un certain temps, il fit un geste en direction de l'écran.

— Quel modèle vois-tu, là ?

Contrairement à ce qui s'était passé précédemment, le modèle n'était constitué que de deux bandes.

— Les cinq bandes ont disparu, constata-t-elle avec étonnement. À présent il n'y en a que deux.

— Tu es en train de me dire qu'il n'y a plus d'interférence, que les photons ont cessé d'interférer les uns avec les autres ou avec eux-mêmes ?

— Oui… effectivement.

— Maintenant, je vais débrancher l'instrument qui

mesure le passage des particules de lumière par les deux fentes.

Il appuya sur un bouton et le système cessa de mesurer. Un modèle à cinq bandes se forma sur l'écran. Puis, il rebrancha l'instrument de mesure et le modèle à deux bandes apparut à nouveau sur l'écran. Il brancha et débrancha à plusieurs reprises le dispositif de mesure, obtenant toujours le même résultat : lorsque l'appareil mesurait le passage des photons par les rainures, un modèle à deux bandes se formait, mais lorsqu'il était débranché, le modèle s'élargissait à cinq bandes.

— C'est étrange… très étrange, reconnut-elle au bout d'un moment. Que diable se passe-t-il ? Pour quelle raison le fait de mesurer les fentes modifie le comportement de la lumière ? Je ne comprends pas très bien…

Tomás posa le carton avec les deux fentes, débrancha le projecteur et le dispositif de mesure, et la regarda.

— Cette découverte est absolument extraordinaire, affirma-t-il sur un ton solennel. Les scientifiques se sont rendu compte que la lumière change de nature en fonction du type d'expérience qui est menée pour l'étudier, c'est-à-dire selon que les fentes sont ou ne sont pas observées. Lorsqu'on ne l'observe pas, la lumière se comporte comme une onde. Cependant, dès qu'on commence à l'observer, elle devient une particule. C'est comme si la lumière savait qu'elle est ou n'est pas observée.

Maria Flor plongea les doigts dans ses cheveux bouclés, l'air perplexe.

— Mais comment la lumière pourrait-elle le savoir ?

Tomás ne répondit pas immédiatement ; la question appelait une réponse précise.

— C'est là le point essentiel. Comment la lumière peut-elle savoir qu'elle est observée ? En réalité, elle ne le sait pas ; on ne peut pas poser la question en ces termes, car, que l'on sache, la lumière n'a ni conscience, ni faculté de connaissance. La vraie question est donc celle-ci : pour quelle raison l'observation modifie-t-elle la nature de la lumière ? Pour quelle raison la lumière est-elle une onde lorsqu'elle n'est pas directement observée et devient une particule lorsqu'on l'observe directement ? C'est là un immense mystère. Et note que je ne t'ai pas encore tout dit. À l'échelle subatomique, ou quantique, la réalité est encore plus surprenante.

— Encore plus ?

— L'expérience de la double fente a été initialement réalisée avec des photons, c'est-à-dire des particules de lumière qui n'ont ni masse ni charge et qui transportent de l'énergie électromagnétique. Mais on a découvert que la matière elle-même se comportait aussi comme ça, on a donc effectué la même expérience avec des électrons, à savoir les unités élémentaires qui composent la matière et qui sont dotées d'une masse et d'une charge. (Il frappa la table voisine de la main.) Tu sais de quoi est composée cette table à l'échelle atomique ?

— D'atomes, bien sûr. Toute la matière est faite d'atomes, composés d'un noyau avec des neutrons et des protons, et d'électrons qui gravitent autour, un peu comme les planètes en orbite autour du Soleil. C'est le b.a.-ba qu'on apprend à l'école.

— L'image de l'atome assimilé à un microsystème solaire est un peu dépassée, mais ce qui importe c'est que les électrons sont des unités élémentaires dotées d'une masse, qui entrent dans la composition de la matière. Eh bien, au lieu de projeter des photons à travers une barrière avec une double fente, les scientifiques ont fait l'expérience avec des électrons, en utilisant un filament de tungstène chauffé comme projecteur d'électrons, une fine feuille de métal avec deux fentes parallèles et un détecteur d'électrons en guise d'écran. C'est une expérience techniquement très difficile à réaliser, bien plus complexe qu'avec les photons. Malgré cela, elle a été effectuée et le résultat a été on ne peut plus surprenant. De la même manière que pour les photons, l'écran a enregistré que les électrons se comportaient comme des ondes lorsqu'ils n'étaient pas observés directement. En diminuant le faisceau de façon à n'envoyer qu'un seul électron en direction du détecteur, on a constaté que cet électron passait aussi par les deux fentes en même temps. Note bien que l'on ne parle pas de lumière, mais d'électrons, donc d'unités élémentaires de matière.

— La matière est passée par les deux rainures en même temps ?

Tomás approuva.

— Étrange, n'est-ce pas ? Et il n'y a pas que les électrons. On a reproduit l'expérience avec des atomes entiers et on a constaté exactement la même chose. L'expérience a été élargie à des molécules, et une fois de plus les résultats ont été identiques. Qui plus est, les électrons, les atomes et les molécules se comportaient toujours comme des ondes lorsqu'on n'observait pas les fentes, et comme des particules lorsqu'on les observait. (Il fit une pause pour laisser décanter l'information.) Tu saisis la signification de ces découvertes ?

Un peu perdue, Maria Flor essayait d'assimiler ce qu'elle venait d'entendre.

— Tu insinues que… la matière n'existe pas telle que nous la connaissons si on ne l'observe pas directement ?

Tomás opina.

— L'expérience de la double fente, qui a déjà été réalisée des milliers et des milliers de fois, et qui peut être reproduite dans le laboratoire de n'importe quelle école disposant du matériel nécessaire, nous révèle combien le réel est mystérieux. L'observation de la réalité crée en partie la réalité elle-même. Mais, plus important encore, la décision consciente que je prends quant à la façon dont je vais observer la réalité modifie celle-ci. Par exemple, si j'observe un électron sans me préoccuper des fentes et en enregistrant uniquement son effet sur l'écran, il sera une onde, mais si je décide de l'observer lorsqu'il passe par les fentes, il deviendra une particule. En d'autres termes, et j'insiste là-dessus, en choisissant le type d'expérience que je vais faire, ma conscience décide de la forme que prendra la réalité, onde ou particule. Tu saisis à quel point cette découverte est fondamentale ?

La jeune femme était bouche bée.

— L'observation crée en partie le réel.

— Cette conclusion est controversée et elle dérange certains scientifiques, mais elle est défendue par des physiciens très renommés, parmi lesquels des prix Nobel de physique. À la limite, le terme « observation » n'est rien d'autre qu'un euphémisme pour « conscience », puisque nous savons qu'il n'y a observation que parce que nous en avons conscience. La matière est ondulatoire si je décide consciemment de l'observer d'une certaine manière et elle devient corpusculaire si je décide consciemment de l'observer autrement. C'est moi qui décide, librement et consciemment, comment sera la réalité. En dernière analyse, c'est donc la conscience qui crée en partie la réalité.

— C'est absolument incroyable !

— Les expériences scientifiques montrent que, d'une certaine manière, la conscience crée partiellement la réalité, insista-t-il, comme pour bien enfoncer le clou. Les photons, les électrons et les molécules n'existent en tant que particules que s'ils sont observés ! Je sais que je me répète, mais je continuerai à me répéter chaque fois qu'on abordera ce sujet, car cette découverte est tellement incroyable qu'il est normal de ne pas s'en apercevoir lorsqu'on est plongé dans la réalité quotidienne et qu'on revient facilement au mode de pensée traditionnel. Nous pensons que les choses existent par elles-mêmes et indépendamment de nous, qu'il y a nous d'un côté et le monde de l'autre, mais finalement nous nous rendons compte que, sans la conscience qui observe la réalité, les choses n'existent pas réellement comme nous le pensons. Il n'y a pas de réalité indépendamment de l'observation.

— Mais cela n'a aucun sens. Comment est-il possible que la conscience crée la réalité ?

— En partie seulement, concéda-t-il. La conscience crée partiellement la réalité. Il ne suffit pas que je regarde la fente pour que la particule apparaisse aussitôt. Encore faut-il qu'il y ait aussi une onde sur cette fente.

— Une onde ? Mais une onde de quoi ? demanda-t-elle, perplexe. D'énergie ? De matière ?

Tomás se frotta le visage ; cette partie était, elle aussi, difficile à avaler.

— Nous ne le savons pas exactement, reconnut-il. Il s'agit d'une onde mystérieuse. L'équation de Schrödinger nous présente la fonction d'onde, qui est interprétée comme une onde de probabilité. Lorsqu'il s'agit des calculs de la mécanique quantique, nous n'avons pas affaire à un champ ondulatoire de matière ou d'énergie, mais à un champ ondulatoire de probabilité qu'il y ait de la matière ou de l'énergie.

— Tu veux dire que l'onde n'a pas d'existence réelle ?

L'universitaire ébaucha une grimace.

— C'est difficile à dire. L'électron a une charge et une masse, et celles-ci ne peuvent pas disparaître comme par magie, d'accord ? En outre, tout le monde peut voir qu'un modèle d'interférence se forme sur l'écran. Ce qui montre qu'il existe bel et bien quelque chose. Mais quoi ? Schrödinger pensait que l'électron se propageait dans l'espace et qu'ainsi il ondulait. Cependant, où sont sa charge et sa masse ? Une ondulation comme celle qu'a proposée Schrödinger impliquerait que toutes deux se propageraient infiniment dans l'univers, qu'on trouverait un morceau de masse ici et un autre morceau là, et encore un autre plus loin, mais on voit bien que ce n'est pas ce qui se produit. Donc Schrödinger se trompait.

— Mais alors, si l'électron ne se propage pas dans l'univers, quelle est cette onde ?

— Personne ne le sait. Le modèle d'interférence sur

l'écran et le principe de conservation, qui postule le maintien de la charge et de la masse, semblent indiquer que l'onde est bien réelle, qu'il ne s'agit pas d'une simple formulation mathématique abstraite. La charge et la masse de l'électron doivent bien être quelque part, mais où ? Einstein a qualifié cette onde de *Gespensterfeld*, c'est-à-dire « champ fantôme », bien que je préfère l'expression « onde virtuelle », ou « potentielle », à savoir une onde qui renferme en parallèle toutes les virtualités ou potentialités possibles. Werner Heisenberg a écrit que « les atomes ou les particules élémentaires elles-mêmes ne sont pas réels ; ils constituent un monde de potentialités ou de possibilités ». C'est comme s'ils étaient dans les limbes, entre existence et non-existence, des limbes dénommés « superposition », n'acquérant une existence définie et réelle que lorsqu'ils sont observés. En extrapolant à partir de l'expérience de la double fente, on pourrait dire qu'un atome existe sous forme d'onde d'une manière quasi fantomatique, pour reprendre l'expression d'Einstein, mais lorsqu'on l'observe il se produit ce que les physiciens appellent « l'effondrement de la fonction d'onde ». L'onde fantomatique en superposition s'effondre et devient instantanément une particule réelle.

Maria Flor tressaillit.

— C'est sinistre !

— Un peu, admit-il. Prenons un exemple, en partant du principe qu'avant d'être observée la matière n'est qu'une onde : imagine que l'on place l'onde d'un atome dans une caisse, puis que l'on divise cette caisse en deux ; on se retrouve ainsi avec une onde et deux caisses. La question est la suivante : dans laquelle des deux caisses se trouve l'onde ? Dans celle de droite ou dans celle de gauche ?

— Eh bien… je n'en sais rien, dans l'une des deux.

L'historien leva les sourcils, comme s'il venait de faire un tour de magie.

— L'onde est dans les deux.

— Tu veux dire que l'onde s'est divisée en deux, une moitié dans une caisse et l'autre moitié dans l'autre caisse.

— Non, non ! L'onde est unique, elle est indivisible et elle se trouve dans les deux caisses en même temps. Mais, lorsque j'ouvre l'une d'elles et que je regarde à l'intérieur, l'onde s'effondre et l'atome se transforme en particule qui n'occupe que l'une des deux caisses.

— Ah, je vois ; c'est un peu comme les illusionnistes qui cachent une pièce dans une main et on doit deviner dans laquelle elle se trouve, la droite ou la gauche.

— Non, dit-il une fois encore, sachant combien il était difficile d'accepter une réalité si troublante. Lorsqu'un illusionniste fait son truc, la pièce se trouve effectivement dans une main, mais on ignore dans laquelle. Constater que la pièce est cachée dans une main ne la rend pas soudainement réelle, elle existait déjà, simplement elle était cachée. En revanche, dans l'univers microscopique, il n'existe aucun atome sous forme de particule tant que je ne l'aurai pas observé, tu saisis ? Dans la réalité, l'atome existe sous forme d'onde dans les deux caisses en même temps – exactement comme l'électron et l'unité élémentaire de lumière. Bien qu'ils soient tous deux indivisibles, ils sont dans les deux fentes en même temps. En d'autres termes, et contrairement à l'exemple de l'illusionniste avec sa pièce, l'atome n'existe préalablement dans aucune des deux caisses sous forme de particule. Les particules ne se constituent dans l'une des caisses qu'à l'instant où l'on observe directement celle-ci, de la même manière que la lumière et l'électron ne deviennent des particules que lorsqu'on observe directement la fente par où ils passent. Tu comprends ? Même si l'on éloigne les deux caisses, si l'on en met une à un bout de l'univers et l'autre à l'autre bout, l'onde demeurera en même temps dans les deux caisses, unique et indivisible, en superposition. C'est l'observateur, et par conséquent la conscience, qui, par le simple fait d'observer la réalité et d'interférer ainsi avec elle, oblige l'atome à cesser d'être une onde et à devenir une particule.

— Tout ça est tellement étrange…

— Cette bizarrerie quantique a également été systématisée par Heisenberg en 1927, lorsqu'il a formulé le principe d'incertitude. Selon ce principe, il n'est pas possible de déterminer avec précision et simultanément la position et la vitesse d'une particule. Cette impossibilité n'est pas due à une quelconque difficulté technique tenant à la mesure, mais à une caractéristique intrinsèque de la réalité. Lorsque nous déterminons la position d'une particule, sa vitesse devient intrinsèquement indéfinie et, lorsque nous déterminons sa vitesse, sa position devient ontologiquement indéfinie. J'insiste sur le fait que cette incertitude quant à la position et à la vitesse exactes des particules ne tient pas à nos insuffisances en matière d'observation, mais décrit la réalité telle qu'elle est.

— C'est tout simplement incroyable.

— C'est réellement très étrange. Dans le fond, l'expérience des fentes montre la dualité décrite par le principe d'incertitude. Lorsque nous mesurons les fentes, nous déterminons avec une grande rigueur la position d'un électron, mais dans ce cas son mouvement, c'est-à-dire l'onde, disparaît. Lorsque nous cessons de mesurer les fentes, nous déterminons avec rigueur le mouvement, c'est-à-dire l'onde, mais c'est alors la position de l'électron qui est indéterminée ; il se trouve en plusieurs endroits en même temps. Plus ou moins à l'époque où Heisenberg concevait la mécanique quantique, Erwin Schrödinger élaborait une équation qui aborde la même réalité, mais avec une formulation mathématique différente. Alors que Heisenberg a utilisé la mécanique des matrices, Schrödinger a recouru à la mécanique ondulatoire, mais on s'est rapidement aperçu que toutes deux décrivaient la même réalité. L'équation conçue par Schrödinger permet de calculer la probabilité qu'une onde devienne une particule en un point spécifique, probabilité également appelée « fonction d'onde ».

— Alors c'est ça, l'équation de Schrödinger…

Prenant à nouveau le bloc-notes, Tomás griffonna une suite de symboles.

$$E\Psi = \hat{H}\Psi$$

— Ça, c'est l'équation de Schrödinger dans sa version indépendante du temps. (Il désigna le second symbole des deux côtés de l'équation.) Tu vois ça ? La lettre grecque *psi* est ici utilisée pour représenter la caractéristique la plus étrange de la réalité. (Il fit une pause empreinte de solennité.) La fonction d'onde.

Les yeux de Maria. Flor se posèrent, fascinés, sur le symbole.

— C'est le même symbole que…

L'historien feuilleta le bloc-notes, trouva la page où il avait reproduit de mémoire le dernier message de Frank Bellamy et montra le *psi* dessiné en haut.

$$\Psi$$

The Key: Tomás Noronha

— Le symbole que Bellamy a laissé dans son dernier message, dit Tomás. Ce symbole ne renvoie donc pas à une quelconque crucifixion, comme l'ont cru, à tort, ces idiots de la CIA. Il s'agit d'une référence directe à la fonction d'onde définie par Schrödinger dans sa fameuse équation. Le *psi* a été choisi pour représenter la fonction d'onde, la solution de l'équation de Schrödinger selon laquelle un électron peut se trouver en deux endroits ou plus en même temps, et dont la conséquence ultime est que l'observation crée partiellement la réalité.

— Si je comprends bien, finit par conclure Maria Flor, cela signifie que la lune et toutes les autres choses de l'univers n'existent réellement que parce qu'il y a quelqu'un pour les observer.

— Exactement. En dernière instance, la lune, mais aussi toi et moi, nous sommes d'une certaine manière des fonctions d'onde.

Elle éclata de rire.

— Moi ? Une fonction d'onde ?

— Bien sûr, dans la pratique, tu ne l'es pas, puisque tu existes à une échelle macroscopique et que ta fonction d'onde s'est donc effondrée. Mais, en théorie, pourquoi pas ?

Maria Flor esquissa une grimace.

— Si j'étais une fonction d'onde, à quoi est-ce que je ressemblerais ?

— Tu ressemblerais probablement à ce que tu es maintenant. N'oublie pas que la fonction d'onde présente des probabilités. Si la fonction d'onde est élevée à tel endroit, cela signifie qu'il y a une forte probabilité pour que l'atome s'y définisse. Ton corps s'est certainement formé là où ta fonction d'onde était le plus élevée. Mais il se peut que certains de tes traits se soient formés en des lieux où ta fonction d'onde était moindre, qui sait ? Tout est une question de probabilités.

Son amie rit.

— C'est super !

— Les physiciens Bryce DeWitt et John Wheeler sont même allés jusqu'à proposer l'existence d'une fonction d'onde pour l'ensemble de l'univers. Stephen Hawking a repris cette idée et suggéré que l'univers était ce qu'il a appelé une « superfonction d'onde », un concept qu'il a élaboré avec James Hartle.

— À tout l'univers ?

— Pourquoi pas ? Si l'univers est une fonction d'onde géante, il est en superposition et il cumule ainsi toutes les virtualités possibles. Un autre physicien, Hugh Everett, a fait valoir que la superfonction d'onde universelle résoudrait les « bizarreries » quantiques, en créant toutefois une « bizarrerie » plus grande encore. Il a avancé que l'univers en superposition se divisait constamment à une échelle démesurée, créant à chaque instant des milliards et des milliards d'univers parallèles où chaque univers correspondait à l'effondrement d'une fonction d'onde. Tu comprends ? Lorsque les fentes sont observées, le photon doit choisir par laquelle il doit passer et à cet instant l'univers se scinde en deux. Ce qui nous paraît être un effondrement de la fonction d'onde est en réalité une scission de la fonction d'onde en de multiples nouveaux univers. Dans un univers, la particule passe par la fente droite, dans l'autre elle passe par la gauche. À présent, étends ce raisonnement à toutes les situations quantiques pour lesquelles il faut faire un choix. Dans le méta-univers, tout ce qui peut arriver arrive effectivement, mais dans des univers parallèles.

— Ça c'est… du délire à l'état pur ! s'exclama Maria Flor, sceptique. Ce n'est rien de plus que de la science-fiction de mauvaise qualité. Quelles autres bêtises vont-ils encore pouvoir inventer ?

— J'admets que ça puisse paraître étrange et je reconnais qu'il n'existe aucune preuve que cela arrive. Je dois cependant te dire que de plus en plus de scientifiques pensent que cette hypothèse du méta-univers est bien réelle.

— Tu plaisantes…

— Je suis tout à fait sérieux. Et le plus surprenant c'est que les mystères révélés par les expériences scientifiques sur la nature étrange de la réalité ne s'arrêtent pas là.

— Quoi ? Il y en a d'autres ?

Malgré l'expression énigmatique qui lui embrumait le regard, l'historien ébaucha un sourire ; ce n'était pas tous les jours qu'une personne non avertie, comme son amie, abordait des informations scientifiques à ce point déconcertantes que de nombreux physiciens refusaient d'en accepter les conséquences ultimes.

— L'expérience de la double fente semble indiquer que le futur peut influencer le passé.

XXX

Une voiture de police était arrêtée sur le petit parking situé à l'angle de l'avenue de Berne et de la place d'Espagne lorsque James Krongard et Greg Swartz arrivèrent. La Chevrolet, arborant une plaque diplomatique de l'ambassade des États-Unis, s'arrêta au dernier feu de l'avenue et les deux occupants scrutèrent l'espace où étaient habituellement stationnées deux dizaines de voitures. Ils remarquèrent un policier assis dans la voiture et un autre debout près de la Volkswagen bleue.

— C'est bien celle-là, confirma Krongard. Tu vois le trou dans la vitre arrière ?

Swartz examina la vitre.

— C'est l'impact d'une balle.

— Oui, l'une des miennes.

Le chef de la sécurité de l'ambassade américaine laissa éclater un rire moqueur.

— On dirait que tu manques d'entraînement. (Il regarda le parking où seules quelques voitures étaient stationnées.) Que fait-on ? On se gare ici ?

— Ne dis pas de conneries ! Les policiers ne doivent pas nous repérer. Moins de personnes nous auront vus

235

et mieux ce sera. C'est une opération clandestine, ne l'oublie pas.

— Et la Volkswagen, alors ?

Le feu passa au vert, l'agent de la CIA appuya sur l'accélérateur et le véhicule avança.

— Aucun intérêt ! L'important, ce n'est pas la voiture. (Il indiqua d'un geste le bâtiment moderne qui se trouvait derrière eux, sur la gauche.) Tu ne vois pas la fondation Gulbenkian ? Si cette voiture est garée ici, c'est parce que notre homme s'y est caché. Il faut qu'on arrive à y entrer et à l'attraper.

La Chevrolet contourna la place d'Espagne et stationna au début de l'avenue António Augusto de Aguiar. Le *marine* en civil que Swartz y avait envoyé avec ordre de surveiller la fondation l'accueillit à l'angle de la rue, face à la statue en bronze de Calouste Gulbenkian assis au pied d'une représentation géante en pierre du dieu égyptien Horus.

En voyant son supérieur hiérarchique arriver, accompagné de l'agent de la CIA, le *marine* se redressa, claqua des talons et le salua.

— Bonsoir, monsieur.

— Je t'ai déjà dit de ne pas me saluer comme ça en public, espèce d'idiot ! le sermonna Swartz. Tu veux qu'on se fasse repérer ?

Surpris, l'homme adopta une attitude moins formelle. De fait, son jean et son blouson de cuir ne collaient pas avec son salut militaire.

— Veuillez m'excuser, monsieur.

Swartz regarda autour de lui.

— Rien à signaler ?

— Négatif, monsieur. Après avoir reçu votre message indiquant qu'il se trouvait probablement ici, j'ai à nouveau interrogé les agents de sécurité de la fondation. Personne ne l'a vu ce soir. Ensuite, je me suis infiltré dans le bâtiment et je suis allé jusqu'à son bureau pour voir s'il s'y cachait. Il était vide.

Swartz se tourna vers Krongard, attendant ses instructions.

— Que fait-on ?

L'agent de la CIA considéra le bâtiment. Certes, c'était un énorme complexe, mais il devait être possible de le passer au peigne fin en moins de deux heures.

Il se tourna vers le *marine* qui avait inspecté les lieux.

— Vous avez un plan de la fondation ?

Le militaire en civil glissa la main dans la poche de son blouson et en sortit une feuille pliée en deux.

— Le voici, monsieur.

Krongard déplia le plan et l'examina, en se concentrant surtout sur l'étage inférieur du bâtiment principal et sur les sorties du complexe. Ils entendirent des voix qui s'approchaient. C'étaient les *marines* que Swartz avait envoyés surveiller l'université nouvelle de Lisbonne, et l'appartement de Tomás. Cinq hommes : lui, le chef de la sécurité de l'ambassade et les trois *marines*. C'était amplement suffisant.

L'agent de la CIA plia le plan et le glissa dans la poche de son manteau. Il fit un signe à Swartz, qui remit un talkie-walkie à chacun. Puis Krongard regarda ses hommes et indiqua la fondation d'un signe de tête.

— Allons-y !

XXXI

N'en revenant toujours pas, Maria Flor était plongée dans un abîme de perplexité. La conversation avait pris un ton surréaliste.

— Le futur peut influencer le passé ? s'étonna-t-elle. Qu'est-ce que tu me racontes ? Cela n'a pas de sens ! L'écoulement normal du temps produit un enchaînement cause-effet, dans lequel les causes sont toujours dans le passé et les effets dans le futur. (Elle désigna le projecteur laser.) Il est impossible que ce projecteur se brise complètement et qu'ensuite seulement je le jette par terre. La logique veut que je jette d'abord l'appareil et qu'ensuite il soit brisé. En d'autres termes, les causes précèdent les effets. Comment un événement futur peut-il être la cause d'un effet dans le passé ? Une telle chose implique… que sais-je, qu'il soit possible de voyager dans le temps. Or, c'est impossible ! C'est absurde !

— C'est néanmoins ce que suggère l'expérience de la double fente, du moins dans une version modifiée.

— Mais… comment ?

Tomás fixa à nouveau son attention sur le morceau

de carton avec les deux fentes parallèles et la plaque photographique qui servait d'écran, mais cette fois-ci, il laissa le matériel débranché.

— Tu dois comprendre, tout d'abord, qu'à l'échelle microscopique, appelée « quantique », les choses se passent de manière très différente de ce à quoi nous sommes habitués au plan macroscopique, dans la vie de tous les jours. Nous avons déjà constaté que l'observation modifie la réalité et que, pour aller du point A au point B lorsqu'on ne les observe pas, les électrons, les photons et les atomes ne choisissent pas un chemin unique, mais tous les chemins en même temps. À cet égard, en 1996, une équipe de physiciens a réussi à placer un atome unique de béryllium en deux endroits en même temps, exactement comme avec les photons et les électrons qui passent simultanément par les deux fentes. Mais on a aussi découvert que la matière microscopique avait d'autres comportements étranges.

Ces révélations ne manquèrent pas d'intriguer Maria Flor. Tomás fit quelques pas et prit un vieux journal abandonné sur une étagère. Puis il revint vers le projecteur et, après avoir examiné la première page du journal, il la présenta à la jeune femme.

— Regarde-moi ça, dit-elle en souriant. C'est notre Premier...

L'historien montra l'image d'un homme politique qui occupait toute la première page.

— Qu'est-ce que c'est que ça ?

— C'est le Premier ministre, bien sûr. Ne me dis pas que tu t'intéresses si peu aux informations que tu ne le reconnais pas...

Il ébaucha une moue contrariée.

— Je veux parler de la technique d'impression de la photo, pas de son contenu. En la regardant de loin, cette photographie se présente comme une image continue, n'est-ce pas ?

— Oui, confirma Maria Flor, sans bien comprendre où il voulait en venir. Et après ?

— Maintenant, observe la photo de très près. (Il fit un geste avec la main.) Vas-y, approche-toi.

La jeune femme colla presque ses yeux sur le papier.

— Ça reste une photographie.

— Mais l'image est-elle toujours continue ?

— Bien sûr que non. (Elle plissa les yeux, s'efforçant d'analyser la texture de l'impression.) La photo est constituée… de petits points, les uns plus grands, les autres plus petits. De loin, l'image semble continue, mais de près elle devient pixélisée, on comprend qu'elle est formée de petits points qu'il est impossible de voir à distance.

Sa démonstration achevée, Tomás plia le journal et le posa sur une table derrière lui.

— Eh bien, les scientifiques ont découvert que, d'une certaine façon, la réalité était aussi comme ça. Dans la vie de tous les jours, les choses se déplacent selon une ligne continue. Pour avancer d'un mètre, par exemple, on doit parcourir chaque espace situé dans l'intervalle. Du reste, c'est le problème posé par le philosophe grec Zénon. Mais les scientifiques se sont aperçus que, dans l'univers microscopique, la réalité était discontinue et que les particules sautaient d'un état à l'autre sans passer par un état intermédiaire et d'une orbite à une autre sans passer par une orbite intermédiaire.

Maria Flor le regarda.

— C'est-à-dire ?

— Un électron ne glisse pas d'un état à un autre ou d'une orbite à une autre, comme on pourrait le penser, mais saute instantanément d'un état ou d'une orbite à l'autre. On appelle ça le saut quantique. Et note bien que cela n'a rien d'occasionnel, non, c'est la règle dans l'univers microscopique. Le réel procède par sauts.

— J'avais déjà entendu parler de sauts quantiques, mais sans vraiment comprendre de quoi il s'agissait… Je me demande, cependant, si ces sauts ne sont pas plutôt dus à nos insuffisances techniques pour déterminer l'orbite intermédiaire par laquelle passent les électrons. Après tout, il se peut qu'ils passent par une orbite intermédiaire, mais, comme on ne les voit pas se déplacer à cause de nos limites techniques, on a l'impression qu'ils sautent.

— En réalité, c'est ce que de nombreux scientifiques ont pensé au début, reconnut-il. Mais, à présent, nous avons la certitude que les électrons ne parcourent pas d'orbite intermédiaire pour la simple raison qu'elle n'existe pas. Les électrons sautent vraiment et ce de façon instantanée, aucun laps de temps ne s'écoule pendant que le saut se produit. Si l'on conduit une voiture à cinquante kilomètres à l'heure et que l'on veut aller à soixante kilomètres à l'heure, la vitesse augmentera graduellement, tu es d'accord ? On ira à cinquante et un kilomètres à l'heure, puis cinquante-deux et ainsi de suite jusqu'à soixante kilomètres à l'heure. Même entre cinquante et cinquante et un kilomètres à l'heure, il y a un nombre infini de vitesses intermédiaires. Mais, si l'on observe les états de l'énergie dans le monde quantique, la voiture se déplacera à cinquante kilomètres à l'heure puis, instantanément, à soixante kilomètres à l'heure sans passer par les vitesses intermédiaires. D'une certaine façon, c'est ça un saut quantique. (Il montra le journal dont ils avaient examiné la première page quelques instants auparavant.) C'est comme cette photo sur le journal. Vue d'ici, l'image du Premier ministre semble continue, mais quand on la regarde de près on constate qu'elle est pixélisée, constituée par des points séparés les uns des autres, et que son aspect continu n'est rien de plus qu'une illusion due à la distance.

— Je vois.

— Mais une autre chose étrange se produit dans le monde subatomique. Une particule peut se déplacer d'un point à un autre même si ces points sont séparés pas une barrière infranchissable. Elle saute alors même qu'elle n'a pas l'énergie pour le faire et sans passer à travers la barrière, tu comprends ? À un moment donné, elle est dedans, et juste après elle est dehors. On appelle cela « l'effet tunnel ». C'est comme si la particule s'était engagée dans un tunnel invisible et qu'elle était apparue ailleurs.

— Une telle chose est possible ?

— Ce n'est pas seulement possible, c'est un fait établi. Par exemple, dans la désintégration radioactive de l'uranium, une particule alpha se trouve dans le noyau et, tout à coup, elle disparaît pour apparaître en dehors du noyau, et ce malgré la barrière que constitue la force nucléaire forte.

Maria Flor hésita.

— Dis-moi, tu as dit tout à l'heure que, dans l'univers microscopique, le futur pouvait influencer le passé. Que voulais-tu dire par là ?

— Avec les théories de la relativité, Albert Einstein a démontré que l'espace et le temps étaient unis, rappela Tomás. C'est pour cela qu'il a créé le concept d'espace-temps. Or, si l'expérience de la double fente montre que la conscience modifie partiellement la réalité dans l'espace, et si le temps et l'espace ne font qu'un, alors il est possible que la conscience modifie aussi partiellement la réalité dans le temps.

— Ça semble logique, admit-elle, envisageant le problème sous ce nouvel angle. Reste à savoir s'il est possible de le démontrer d'une quelconque manière…

L'universitaire posa la main sur le projecteur.

— La démonstration s'effectue au moyen d'une version perfectionnée de l'expérience de la double fente. (Il prit le morceau de carton utilisé précédemment et le plaça à nouveau entre le projecteur et l'écran, en désignant les deux rainures parallèles au milieu.) Nous avons déjà vu que la lumière et les électrons passaient par les fentes comme des ondes lorsqu'on n'observait pas les fentes, mais qu'ils devenaient des particules lorsqu'on les observait, tu me suis ?

— C'est un phénomène étrange, mais supposons qu'il en soit ainsi.

— Il en est effectivement ainsi, insista Tomás. Tu dois comprendre et admettre que cette expérience a été réalisée des milliers et des milliers de fois et que les résultats, si incroyable que cela puisse paraître, indiquent que l'observation crée en partie la réalité. La question qui se pose à présent est celle de savoir ce qui se produit si la décision d'observer est prise non pas avant que la lumière ne parvienne à la double fente, mais au moment où elle se trouve entre celle-ci et l'écran. Imagine, si tu veux, que l'on place un détecteur après les fentes et qu'on ne décide de l'activer qu'après le passage de la lumière par les fentes. Si on retarde ainsi la décision, à quel moment l'onde de lumière se transforme-t-elle en particule ? Lorsque la décision d'observer est prise ou avant qu'elle ne le soit ? Est-il possible que la lumière qui passe par les fentes soit une onde tant qu'il n'y a pas eu d'observation et qu'elle ne se transforme en particule que lorsque la conscience décide de l'observer ?

Maria Flor secoua la tête, perplexe.

— Désolée, mais je suis perdue...

— Je comprends que tout cela soit déroutant, admit Tomás. Posée en termes plus simples, la question est la suivante : le futur peut-il influencer le passé ?

— Oui, ça j'avais compris...

— Ce problème a été théorisé en 1984, par John Wheeler, et testé de façon expérimentale dans le laboratoire de l'université du Maryland, grâce à un système électronique ultrarapide, capable de générer des nombres aléatoires en recourant à un dispositif complexe de miroirs. L'expérience a été répétée à plusieurs reprises au fil des années, avec des instruments chaque fois plus élaborés. On l'a appelée l'expérience à choix retardé.

— Et quel... en a été le résultat ?

— Il a été très surprenant. Les scientifiques ont réussi à retarder la décision de quelques milliardièmes de seconde seulement, mais ce fut suffisant. Eh bien, ils ont découvert que la lumière devenait particule avant que la décision de l'observer ne soit prise. (Tomás répéta le mot clé.) Avant. (Il fit une pause pour que l'idée fasse son chemin.) Tu saisis les conséquences de ce que je viens de dire ?

Maria Flor était stupéfaite.

— Ça signifie que la lumière se comporte comme si elle savait qu'elle allait être observée !

— Exactement ! Les implications de cette découverte sont extraordinaires. Puisque l'onde ne se transforme en particule que lorsqu'elle est observée, on a le sentiment d'avoir affaire à une séquence paradoxale effet-cause, où l'effet se produit avant la cause. (Il posa à nouveau la main sur le projecteur laser.) D'une certaine manière, cette machine se brise avant que tu ne la jettes par terre.

— Ce n'est pas possible !

— C'est pourtant ce que les expériences semblent suggérer. Dans cette expérience modifiée de la double fente, l'effet semble précéder la cause : l'information est allée dans le passé pour produire l'effet avant la cause. C'est comme si on avait un mot à dire pour influencer ce qui s'est déjà produit. À l'échelle microscopique de l'univers quantique, le temps disparaît et il n'y a pas d'avant ni d'après, les particules semblant ignorer l'existence même du temps. Ces découvertes ont de profondes implications, comme tu peux l'imaginer. (Il montra le ciel étoilé par la fenêtre.) La lumière que nous voyons dans le firmament est partie de ces étoiles il y a des milliards d'années et elle nous arrive sous forme de particules ; d'une certaine façon, on peut dire qu'au moment où elle est partie elle savait déjà qu'on allait l'observer dans le futur. Il en va de même pour la lumière qui a été émise il y a cinq milliards d'années par de lointaines galaxies. On a l'impression que le futur a envoyé dans le lointain passé l'information selon laquelle cette lumière allait être observée par nous, cette nuit, l'obligeant ainsi à parcourir ces cinq milliards d'années sous forme de particule et non d'onde. Autrement dit, on a décidé ce que le photon serait et il obéit, dans le passé, à cette décision. En résumé, l'observation présente peut modifier la nature de la lumière dans le passé.

Maria Flor secouait la tête.

— C'est impossible, totalement impossible !

— Nous nous trompons si nous pensons que le passé existe déjà dans les moindres détails. Le passé n'a pas d'existence définie ; il est en superposition et il ne se définit que parce que le futur l'y oblige. Du reste, la version complète de l'équation de Schrödinger, qui tient compte des effets de la relativité, fournit une solution qui décrit le flux d'énergie négative vers le passé, aspect sur lequel Max Born avait déjà insisté en 1926. (Il leva le doigt.) La chose devient encore plus curieuse, à supposer que cela soit possible, avec une autre variante de l'expérience des deux fentes. (Il fit un geste en direction du carton avec les deux rainures.) Cela s'appelle la gomme quantique. Juste après le détecteur, on place un dispositif qui marque les photons ; ainsi, lorsqu'on les examinera par la suite, on pourra identifier la fente par laquelle est passé chaque photon. Dans ces conditions, comment va se comporter la lumière, à ton avis ?

— Eh bien, d'après l'expérience que tu m'as montrée, une observation a eu lieu. Par conséquent, il n'y a pas de modèle d'interférence, et donc il n'y a pas d'onde. La lumière est une particule.

— Exact. Et maintenant écoute ça : le photon traverse la fente, mais, avant qu'il n'atteigne l'écran, on efface la marque imprimée par le dispositif, ce qui empêche de déterminer par quelle fente il est passé. En d'autres termes, la particule de lumière est mesurée lorsqu'elle passe par les fentes, mais l'information fournie par cette mesure disparaît.

— Une telle expérience peut être réalisée ?

— C'est très délicat et compliqué, mais on y est arrivé pour la première fois en 1991, à l'université de Californie à Berkeley. Le marquage a été effectué en polarisant les photons qui passaient par l'une des fentes. À ton avis, la lumière est passée par les fentes, mais sous quelle forme, onde ou particule ?

Maria Flor examina le dispositif installé devant elle.

— Eh bien… il y a eu observation, n'est-ce pas ? L'information qu'on en a retirée a certes été gommée, l'observation a néanmoins eu lieu. Dans ce cas, il n'existe pas de modèle d'interférence. La lumière est passée sous forme de particule.

L'historien secoua la tête.

— Faux ! Ce qui est apparu sur l'écran, très chère, c'est le modèle d'interférence. La lumière est passée sous forme d'onde.

Son amie prit un air dubitatif.

— Sous forme d'onde ? Mais la lumière a été mesurée…

— En effet, reconnut-il. Toutefois, ce qui est ici déterminant pour établir la nature de la lumière, ce n'est pas tant, *stricto sensu*, la mesure de la lumière dans les fentes que l'information fournie par cette mesure ou, si tu préfères, c'est la connaissance que nous avons de la lumière. Bien qu'elle ait été mesurée alors qu'elle passait par les fentes, la lumière a maintenu le modèle d'interférence. Le facteur déterminant n'est donc pas la mesure en tant que telle, mais ce que nous pouvons savoir sur elle. La possibilité de disposer de cette information ayant disparu, la lumière s'est comportée comme une onde. En somme, on a l'impression que la lumière ne se préoccupe que de ce qu'on pourrait savoir sur elle. Si on ne peut rien savoir, alors même que la mesure a été faite, elle demeure une onde. À l'évidence, et j'insiste là-dessus, la simple observation n'est pas pertinente. C'est la possibilité de connaître la particule qui la crée.

— C'est… absolument incroyable !

— La réalité n'est pas ce que nous pensons qu'elle est ou ce que nous aimerions qu'elle soit, elle est ce qu'elle est. Lorsque nous avons l'intuition que la réalité est telle chose, mais que l'observation et les mathématiques nous révèlent une chose différente, l'observation et les mathématiques l'emportent toujours. Le matin, nous voyons le soleil apparaître à l'horizon, au cours de la journée nous suivons sa course lente dans le ciel et, le soir venu, nous constatons qu'il se couche du côté opposé. Si l'on s'en tient à l'intuition et au bon sens, on en conclut que le Soleil tourne autour de la Terre. Mais, grâce à des observations astronomiques et à des calculs mathématiques, Copernic est parvenu à la conclusion que c'est la Terre qui tourne autour du Soleil. Autrement dit, l'observation scientifique et les calculs mathématiques anéantissent l'intuition et le bon sens. Il en est de même ici. L'intuition et le bon sens nous disent que le monde existe indépendamment de nous, car c'est la perception que nous avons de la réalité. Or, l'observation scientifique conduite avec l'expérience de la double fente et ses variantes nous révèle précisément le contraire. Tout scientifique sait que l'observation et les mathématiques l'emportent sur le bon sens. C'est pourquoi je te demande d'abandonner l'idée que le monde microscopique se comporte de la même manière que le monde macroscopique, mais à une échelle différente. Le monde microscopique fonctionne de manière différente et « bizarre ». En matière scientifique, nous devons faire confiance à l'observation, même lorsqu'elle contredit le bon sens ; en l'occurrence, l'observation nous montre qu'à un niveau élémentaire, l'univers est extraordinairement étrange. Si déconcertant et si contre-intuitif que cela puisse paraître, c'est notre conscience qui crée partiellement la réalité, et ce non seulement dans l'espace, mais aussi dans le temps.

Maria Flor leva les bras.

— D'accord, je me rends ! s'exclama-t-elle. Mais tout cela est tellement perturbant qu'on a du mal à le croire…

— Tu as raison. Moi aussi il m'a fallu des années pour accepter que la réalité est si étrange, et je ne l'ai admis qu'après avoir étudié de manière approfondie l'expérience de la double fente et ses variantes. Comme tu l'as remarqué, le fait qu'il soit possible, à l'échelle élémentaire de la création du réel, que les effets précèdent les causes a des conséquences incroyablement contre-intuitives. Cela signifie que la conscience, aujourd'hui et dans le futur, semble avoir le pouvoir de générer partiellement la réalité physique du passé, en particulier un passé où il n'existait pas encore d'êtres conscients dans l'univers. En somme, tant que l'univers n'avait pas engendré de conscience, le Big Bang n'était rien d'autre qu'une espèce d'événement virtuel, une espèce d'onde dans laquelle toutes les potentialités étaient accumulées en parallèle. Ce n'est qu'après avoir été engendrée, que la conscience a concrétisé l'une de ces potentialités, l'histoire antérieure de l'univers. D'une certaine manière, ce n'est pas seulement le passé qui génère le futur, mais aussi le futur qui génère le passé. Le fait d'observer la réalité crée non seulement en partie la réalité d'aujourd'hui, mais aussi le passé qui l'a rendue possible. Par conséquent, le futur et le passé se créent mutuellement tout en étant tous deux indéterminés : de même qu'il existe une pluralité de futurs possibles, il existe aussi une pluralité de passés possibles.

Maria Flor se gratta la tête.

— Ce que tu es en train de me dire est également prouvé ?

— Je ne fais qu'exposer les implications profondes des découvertes découlant de l'expérience de la double fente. Celle-ci nous révèle l'illusion qui se cache derrière la réalité. Fondamentalement, l'univers résulte d'une dualité entre le réel et la conscience, dans laquelle, par un processus de complexification croissante, le réel génère la physique, qui génère la chimie, laquelle génère la vie, qui génère à son tour la conscience, laquelle finit par générer… le réel.

— C'est comme si chaque niveau de complexité

251

apportait les fameuses propriétés émergentes dont tu as parlé cet après-midi à Coimbra, observa Maria Flor. Mais… quelle est la signification de tout cela ?

Parvenu au terme de son raisonnement, Tomás croisa les bras et respira profondément, se préparant à dévoiler la dimension la plus étrange, la plus déconcertante et la plus profonde de l'univers.

— Le réel crée la conscience, et la conscience crée le réel.

XXXII

Marines et agents de la CIA prenaient lentement place autour de la fondation Gulbenkian ; s'efforçant de ne pas s'écarter des zones d'ombre. L'attention des cinq hommes était centrée sur le bâtiment, à la recherche du moindre détail susceptible de révéler la cachette du fugitif.

Le talkie-walkie que James Krongard tenait à la main sortit celui-ci de son silence.

— Comanche 2 à Apache.

Les trois *marines* avaient pour noms de code Comanche 1, 2 et 3, Swartz était Buffalo et Krongard, en tant que chef de l'opération, avait choisi Apache.

— Apache à Comanche 2, répondit-il. Du nouveau ?

— Affirmatif, Apache. J'ai constaté une activité au premier étage. Les lumières sont allumées et il m'a semblé voir quelqu'un regarder par la fenêtre.

— Où cela s'est-il produit, Comanche 2 ?

— Je l'ignore, Apache. Je n'ai pas le plan du bâtiment.

Krongard grogna. C'était lui qui avait le plan. Il regarda sa montre : minuit passé. Ce n'était pas normal, d'autant que le concert au Grand Auditorium était terminé depuis longtemps. S'il y avait encore de la lumière et si des gens regardaient par la fenêtre, il fallait vérifier.

— Comanche 2, où est localisée l'activité ?

— Angle sud-ouest, premier étage.

Il s'adressa alors à toute l'équipe.

— Buffalo, Comanche 2 et Comanche 3. Stand-by !

L'agent de la CIA s'agenouilla et déplia le plan du bâtiment sur le gazon. Il alluma sa lampe torche pour étudier le premier étage. D'après le plan, le local était un laboratoire de l'institut Gulbenkian des sciences. Tomás était un universitaire… le laboratoire ne restait pas éclairé la nuit, cela ne pouvait signifier qu'une chose. Kongard reprit son talkie-walkie et alerta ses hommes.

— Au laboratoire, annonça-t-il. Le suspect est dans le labo.

XXXIII

Incroyable et totalement déconcertante, l'explication du comportement de la matière à l'échelle atomique élémentaire avait laissé Maria Flor silencieuse. Elle commençait à comprendre que l'univers était finalement bien plus étrange qu'elle ne l'avait jamais imaginé ; plus rien ne la surprenait. Cependant, elle n'avait pas perdu de vue la question principale, celle qui avait suscité toute cette conversation.

— Tout ce que tu m'as raconté est effectivement très intéressant et particulièrement perturbant, d'autant qu'il ne s'agit visiblement pas d'élucubrations ésotériques mais de science, reconnut-elle. Cependant, rien de tout cela ne répond à la question qui nous préoccupe !

— À quoi fais-tu allusion ?

— Au message laissé par ce directeur de la CIA. Pour quelle raison, alors qu'il allait mourir, a-t-il décidé de reproduire le symbole de la fonction d'onde dans l'équation de Schrödinger et d'inscrire ton nom au-dessous, en précisant que tu étais la clé ?

L'historien se laissa choir sur une chaise, conscient

qu'il s'agissait là de la question centrale à laquelle il devait répondre rapidement s'il voulait cesser de fuir.

— En effet… balbutia-t-il. Nous n'avons toujours pas éclairci ce point. Il ne serait peut-être pas inutile de revoir l'énigme et de résumer ce que nous savons. On arrivera peut-être à comprendre ce que Bellamy avait dans la tête.

Maria Flor s'assit près de lui et le regarda feuilleter le bloc-notes qu'il avait à la main pour retrouver le message du défunt.

$$\Psi$$

The Key: Tomás Noronha

— Ça, on l'a déjà vu, c'est le *psi*, précisa la jeune femme sur un ton mécanique, en désignant le symbole dessiné en haut de la feuille.

De l'index, Tomás tapota avec insistance sur le *psi*, comme pour en souligner toute l'importance.

— Tu sais, le *psi* est bien plus qu'un simple symbole et Frank Bellamy, qui était aussi physicien, en était parfaitement conscient. La fonction d'onde représentée par le *psi* décrit le monde qui nous entoure avant qu'il ne soit observé, nous donnant une image complète et détaillée de cet état indéfini entre existence et non-existence, qu'Einstein a qualifié de « champ fantôme ». Le *psi*, c'est ce qui existe avant d'exister, c'est le matériau à l'état brut, c'est la réalité virtuelle avant d'être réelle, c'est l'onde et non la particule. En d'autres termes, le *psi* est le spectre de la réalité.

— D'accord, mais il n'existe pas tout seul. Il ne faudrait pas oublier que la fonction d'onde représentée par le *psi* est la solution de l'équation de Schrödinger, n'est-ce pas ?

— Bien sûr. La fonction d'onde ne décrit pas seulement les systèmes subatomiques, atomiques et moléculaires du monde quantique avant l'observation, mais aussi les systèmes macroscopiques que nous voyons autour de nous et, peut-être même, l'ensemble de l'univers.

— C'est l'idée selon laquelle la lune et moi nous sommes une fonction d'onde, reconnut Maria Flor. En réalité, l'essentiel de ce que tu as dit jusqu'à présent a trait au comportement de la matière à l'échelle microscopique. (D'un geste, elle montra l'espace autour d'eux.) Dans la vie de tous les jours, les choses ne se passent pas de façon si étrange. (Elle bougea sa main de droite à gauche.) Ma main ne saute pas d'un point à un autre, elle parcourt tout l'espace qui va de l'un à l'autre. (Elle désigna sa chaise.) Je suis assise ici et non dans toute la pièce simultanément. (Elle se leva et tourna le dos à la fenêtre.) En ce moment, je n'observe pas le ciel dehors, mais j'ai la certitude que la lune est toujours là. (Elle fit trois pas et contourna le projecteur par la gauche.) Lorsque je fais le tour de cet appareil, je me déplace uniquement par la gauche, et non par la gauche et la droite en même temps. (Elle s'arrêta et revint à sa chaise.) Ce que je veux dire, c'est que toutes ces « bizarreries » quantiques dont tu parles n'existent purement et simplement pas dans la réalité quotidienne. Notre monde, le monde macroscopique, ne fonctionne pas de cette manière.

Tomás se frotta le menton.

— Pourquoi ?

Elle haussa les épaules.

— Est-ce que je sais ! Les scientifiques ont peut-être découvert que les lois de l'univers microscopique impliquent ces comportements étranges de la matière, mais dans l'univers macroscopique elle se comporte différemment. Regarde autour de toi et tu comprendras.

— Mais pourquoi ? insista-t-il, ouvrant les bras en signe de perplexité. Pourquoi ? Pour quelle raison l'univers microscopique fonctionne-t-il selon des règles différentes de celles de l'univers macroscopique ? C'est là une question que tous les scientifiques se posent et que Frank Bellamy s'est certainement aussi posée. (Il se pinça la peau de la main.) Après tout, ne sommes-nous pas tous faits de particules, d'atomes et de molécules ? Un ensemble de particules forme des atomes, un ensemble d'atomes des molécules, un ensemble de molécules des cellules et un ensemble de cellules constitue un être humain. Si les atomes existent sous forme d'onde, telle que décrite par la fonction d'onde, et puisque nous sommes constitués d'atomes, sommes-nous aussi une onde ? Si la matière n'existe en tant que particule que si elle est observée, cela signifie-t-il que moi aussi je n'existe en tant qu'ensemble de particules que si je suis observé ? Pour quelle raison les électrons, les atomes et les molécules obéissent-ils à certaines lois et les cellules, les êtres vivants et les choses inanimées d'importance, comme les pierres et l'eau, sont-ils soumis à d'autres ? Est-il possible que les lois de l'univers changent en fonction de la taille des objets ?

— Il semblerait que oui.

— Mais à quel moment exactement changent-elles ? Existe-t-il une frontière quelconque au-delà de laquelle les lois quantiques cessent tout à coup de s'appliquer et les lois classiques entrent en vigueur ? Quel est le mécanisme ? Où se situe exactement cette ligne de partage ?

— Je n'en ai pas la moindre idée, avoua-t-elle. C'est toi le scientifique. C'est toi qui étudies la science et son histoire. Quelle est la réponse à toutes ces questions ?

Cette fois, ce fut au tour de Tomás de hausser les épaules.

— C'est un mystère, admit-il. Les physiciens ont analysé ce problème des milliers de fois, sans jamais trouver d'explication plausible. Seul un physicien autrichien, Paul Ehrenfest, s'est sans doute approché de la réponse. Il est l'auteur d'un théorème qui permet de conclure que les sauts quantiques de particules à une échelle atomique deviennent de plus en plus petits à mesure que les objets grandissent, jusqu'au point où ces sauts disparaissent complètement.

— Eh bien, voilà l'explication.

— D'accord, mais à quel moment cela se produit-il ? Et, surtout, pour quelle raison le comportement quantique cesse-t-il de se manifester ? Le théorème d'Ehrenfest établit que ce comportement disparaît à mesure que l'on passe à l'échelle macroscopique, mais ça on le savait déjà, il suffit de regarder autour de soi. Ce que le théorème n'explique pas, c'est pour quelle raison cela se produit.

Maria Flor était songeuse.

— Il y a une manière de découvrir à partir de quel seuil les règles changent, fit-elle observer. Il suffit de faire des expériences avec des objets de plus en plus grands pour comprendre à quelle échelle les lois quantiques cessent de s'appliquer.

— C'est une bonne idée et, pour tout te dire, elle a déjà été mise en œuvre dans divers laboratoires du monde entier. Les scientifiques ont réussi à placer de grandes molécules composées de soixante-douze atomes dans un état quantique dans lequel elles étaient localisées à la fois en deux positions distinctes. On a également réussi à mettre en mouvement simultanément des milliards d'électrons dans deux directions différentes. Les expériences se sont amplifiées et, en 1997, des physiciens du MIT sont parvenus à s'introduire dans l'univers macroscopique en plaçant des millions d'atomes de sodium en deux lieux en même temps, séparés par une distance supérieure à un cheveu. Certes, une telle distance peut nous sembler infime, mais elle est visible à l'œil nu, ce qui implique l'existence de « bizarreries » quantiques dans l'univers macroscopique. Par ailleurs, en 2009, des physiciens californiens ont réussi à entrelacer en état quantique deux petites lamelles d'une puce d'ordinateur, toutes deux visibles à l'œil nu. Il existe même des projets pour placer des protéines et un virus en deux endroits en même temps. De là à passer à des cellules vivantes, il n'y a qu'un pas, comme tu peux l'imaginer.

— Waouh ! s'exclama-t-elle, impressionnée. Cela signifie que les « bizarreries » quantiques ne se limitent plus au seul monde microscopique.

Tomás se leva et s'approcha de la fenêtre, le regard

attiré par le croissant lumineux qui resplendissait dans le ciel.

— En effet, admit-il. Je suis convaincu que si Frank Bellamy a décidé de dessiner le *psi*, c'est parce qu'il avait toutes ces considérations en tête. Mais pourquoi le faire à l'agonie ? Ce type de problèmes devrait bien être la dernière de nos préoccupations face à une chose aussi terrible que l'imminence de la mort, tu ne crois pas ? Que pouvait-il bien avoir en tête en un moment si dramatique ?

— Tu crois qu'il avait connaissance de ces expériences qui montrent le fonctionnement des lois quantiques dans notre univers macroscopique ?

— Sans aucun doute ! s'exclama Tomás. Comme je te l'ai déjà dit, Bellamy était physicien. Quand il était jeune, il a même participé au *projet Manhattan*, qui produisit la première bombe atomique durant la Seconde Guerre mondiale. Il était parfaitement informé des nouveautés en la matière, ne serait-ce qu'en raison de ses fonctions à la CIA. Tu sais, lorsque je t'ai expliqué tout à l'heure que s'il n'y avait personne pour regarder la lune elle n'existerait purement et simplement pas, je ne plaisantais pas. Bellamy savait certainement que les « bizarreries » quantiques commencent à être observées à l'échelle du quotidien et…

Il se tut sans terminer sa phrase et, les yeux écarquillés, fixa les jardins de la fondation.

— Et quoi ? Que se passe-t-il ?

L'historien se retourna, l'air paniqué.

— La CIA ! cria-t-il. Les types de la CIA sont là, dehors !

XXXIV

Réunis autour de Krongard, Swartz et les trois *marines* étudiaient le plan de la fondation Gulbenkian en suivant avec attention les instructions de leur chef.

— Greg et moi allons entrer dans le bâtiment, annonça-t-il. On va passer par cette porte de service afin d'échapper à la surveillance des gardes. Puis, on prendra l'escalier pour monter au premier étage. Une fois dans le laboratoire, on appréhende le suspect. Des questions ?

— J'en ai une, dit Swartz en levant la main. Et mes hommes ? Ils ne viennent pas ?

L'agent de la CIA secoua la tête.

— Négatif. Je ne veux pas qu'on soit trop nombreux à pénétrer dans le bâtiment, on passerait difficilement inaperçus. Inutile de vous rappeler qu'on est dans un pays membre de l'OTAN et qu'on ne veut surtout pas faire de vagues.

— Et que vont-ils faire alors ?

Le doigt de Krongard indiqua les trois entrées de la fondation.

— Je veux qu'ils surveillent les issues. Comanche 1

au portail nord-ouest, Comanche 2 au portail principal et Comanche 3 au portail sud-ouest.

— Quels sont les ordres si le suspect se présente à l'un des portails ? demanda l'un des militaires.

— Vous l'arrêtez.

— Et si pour une raison quelconque il parvient à s'échapper ? On le poursuit ou on attend du renfort ?

— Vous l'abattez.

Les trois *marines* se regardèrent, surpris, et se tournèrent vers leur supérieur hiérarchique direct, cherchant à savoir si celui-ci confirmait ce qu'ils venaient d'entendre.

— Nous sommes autorisés à abattre le suspect ? s'étonna également Swartz, sentant les regards de ses hommes posés sur lui. D'où diable vient cet ordre ?

— L'ordre m'a été donné oralement par Harry Fuchs, le directeur du Service national clandestin, et il ne s'applique qu'en cas de fuite. Nos instructions sont d'arrêter le suspect. Mais, s'il s'échappe, et pour des raisons de sécurité nationale que je ne peux exposer ici, il doit être abattu.

— Je veux un ordre écrit, insista le chef de la sécurité de l'ambassade.

Krongard l'interrompit et s'adressa aux quatre hommes qui l'entouraient.

— J'en prends l'entière responsabilité et vous en êtes tous témoins, déclara-t-il. En vertu de l'autorité dont j'ai été investi par Washington, conformément au document que l'ambassadeur t'a transmis aujourd'hui, mes paroles ont autant de valeur qu'un ordre écrit, comme tu le sais. (Il dévisagea les membres de l'équipe l'un après l'autre pour s'assurer qu'il ne serait pas à nouveau défié.) Des questions ?

Après s'être accordé un instant de réflexion, Swartz s'inclina.

— Aucune.

Voyant leur chef se soumettre, les hommes acquiescèrent d'un signe de tête. L'agent de la CIA respira profondément, il avait rétabli son autorité.

— Très bien. Donc je répète, dit-il d'une voix toujours ferme. Si le suspect tente de s'enfuir, il devra être abattu. Suis-je clair ?

Avec un reste de méfiance dans le regard, Swartz garda les yeux fixés sur Krongard.

— Tu en assumes la responsabilité ?

— Affirmatif.

Le chef de la sécurité s'adressa à ses hommes.

— Vous l'avez entendu, *boys*. Allons-y !

D'un même élan, ils sortirent leurs armes, vérifièrent les munitions et fixèrent leurs silencieux. Puis, comme s'ils interprétaient un ballet longuement répété, ils se séparèrent en même temps.

XXXV

Alarmé par l'angoisse qu'il lisait dans les yeux de Maria Flor, Tomás comprit qu'il devait dominer ses émotions s'ils voulaient avoir une chance de s'en sortir. Son amie avait confiance en lui. Il était essentiel de conserver son sang-froid, d'avoir les pensées claires et d'agir avec rapidité.

Il fallait bouger.

— Viens ! Il faut qu'on sorte d'ici le plus vite possible !

Ils traversèrent le laboratoire en toute hâte. L'historien entrouvrit la porte et regarda vers l'extérieur ; tout paraissait calme. Il tendit le bras pour éteindre la lumière, mais suspendit son geste ; attirer leurs poursuivants au laboratoire se révélerait avantageux s'ils parvenaient à filer à temps. Il se ravisa et laissa les lumières allumées.

— Et maintenant ? demanda Maria Flor, les mains tremblantes. Que faisons-nous ?

Tomás ne répondit pas. Il lui fit signe de le suivre. Ils avançèrent lentement en direction des escaliers. Mais alors qu'il s'en approchait, l'historien distingua deux ombres se dirigeant en silence vers le premier étage.

— Attention, souffla-t-il en cherchant une échappatoire. Ils arrivent !

Il ne voyait pas la moindre cachette et il leur restait moins de deux secondes. Ils reculèrent vers le mur, acculés. À la surprise de Tomás, ses épaules ne heurtèrent pas une surface dure, comme il s'y attendait, mais un rideau qui céda à son contact.

Ils se glissèrent derrière l'épais tissu à l'instant même où les hommes de la CIA arrivaient. Tomás et Maria Flor osaient à peine respirer. L'historien posa la main sur l'épaule de son amie pour la calmer. Puis il chercha une ouverture dans le rideau pour observer.

— Greg, tu restes ici, murmura celui qui marchait devant, le chef sans doute. Si quelqu'un essaie de descendre, tu sais ce que tu as à faire.

— Entendu.

Le chef glissa la main dans sa veste et en retira un objet métallique. Tomás ne comprit pas tout de suite puis il distingua un pistolet, dont le canon se prolongeait par un silencieux.

— Je vais le coincer dans le labo, dit-il. Si tu entends des tirs, tu disparais pour éviter les gardes et tu dis à tes hommes de déguerpir. On se retrouve à l'ambassade.

— Et s'il n'y a pas de coups de feu ?

— Il y en aura, crois-moi.

La silhouette se retourna et se dirigea prudemment vers le laboratoire. Un filet de lumière s'échappait de la porte, ce qui l'incita à redoubler de vigilance alors qu'il s'approchait.

Caché derrière le rideau, Tomás suivait la scène

avec angoisse. Ces hommes n'avaient pas l'intention de l'arrêter, mais de le tuer.

Leur chance de fuir était quasi nulle. L'agent de la CIA se préparait à entrer dans le labo et il découvrirait rapidement qu'il était vide. Que se passerait-il ensuite ? Les inconnus passeraient le premier étage au peigne fin. Ils commenceraient par allumer les lumières des couloirs et du hall, puis ils chercheraient à savoir ce qui se trouve derrière le rideau.

Ils étaient perdus. La seule solution, pensa Tomás, était de s'enfuir par l'escalier pendant que l'agent de la CIA inspectait le laboratoire. Mais comment se débarrasser de l'homme qui était posté en haut des marches ? Ils allaient devoir tenter leur chance. Il fallait s'échapper, le moment était venu de risquer le tout pour le tout. Il ferma les yeux.

Un bruit sourd se fit entendre lorsque l'agent de la CIA ouvrit la porte du laboratoire. L'historien savait qu'il n'y resterait pas longtemps. Trente secondes tout au plus.

Il fallait agir maintenant. Les chances de réussite étaient faibles, il en était conscient, mais c'était la seule option. Il bénéficierait de l'effet de surprise et l'homme qui montait la garde ne pourrait pas contrer trop rapidement un assaut venant de derrière le rideau.

Tomás respira profondément, se préparant à l'action.

— Et merde ! jura le chef. Bordel !

Ces paroles inquiétèrent le garde, qui fit un pas en direction du labo.

— Jim ! appela-t-il. Que se passe-t-il ?

La situation prenait un tour inespéré. Tomás tâtonna derrière lui. Il y avait une porte vitrée et peut-être aussi un balconnet. C'était l'occasion qu'il cherchait. Le garde était suffisamment éloigné pour ne rien entendre s'ils agissaient discrètement, mais il fallait faire vite. Il chercha la poignée à l'aveuglette, la tourna et ouvrit la porte. Il jeta un dernier regard par la fente du rideau et vit le cerbère planté dans le couloir, cherchant à savoir ce qui avait pu arriver.

C'était le moment.

— Viens, murmura-t-il à l'oreille de son amie.

La jeune femme obéit et s'éclipsa par la porte entrouverte. Tomás la suivit. Son cœur battait à tout rompre, mais cela ne l'empêcha pas de sourire à Maria Flor. Comme à Coimbra, il allait encore s'échapper par un balcon. Mais sa moue ironique se décomposa rapidement lorsqu'il s'aperçut que la situation était passablement différente. Ici, il n'y avait pas d'arbre auquel s'accrocher pour descendre. En réalité, il n'y avait rien à faire. Hormis un plongeon dans l'obscurité.

— Nous sommes coincés ! constata Maria Flor, découragée. Ils vont nous attraper.

Tomás s'approcha pour la calmer, mais les lumières du hall s'allumèrent. Les hommes avaient commencé à inspecter les lieux. Le rideau ne tarderait pas à être soulevé. Les fugitifs avaient dix secondes au maximum, probablement moins.

Sous pression, Tomás analysa encore la situation. Il n'y avait, de fait, aucune échappatoire. Il jeta un regard désespéré vers le bas, constata avec surprise qu'il pouvait distinguer le sol grâce à l'éclairage du hall : du gazon.

— Saute ! ordonna-t-il à son amie, tandis qu'il enjambait la balustrade du balcon. C'est notre seule chance.

Maria Flor lança un regard terrorisé vers le sol.

— Tu es fou ? Si on saute de cette hauteur, on va se briser les jambes !

— C'est du gazon, tu ne vois pas ? Apparemment, il n'y a pas longtemps qu'il a été arrosé, la terre est mouillée et plus molle. Ils vont arriver d'un moment à l'autre. Soit on saute maintenant, soit ils nous attrapent !

— Allons-y !

Surmontant leur appréhension, ils enjambèrent la balustrade et, presque en même temps, se jetèrent dans le vide.

L'impact fut violent, mais la terre était suffisamment gorgée d'eau pour amortir leur chute.

— Ça va ?

Maria Flor gémit faiblement. Elle avait mal à la jambe. Tomás, lui, souffrait du dos. Ils remuèrent leurs membres prudemment et constatèrent qu'ils pouvaient encore bouger ; ils n'avaient rien de cassé.

— Oui, ça va, répondit-elle. Et toi ?

L'historien se leva et lui tendit la main pour l'aider à se lever.

— Nous devons…

Il se tut et s'immobilisa en entendant des éclats de voix. Les hommes étaient arrivés sur le balcon. Tomás leva les yeux et vit leurs bras tendus en avant, pointant tous les deux leur arme dans sa direction.

XXXVI

Gênés par l'obscurité soudaine, James Krongard et Greg Swartz ne distinguèrent rien dans la nuit.

— Il n'est pas là, conclut Swartz. Allons voir ailleurs.

Krongard n'avait pas totalement renoncé et balaya encore du regard les jardins, à la recherche d'une silhouette ou d'un mouvement suspect, mais tout semblait endormi. Résigné, il se rendit à l'évidence et fit demi-tour pour rejoindre le chef de la sécurité.

— Nous allons devoir fouiller tout l'étage, dit-il sur un ton dépité. Il doit bien être quelque part.

Swartz désigna quelques portes situées le long du couloir.

— Si ça se trouve, il est dans l'un de ces bureaux.

La conclusion semblait logique, mais Krongard s'arrêta et regarda la porte ouverte du laboratoire.

— L'un de tes hommes a vu quelqu'un là-dedans, n'est-ce pas ? Mais si le laboratoire est désert, la personne qui s'y trouvait en est sortie il y a très peu de temps. Et si, comme j'en suis de plus en plus convaincu, cette personne est notre suspect, son départ n'était pas un hasard.

— Que veux-tu dire par là ?

— Qu'il a dû nous voir et qu'il s'est échappé par une sortie dont nous ne soupçonnons même pas l'existence. N'oublie pas que le type travaille ici et qu'il doit connaître les lieux comme sa poche...

Swartz tira rapidement la conclusion qui s'imposait.

— Tu crois qu'il est déjà dehors ?

L'agent de la CIA ne répondit pas. Il décrocha le talkie-walkie de sa ceinture.

— Apache 1 à Comanche 1, 2 et 3, dit-il. Vous me recevez ?

— Comanche 1 à Apache. Cinq sur cinq.

Les autres militaires confirmèrent également et attendirent les instructions.

— Apparemment l'oiseau s'est envolé. Redoublez de vigilance et ne le laissez pas quitter le périmètre.

James Krongard sentait que Tomás Noronha lui filait entre les doigts, mais il n'avait pas encore dit son dernier mot. Les *marines* étaient son rempart de sécurité à l'extérieur. Eux devaient encore fouiller les bureaux du premier étage.

XXXVII

Encore sous le choc, Tomás regarda la porte de verre se refermer. Il était persuadé que les deux hommes allaient les repérer et n'avait pu s'empêcher de fermer les yeux, attendant le coup fatal, mais rien ne s'était passé.

— Tu crois… qu'on peut y aller ?

La voix de Maria Flor était chevrotante. Leurs cœurs battaient si fort qu'ils pouvaient presque les entendre.

— Oui, dit-il, en lui tendant la main pour l'aider à se lever. Il vaut mieux filer le plus vite possible. Ils vont finir par comprendre qu'on n'est pas à l'intérieur.

Maria Flor prit la main de Tomás et se leva en titubant, les jambes encore tremblantes. Elle fit un pas et faillit tomber, mais parvint à garder l'équilibre et à recouvrer ses esprits. Tomás l'entraîna vers une zone où la végétation était plus haute et la conduisit, tapis dans l'ombre, vers la sortie principale, celle qui donnait sur l'avenue de Berne.

— Comment ont-ils su que nous étions là ? demanda-t-elle. Tu crois que quelqu'un nous a vus entrer ?

Pendant qu'ils marchaient, Tomás réfléchissait. La

question méritait d'être posée. Il refit mentalement le chemin qu'ils avaient parcouru pour arriver à la fondation.

— Je suis certain que personne ne nous a vus entrer, dit-il. Mais les lumières sont peut-être restées allumées trop longtemps dans le laboratoire. Tu sais, notre conversation était si animée que j'ai fini par oublier que nous étions recherchés...

Maria Flor lâcha un long soupir accompagné d'un petit rire nerveux.

— J'ai eu une peur bleue ! confia-t-elle, essayant encore de digérer les événements. Je me demande comment j'ai pu sauter de ce balcon sans rien me casser ! Quand je les ai vus, leurs armes braquées sur nous, j'ai failli détaler. (Elle éclata d'un rire nerveux.) Quelle trouille !

Le danger passé, la montée d'adrénaline les laissa dans un état euphorique. Ils avaient survécu, l'air était pur, les plantes embaumaient et une fraîcheur enivrante se dégageait du gazon. Tout leur semblait beau. Ils étaient vivants et plus rien n'importait.

— Stop ! rugit une voix à l'accent étranger. Identifiez-vous !

Ils se retournèrent. Un garçon jeune et imposant, les cheveux blonds coupés en brosse, leur barrait le chemin. Il était vêtu d'un jean et d'un blouson de cuir marron, et son accent trahissait son origine américaine. Nul besoin d'être surdoué pour comprendre qu'il faisait partie de ceux qui les recherchaient.

C'était fini. Et pourtant, toujours sous l'effet de l'adrénaline, et sans doute parce qu'il avait longtemps réprimé ce désir que l'excitation avait fini par désinhiber, Tomás pensa qu'il n'avait plus rien à perdre. D'un geste impétueux, il saisit Maria Flor par la taille, la serra contre lui et l'embrassa passionnément.

Puis il la contempla. Elle avait les yeux écarquillés et une expression incrédule dans le regard. Tomás rit.

— Elle est belle, non ? demanda-t-il au jeune homme, éberlué. Je parie que vous n'en avez pas d'aussi belles en Amérique ! (Il la dévisagea encore une fois et admira ses traits symétriques, ses grands yeux châtains, ses lèvres charnues, ses cheveux bouclés.) Humm… à la rigueur cette actrice, comment s'appelle-t-elle… Jennifer Connelly ! Elles se ressemblent, non ?

Encore sous l'effet de la surprise, le *marine* hésitait.

— C'est vrai, finit-il par admettre, bluffé. Votre fiancée est la Jennifer Connelly portugaise.

Le *marine* ne savait plus quoi faire. On lui avait dit de ne pas laisser passer le suspect, mais il n'avait jamais vu son visage, et puis ce n'était pas un homme seul qu'il avait en face de lui mais un couple. Il aurait aimé demander des instructions à ses supérieurs, mais il avait pour consigne d'être le plus discret possible et d'éviter d'attirer l'attention, sauf circonstance exceptionnelle. En outre, il se répétait qu'il avait affaire non pas à un fugitif désespéré, mais à un couple d'amoureux qui venaient de passer un bon moment dans les recoins sombres des jardins de la fondation. Pourquoi les retenir ?

Il était sur le point de les laisser passer lorsqu'un dernier doute l'assaillit.

— Excusez-moi, monsieur, dit-il avec une expression soudainement méfiante, s'approchant d'eux pour

277

leur barrer le chemin. Comment avez-vous deviné que j'étais américain ?

Le Portugais éclata à nouveau de rire et ébaucha une expression moqueuse.

— Vous vous êtes déjà entendu parler portugais ?

Le jeune homme fronça les sourcils.

— Qu'est-ce qu'il a, mon portugais ? demanda-t-il presque offensé.

— La grammaire est parfaite, le rassura Tomás. Le problème c'est cet accent. Il ne vous manque que les éperons du parfait cow-boy.

Il éclata de rire et, le bras sur l'épaule de Maria Flor, la serrant comme s'ils étaient un vrai couple, il lança un « bye-bye » moqueur et quitta le complexe de la fondation pour plonger dans la nuit lisboète.

XXXVIII

L'arrivée des agents de sécurité de la fondation mit un terme à l'inspection minutieuse des toilettes. James Krongard ouvrait les portes une à une tandis que Greg Swartz inspectait l'armoire des produits d'entretien. Soudain, trois hommes firent irruption, matraques à la main.

— Qui êtes-vous ?

Surpris, Swartz se figea, mais Krongard n'en était pas à sa première improvisation.

— Nous sommes venus au concert dans le Grand Auditorium et j'ai eu une crise de colique, raconta-t-il le plus naturellement du monde. Mon ami a eu la gentillesse de m'accompagner pour… enfin pour m'attendre.

L'explication ne suffit pas à calmer la méfiance des agents de sécurité.

— Vos papiers, s'il vous plaît.

Les Américains sortirent leurs passeports diplomatiques et les tendirent aux gardes.

— Comme vous pouvez le constater, je suis l'attaché culturel américain au Portugal, dit Krongard. Je ne pouvais pas rater le concert de ce soir, cela va de soi. (Posant la main sur le ventre, avec la mine de quelqu'un qui souffre, il prit un air découragé.) Mais cette maudite gastro…

Les documents étaient en règle, leurs titulaires jouissaient de l'immunité diplomatique et rien ne semblait avoir été volé. Après avoir consigné l'incident et enregistré l'identité des intrus, les gardes les raccompagnèrent jusqu'à la sortie.

Une fois sur le trottoir, les deux Américains se dirigèrent directement vers le jeune homme au blouson de cuir qui avait surveillé la sortie principale.

— Le suspect n'est pas passé par ici ?

Le militaire secoua la tête.

— Négatif, monsieur.

— Merde ! râla Krongard. Où diable a-t-il bien pu se cacher ? Nous avons passé le bâtiment au peigne fin…

— Il pourrait être au musée, avança Swartz, en regardant vers l'édifice où était conservée la très riche collection du philanthrope qui avait créé la fondation. On devrait l'inspecter.

L'agent de la CIA esquissa une moue sceptique.

— J'en doute fort, dit-il. Des tableaux de Rembrandt, de Rubens, de Monet et bien d'autres sont exposés. La sécurité y est drastique. Notre homme n'aurait pas pu s'y cacher sans se faire repérer. À mon avis, ça élimine le musée.

Ils semblaient être dans une impasse. Krongard envisagea la possibilité que Tomás n'ait pas mis les pieds à la fondation Gulbenkian ce soir-là, mais, dans ce cas, comment expliquer la présence de sa voiture de l'autre côté de la rue ? L'aurait-il abandonnée avant d'aller ailleurs ?

— Tu es sûr, Matt, que personne n'est passé par

ici ? demanda Swartz à son subordonné. Absolument personne ?

Le *marine* hésita.

— C'est-à-dire… il y avait ce couple d'amoureux. Ils avaient dû passer un moment dans le jardin de la fondation. (Le militaire se fendit d'un sourire.) La nana était super canon. C'était le portrait craché de Jennifer Connelly, mais avec des yeux marron. Si je m'étais retrouvé avec…

En entendant ce nom, Krongard écarquilla les yeux.

— Qu'est-ce que tu as dit ?

Il posa la question avec une telle vivacité que le *marine* répondit sur la défensive.

— Je n'ai pas touché à la nana ! s'empressa-t-il d'ajouter, craignant d'avoir violé une règle du règlement ou du code de déontologie. Je me suis contenté de…

— Jennifer Connelly ? (L'homme de la CIA repensa à la photo de la directrice de Mon Repos qu'il avait reçue quelques heures plus tôt. Jennifer Connelly était ce nom qu'il avait cherché. Il eut un choc lorsqu'il comprit.) C'était lui !

— Lui ? Lui qui ?

— Le suspect ! L'homme que nous cherchons ! Merde ! (Il attrapa le militaire par les épaules et le secoua violemment.) Par où est-il allé ?

Le *marine* le regarda l'air effaré, sans comprendre.

— Je crains qu'il n'y ait un malentendu, monsieur, dit-il. Je parle d'une femme qui ressemblait à…

— Le type qui l'accompagnait était notre suspect, espèce de crétin ! Par où est-il parti ?

Le militaire tendit le bras vers l'endroit où Tomás avait garé sa voiture, de l'autre côté de la rue.

XXXIX

Enchanté de pouvoir serrer encore Maria Flor contre lui, Tomás la lâcha à regret lorsqu'ils approchèrent du parking et qu'il n'avait plus aucun prétexte. La voiture était garée là où il l'avait laissée, mais en se dirigeant vers son véhicule, il aperçut un policier. Tomás décida aussitôt de changer d'itinéraire et poursuivit son chemin sans s'arrêter.

— Qu'est-ce qu'il y a ? dit son amie. On ne va pas à ta voiture ?

— Chut, souffla Tomás, en indiquant le policier d'un signe de tête. Fais attention.

En apercevant l'agent, Maria Flor comprit et fit comme si de rien n'était. Ils dépassèrent le parking et longèrent la place d'Espagne. Voyant approcher un taxi, Tomás leva le bras. Le véhicule s'arrêta ; ils prirent place à l'arrière et Tomás donna l'adresse au chauffeur.

— Cais do Sodré, s'il vous plaît.

Le taxi démarra. Son amie lui jeta un regard inquisiteur.

— Pourquoi Cais do Sodré ? On va prendre le train pour Cascais ?

Tomás évita son regard.

— Il y a des pensions mal famées dans ce quartier, celles où les prostituées emmènent leurs clients. Elles sont bon marché et on ne te demandera pas tes papiers. Désolé, mais nous n'avons pas vraiment le choix…

Maria Flor était interloquée.

— C'est la cerise sur le gâteau. Prends garde à ce que tu vas faire, tu entends ? Tes baisers à la sortie de la fondation… je ne t'ai laissé faire que parce que tu m'as prise par surprise et pour tromper l'Américain. Mais qu'il n'y ait aucun malentendu ; n'essaie pas de profiter de la situation, tu as compris ?

L'historien était l'innocence personnifiée.

— Moi ? Profiter de la situation ? Franchement, Flor, tu me crois capable d'une chose pareille ?

— Tu es capable du pire ! rétorqua-t-elle en levant le doigt comme pour le mettre en garde. Ne songe même pas à rejouer à ce petit jeu ! Tu m'as invitée une fois à dîner, la soirée a été agréable et nous sommes restés amis. C'est très bien comme ça et ça n'ira pas plus loin. Si je suis ici avec toi aujourd'hui, c'est parce que je crois que je dois t'aider. Mais n'abuse pas, tu comprends ? (Elle secoua la tête.) D'ailleurs, je ne sais pas si j'ai bien fait de me laisser embarquer dans cette histoire. J'étais tranquille à Coimbra, et maintenant on a des hommes armés à nos trousses et tu m'entraînes dans une pension louche. Autant dire qu'il est hors de question que tu en abuses. Suis-je assez claire ?

— Parfaitement.

Le taxi les laissa dans une ruelle derrière le Cais do Sodré. Ils parcoururent la rue avec prudence, où des passants ivres titubaient et des hommes passaient, accrochés à des femmes décharnées, outrageusement maquillées. Un peu plus loin, ils remarquèrent une pension ornée d'un néon « Palais des Rêves » ; ils entrèrent.

C'était un lieu sordide. Une femme corpulente, une cigarette aux lèvres, sentant le parfum bon marché, attendait à la réception. Elle les reçut avec indifférence et sans poser de questions. Tomás régla à l'avance et la réceptionniste lui tendit machinalement une clé rouillée.

— La 206, deuxième étage, troisième porte à droite. Il y a un problème d'eau chaude avec la douche, mais je crois que ça devrait aller. (Elle se fendit d'un sourire entendu et lui lança un coup d'œil complice.) L'eau froide est agréable après une nuit torride…

Maria Flor n'apprécia pas la plaisanterie mais elle resta calme. Compte tenu des circonstances, ils n'avaient guère le choix. Ils prirent l'ascenseur, une espèce de vieille cage en fer recouverte d'un grillage, et appuyèrent sur le bouton du deuxième. L'ascenseur hoqueta au démarrage, grinça pendant la montée interminable et acheva sa course sur un nouvel à-coup. Ils sortirent, parcoururent le couloir à la moquette usée jusqu'à la corde et entrèrent dans leur chambre.

La minuscule pièce sentait le renfermé. Dans un coin trônaient un vieux bureau et une chaise en bois, ainsi qu'un miroir au tain défraîchi. Il y avait un grand lit en fer, orné d'un couvre-lit sale et une petite fenêtre qui donnait sur un mur. La salle de bains en carrelage blanc rappelait un vieil hôpital décrépit. Une seule chose surprenait dans ce tableau digne d'un roman de Zola, l'ordinateur posé sur le bureau donnait une touche de modernité incongrue qui détonnait dans cet antre de décrépitude.

Après avoir inspecté la chambre, Maria Flor soupira, abattue par cette déchéance fulgurante.

— Quel taudis ! souffla-t-elle en s'asseyant sur le lit. (Elle regarda son compagnon et, le voyant considérer le lit avec hésitation, elle s'anima aussitôt et montra la moquette élimée.) Tu dors par terre, OK ?

Le message était on ne peut plus clair ; Tomás tira la chaise et s'assit au bureau.

— Ce baiser t'a vraiment traumatisée…

— Je n'irai pas jusque là, dit-elle en tapotant l'oreiller. Mais j'aime que les choses soient claires et qu'il n'y ait pas de malentendu. Je ne veux pas qu'on pense que…

Le bruit rythmé des ressorts qui grinçaient dans une chambre voisine interrompit Maria Flor. Les grincements cadencés accompagnaient des gémissements féminins qui ne s'arrêtèrent qu'une trentaine de secondes plus tard. Tomás et Maria Flor évitèrent de se regarder tant que durèrent les ébats, et ce n'est qu'une fois le silence revenu qu'ils rompirent le mutisme embarrassé dans lequel ils s'étaient plongés.

— Eh ben ! observa Tomás avec un sourire nerveux. Cette pension est… assez animée.

Son amie leva les yeux au ciel.

— Quel taudis ! (Elle secoua la tête, se demandant comment elle avait pu se laisser traîner dans un tel endroit, et respira profondément.) Écoute-moi, il faut qu'on trouve une solution, ça ne peut pas continuer comme ça. Quel est ton plan ?

L'historien la dévisagea, découragé.

— Bonne question, admit-il en évaluant la situation. La vérité, c'est que je ne vois pas ce qu'on peut faire. Les types de la CIA sont à mes trousses et s'ils me retrouvent je suis cuit. Ils n'ont aucune preuve, mais je dois reconnaître que les indices sont accablants.

— Reprenons les choses dans l'ordre, suggéra-t-elle. Que faudrait-il faire pour prouver ton innocence ?

— D'abord, il faut qu'on élucide l'énigme laissée par Bellamy. Nous avons déjà compris que le symbole est la lettre grecque *psi*, qui est une allusion directe et indubitable à la fonction d'onde de l'équation de Schrödinger, formule scientifique qui énonce implicitement que la conscience crée partiellement le réel. Dans cette énigme, il nous reste encore à comprendre pour quelle mystérieuse raison il a mentionné mon nom en disant que j'étais la clé. (Il ouvrit les bras en signe d'impuissance.) Mais la clé de quoi ? Quelle clé est-ce que…

Il se tut, totalement absorbé par ses pensées.

— Quoi ? demanda-t-elle, en voyant son regard absent. Que s'est-il passé ?

Tomás se leva d'un bond, comme électrisé par sa découverte.

— Je sais ! lança-t-il. Ça y est, je sais !

— Tu sais quoi ?

L'historien mit la main dans la poche de son pantalon et en sortit l'objet qu'il avait reçu de Genève.

— Le grand pentacle ! dit-il en levant la main comme s'il tenait un trophée. C'est Frank Bellamy qui me l'a envoyé ! C'est Bellamy !

Maria Flor ne le suivait plus.

— Quoi ? Mais explique-toi !

Tomás s'assit sur le lit et lui tendit le grand pentacle.

— Écoute, on m'a remis ce matin un colis qui venait de Genève, mais il n'y avait pas d'expéditeur. À l'intérieur se trouvait cet objet, le grand pentacle. J'ai pensé qu'il m'avait été envoyé par l'antiquaire qui m'a vendu la *Tabula Smaragdina*, que j'ai acquise pour la collection de la fondation Gulbenkian. Mon raisonnement n'était pas insensé, mais je me rends compte à présent que ce n'est pas lui qui me l'a expédié, mais Bellamy.

— Comment peux-tu en être si sûr ?

Tomás désigna l'objet.

— Précisément parce qu'il s'agit du grand pentacle. N'oublie pas ce que Bellamy a écrit dans sa note : « La clé : Tomás Noronha. »

— Et alors ? Quel rapport y a-t-il entre le grand pentacle et cette phrase ?

Aux yeux de l'historien, tout cela était si évident qu'il s'étonna de ne pas avoir fait le lien plus tôt.

— Tu ne vois pas ? dit-il presque avec véhémence, en désignant l'objet qu'il lui avait remis. C'est le grand pentacle ! L'un des principaux objets magiques mentionnés dans le *Mafteah Shelomoh*.

— Dans le *Maf*... quoi ?

Tomás lui montra le dessin sculpté sur le pentacle en indiquant les caractères מפתח שלמה inscrits au bord du cercle extérieur.

— Tu vois ça ? demanda-t-il. C'est de l'hébreu et ça veut dire *Mafteah Shelomoh*. En latin ça se traduit par *Clavicula Salomonis*. Tu saisis maintenant ?

Elle secoua la tête.

— Non.

— *La Clé de Salomon*, précisa-t-il. C'est un texte
magique attribué au roi Salomon. Il s'agit d'un manuscrit qui explique comment faire des expériences d'alchimie en utilisant l'énergie de Dieu. Mais cet aspect
n'a aucune importance. Ce qui nous intéresse, c'est
ce que Bellamy a écrit : « La clé : Tomás Noronha. »
C'est de toute évidence une expression à double sens.
D'un côté, il m'a désigné comme étant la clé pour
résoudre le mystère de sa mort. De l'autre, il s'agit
d'une référence implicite à la clé de Salomon, c'est-
à-dire au grand pentacle qu'il m'a lui-même envoyé.
Cet objet doit forcément jouer un rôle important dans
cette affaire.

Maria Flor examina le motif dessiné sur le grand
pentacle, le considérant à présent sous un nouveau jour.
Tout devenait plus clair.

— Ah, je commence à comprendre…

L'historien observa l'objet avec soin, conscient que tout y avait une fonction. Par quoi fallait-il débuter ? Il choisit de commencer par le cercle qui se trouvait au centre du dessin, sur lequel il posa l'index.

— Le centre du pentacle est occupé par un hexagramme, tu vois ? Il s'agit d'une étoile à six branches qui peut représenter deux choses. La première, c'est la *Magen David*, ou bouclier de David, qu'on désigne aussi vulgairement comme l'étoile de David. Il y a de nombreux siècles, elle symbolisait le Dieu d'Israël et on la retrouve souvent dans des textes cabalistiques, comme les tables de *segulot*.

— C'est certainement cela.

Tomás secoua la tête.

— Je n'en suis pas si sûr. Comme tu peux le voir, l'hexagramme s'inscrit dans un cercle, et cette figure évoque davantage un autre symbole alchimique, le sceau de Salomon, utilisé pour représenter la combinaison des opposés et la transmutation. En associant le triangle pointé vers le haut, symbole alchimique du feu, au triangle pointé vers le bas, symbole alchimique de l'eau, on crée les symboles alchimiques de la terre et de l'air, ce qui fait du sceau de Salomon le symbole du parfait équilibre de la nature. Du reste, il est intéressant de constater que, dans la culture hindoue, l'hexagramme est utilisé dans des mandalas pour représenter l'équilibre méditatif parfait entre l'homme et Dieu, qui conduit au nirvana.

Ils contemplèrent pendant un moment le sceau de Salomon, mais leur attention fut rapidement attirée par les autres éléments qui figuraient sur le dessin du grand pentacle, en particulier sur l'anneau extérieur, où se trouvaient les caractères hébraïques שלמה מפתח et les caractères latins TTVPYN4SOTPYRK.

— Et ce cercle extérieur ? lança l'historien en indiquant l'anneau.

— Si les deux mots rédigés en hébreu signifient « clé de Salomon », que signifient les autres ?

Songeur, Tomás se frotta le menton.

— Pour être franc, je l'ignore. Il va falloir que j'étudie ça calmement. (Il désigna la grande étoile à sept branches insérée entre le cercle extérieur et le sceau de Salomon, au centre du dessin.) Il y aurait beaucoup à dire au sujet de cette étoile. Il s'agit d'un heptagramme appelé « étoile de Babalon ». Il représente les sept jours de la Création, mais il s'agit aussi d'une référence aux sept planètes des anciens alchimistes et aux sept éléments fondamentaux des cultures occidentale et orientale.

— Et en quoi cet heptagramme est-il particulièrement intéressant ?

L'historien fit glisser son doigt sur les nombres, les signes et les lettres gravés à l'intérieur et à l'extérieur des pointes de l'heptagramme.

— Tout cela doit avoir une signification, dit-il, songeur. À l'intérieur des pointes, on peut voir d'étranges petits signes, des cercles et des traits. À l'extérieur, en revanche, il y a une série de chiffres. Tu vois ? On distingue les nombres trente-huit, soixante-dix-sept, cinquante-sept et huit… Rien de tout cela n'est dû au hasard.

Maria Flor indiqua les deux lettres de droite.

— Et il y a aussi ces lettres, un N sur un W, remarqua-t-elle. Qu'est-ce que ça peut bien vouloir dire ?

Tomás examina les deux lettres. Comment une telle

chose avait-elle pu lui échapper ? À la lumière de ce nouvel élément, il reconsidéra les nombres et les signes à l'intérieur des pointes, la solution prenant rapidement forme dans sa tête. Il écarquilla les yeux, frappé par une révélation soudaine.

— Tu es géniale ! s'exclama-t-il en regardant son amie. Ce sont des coordonnées ! Bellamy m'a envoyé des coordonnées géographiques !

Maria Flor comprit aussitôt. Elle balaya la chambre des yeux, à la recherche d'une feuille de papier.

— Il n'y a rien pour écrire ?

L'historien avait déjà sorti le bloc-notes de sa poche. Il arracha le capuchon du stylo avec les dents et recopia les nombres correspondant aux coordonnées, gravés sur le grand pentacle.

$$38° \ 57' \ 6,5'' \ N$$
$$77° \ 8' \ 44'' \ W$$

Ils restèrent bouche bée devant ces deux lignes, convaincus qu'ils tenaient enfin une véritable piste. Par l'intermédiaire du grand pentacle, Frank Bellamy avait envoyé un message à Tomás pour lui dire qu'il y avait sur la planète un lieu où il pourrait trouver la solution au mystère de sa mort. Et le lieu correspondait à ces coordonnées.

La première à réagir fut Maria Flor. Elle considéra l'écran posé sur le bureau.

— Eh bien, finalement, l'ordinateur va vraiment servir à quelque chose…

Ils démarrèrent l'appareil et attendirent avec une impatience mal contenue qu'il s'allume. Ils cliquèrent sur l'icône du navigateur et constatèrent avec soulagement que la connexion avait été établie, qui plus est à une vitesse tout à fait raisonnable.

— Excellent, murmura Tomás.

Il se mit sur un moteur de recherche et approcha le clavier. Il saisit les coordonnées qu'ils avaient relevées sur les pointes de l'heptagramme et une carte de la planète apparut sur l'écran. Il zooma sur la carte, et les contours des États-Unis se dessinèrent. Il cliqua de nouveau sur l'image, qui grossit encore avant de s'arrêter sur le lieu indiqué par les coordonnées.

Tous deux furent stupéfiés par la destination que leur indiquait Frank Bellamy. Tomás pensait connaître le chef de la Direction de la science et de la technologie de la CIA, il le savait rusé et implacable, mais il n'aurait jamais imaginé qu'il pût avoir un sens de l'humour si pervers. Les coordonnées géographiques indiquaient Washington D.C., il s'agissait, précisément, d'un bâtiment situé à Langley, sur la rive sud du Potomac : le siège de la CIA.

XL

Seul dans le couloir, la porte du Bureau ovale refermée derrière lui, Harry Fuchs laissa enfin retomber la pression. Le compte rendu qu'il venait de faire au président des États-Unis devant la secrétaire d'État, le secrétaire à la Défense et le conseiller à la Sécurité nationale n'avait pas été très bien accueilli.

Une bombe avait explosé dans l'après-midi devant l'ambassade américaine à Tripoli, détruisant une aile du bâtiment et faisant des dizaines de victimes. Et la CIA ne disposait d'aucune piste sérieuse sur les auteurs de l'attentat, à l'exception de vagues informations mettant en cause Al-Qaïda au Maghreb. Scandalisé, le Président avait prévenu qu'il fallait tout mettre en œuvre « pour éviter qu'une telle chose ne se reproduise », sinon des têtes allaient « tomber ».

Cible de cette remontrance, Fuchs savait qui il devait blâmer.

— Enfoiré de Bellamy, marmonna-t-il entre ses dents. Tu aurais dû mourir lentement, espèce de salopard.

Il avait espéré mettre la main sur l'*Œil quantique*,

le grand projet de la CIA grâce auquel il pourrait tout savoir à tout instant, mais son espoir ne s'était pas encore réalisé. Où diable Bellamy avait-il bien pu cacher ce maudit *Œil quantique* ? Walter Halderman, son adjoint, avait déjà fouillé tous les dossiers des projets secrets élaborés ces dernières années par la Direction de la science et de la technologie, mais en vain.

Au bout du couloir qui longeait les bureaux du vice-Président et du conseiller à la Sécurité nationale, Fuchs traversa le hall et descendit l'escalier qui menait au rez-de-chaussée. Il sortit de la Maison Blanche en passant par l'aile ouest. L'air frais le cingla.

Une Cadillac noire aux vitres fumées avança jusqu'à lui et un garde du corps lui ouvrit la porte arrière. Le directeur de la CIA s'installa et indiqua aussitôt la destination au chauffeur.

— Langley.

La limousine démarra. Fuchs ouvrit le minibar et se servit un whisky. Où diable le vieux avait-il bien pu cacher l'*Œil quantique* ? Il observait les lumières alentour pendant que le véhicule descendait West Executive Avenue, mais son esprit était occupé. Très vite, il repensa à l'énigme que Bellamy tenait à la main lorsqu'il était mort. Fuchs savait pertinemment que le symbole qui y était représenté n'avait rien à voir avec une crucifixion, contrairement à ce que l'Agence avait fait croire pour justifier la chasse lancée contre le Portugais. Ce *psi* symbolise une équation aussi quantique que… l'*Œil quantique*. Et si… ?

Il appuya sur l'interphone pour parler à son assistant, assis à côté du chauffeur.

— Bill, passe-moi notre homme à Lisbonne.

Sous le symbole quantique, Bellamy avait désigné Tomás comme étant la clé. Fuchs était certain que le Portugais n'était pas l'assassin. En revanche, il donnerait cher pour savoir ce que son nom venait faire sous le symbole quantique. Le vieux avait intentionnellement établi un rapport entre la recherche quantique et Tomás Noronha. La réponse s'imposa à lui peu à peu. L'universitaire portugais ne pouvait être que la clé menant à l'*Œil quantique*.

Le téléphone sonna.

— Votre appel, monsieur, annonça l'assistant. C'est James Krongard à Lisbonne.

— Monsieur Krongard. Je sais qu'il est très tôt à Lisbonne, mais j'ai besoin de savoir si vous avez attrapé notre homme ?

Une hésitation embarrassée se devinait à l'autre bout du fil.

— L'opération est en cours, monsieur, répondit l'agent de la CIA. Cette nuit, on y était presque, mais le type a eu de la chance et il a réussi à nous échapper. Mais il n'en a plus pour longtemps, monsieur. Je vous assure que j'aurai rapidement de bonnes nouvelles à vous donner.

— C'est bien ce que j'espère, indiqua Fuchs sur un ton neutre. Mais les ordres ont changé. Le suspect ne doit pas être éliminé, mais capturé vivant et mis dans un avion pour Langley. C'est compris ?

— L'ordre de le liquider est annulé ?

— Affirmatif. On va d'abord l'interroger et ce n'est qu'après qu'il… aura un accident.

Krongard lâcha un soupir de soulagement. L'idée ne lui avait jamais plu.

— Très bien, monsieur.

Sans ajouter un mot, Fuchs raccrocha et s'enfonça dans son siège. L'*Œil quantique* était indispensable pour éviter de nouveaux fiascos, comme l'attentat de Tripoli. S'il voulait garder sa place, il devait absolument mettre la main dessus. Et pour cela, il devait retrouver Tomás Noronha.

XLI

Cachant sa nervosité, le visiteur regarda le fonctionnaire des douanes assis derrière son guichet.

— Quel est le motif de votre visite ?

La question fut posée de façon machinale par le douanier, un homme au visage ovale, portant une moustache et répondant au nom de Sanchez à en croire le badge fixé sur sa chemise. Malgré l'inquiétude, le visiteur parvint à feindre la décontraction.

— Tourisme, répondit-il. J'ai toujours eu envie de visiter Washington et d'aller voir la…

— Posez les doigts là-dessus, monsieur, coupa le douanier, qui n'avait aucune envie de bavarder. D'abord le pouce de la main gauche, puis les autres doigts, ensuite vous ferez la même chose avec la main droite.

Le visiteur s'exécuta, pleinement conscient qu'à partir de ce moment-là il ne pourrait plus faire machine arrière. L'appareil enregistrait ses empreintes digitales et l'information serait communiquée aux divers organes chargés de la sécurité nationale des États-Unis, y compris la CIA.

— Voilà.

— Vous pouvez regarder l'objectif, monsieur ?

Le visiteur regarda fixement l'objectif et sourit, certain que quelqu'un finirait par contrôler l'image pour tenter de savoir si c'était bien lui qui était entré dans le pays. Advienne que pourra, au moins on le verrait en train de sourire.

— Vous avez terminé ?

Le douanier acquiesça.

— Merci, monsieur *Noroña*, dit l'homme en lui rendant son passeport. Je vous souhaite un agréable séjour.

Décidément, les Américains ne parvenaient pas à prononcer correctement son nom, pensa Tomás. Quoi qu'il en soit, tout s'était bien passé et son nom ne figurait pas sur la liste des suspects à qui l'entrée aux États-Unis était refusée.

Il se retourna et vit Maria Flor sortir d'un autre guichet, le visage légèrement pâle, mais le passeport à la main. Comme ils l'avaient espéré, la CIA n'avait pas envisagé que les fugitifs auraient le toupet d'aller frapper à leur porte.

— C'est complètement fou, dit-elle en secouant la tête, n'en revenant toujours pas de leur audace. On vient se jeter dans la gueule du loup !

Tomás sourit.

— Si le loup veut nous mordre, il va se casser quelques dents.

Ils quittèrent le secteur de la douane et suivirent les flèches jusqu'à la zone des bagages. Leurs valises tournaient déjà sur le tapis roulant. Bien qu'elles fussent petites et légères, ils les posèrent sur un chariot et se dirigèrent vers la sortie.

— Et maintenant, demanda Maria Flor alors qu'ils faisaient la queue pour prendre un taxi, où allons-nous ?

— Aller à l'hôtel serait trop risqué. Lorsque les types de la CIA vont s'apercevoir qu'on est entrés ici, ils vont commencer par contrôler les hôtels, les pensions et les auberges des alentours et, s'ils ne trouvent rien, ils élargiront les recherches à tout le pays.

Son amie tourna la tête et fronça les sourcils, soudainement méfiante.

— Dis donc, tu n'envisages tout de même pas de m'emmener dans un nouveau bouge ? (Elle leva la main et agita l'index devant son nez.) Sache, mon grand, que cette fois je ne me laisserai pas faire ! J'ai déjà donné.

— Non, rassure-toi. L'endroit auquel je pense est tout ce qu'il y a de plus respectable.

Un taxi venait de s'arrêter devant eux. Après avoir posé leurs valises dans le coffre, ils prirent place sur la banquette arrière.

— C'est vrai ? s'étonna Maria Flor, en s'asseyant. Et quel est ce paradis ?

Tomás claqua la portière et donna l'adresse au chauffeur en guise de réponse.

— Université de Georgetown, s'il vous plaît.

Étonnamment, Washington D.C. avait des airs de capitale européenne. Certes, de larges avenues perpendiculaires quadrillaient la ville, comme dans la plupart des agglomérations américaines, mais les espaces verts ne manquaient pas et les lignes classiques des bâtiments n'étaient pas sans rappeler l'architecture gréco-romaine. L'absence de gratte-ciel était la principale différence avec les autres grandes villes des États-Unis.

L'ambiance européenne devint encore plus évidente lorsqu'ils arrivèrent dans le quartier de Georgetown, la partie ancienne de Washington D.C. Les rues y étaient plus étroites et moins rectilignes, et les boutiques, les bars et les petits restaurants y étaient légion. Étudiants en jeans et fonctionnaires en costumes s'y côtoyaient.

Le taxi les déposa à l'entrée de l'université de Georgetown. Ils sortirent leurs valises, réglèrent la course et pénétrèrent dans le hall, où un homme chauve à la barbe noire les accueillit.

— Soyez les bienvenus ! les salua l'homme en portugais, se dirigeant vers eux. Alors camarade, ce voyage ?

L'historien le serra dans ses bras.

— Salut, Jorge. Comment vas-tu ? Je te présente Maria Flor.

Reculant d'un pas, Jorge se tourna vers elle et la contempla.

— Eh ben ! Te voilà bien accompagné, mon ami, s'exclama-t-il, en embrassant Maria Flor. Enchanté. Il était grand temps qu'il trouve une fiancée et qu'il se pose.

— Une amie, rectifia l'historien. (Il se tourna vers Maria Flor et fit les présentations.) Jorge et moi avons été collègues à l'université nouvelle de Lisbonne. Il prépare actuellement un doctorat en mathématiques, avec une spécialisation en programmation informatique. Comme je savais qu'il était ici, je l'ai appelé avant qu'on parte et je lui ai demandé s'il pouvait nous trouver un coin pour dormir. Il m'a répondu qu'il nous trouverait une suite de luxe sur le campus de l'université.

— En fait, ce sera plutôt une petite chambre discrète, dit Jorge en prenant la valise de Maria Flor. Un collègue finlandais est allé se balader deux semaines en Californie et il m'a laissé la clé de sa chambre pour que j'arrose les fleurs. Comme Tomás m'a dit que vous n'envisagiez de passer que quelques jours ici, j'ai pensé que cela conviendrait.

— Ça ne va pas l'embêter ?

— Au contraire, si vous arrosez ses fleurs, il sera enchanté. D'ailleurs, si vous pouviez aussi laisser quelques billets pour payer le logement, ce serait sympa.

Le mathématicien portugais les guida vers le secteur résidentiel du campus. Le Finlandais occupait une petite chambre au premier étage, sommairement meublée d'un lit et d'une table sur laquelle trônait un ordinateur. La salle de bains était minuscule. Seules quelques orchidées rouges dans des pots alignés sur le rebord de la fenêtre apportaient une touche d'exotisme.

— Ce n'est pas si mal, acquiesça Maria Flor. (Elle jeta un regard en direction de Tomás et désigna le plancher.) Et toi, tu vas encore dormir par terre.

Ils allèrent dîner à la cafétéria. En s'asseyant à table avec son plateau, Tomás fit une grimace et se demanda si, à l'avenir, il ne vaudrait pas mieux aller manger dans l'un des petits restaurants de Georgetown.

Il écarta rapidement cette idée. Ils n'étaient pas venus en Amérique pour faire un séjour gastronomique, mais pour résoudre l'énigme de Frank Bellamy et écarter du même coup les soupçons qui pesaient sur lui. Il savait que plus vite ils régleraient le problème, mieux ce serait.

— Dis-moi, demanda Jorge lorsqu'ils commencèrent à manger, quand est-ce que tu retournes à l'université nouvelle ?

— Tout dépend de ce qui arrivera pendant ce voyage.

— Que veux-tu dire par là ?

L'historien respira profondément pour trouver le courage de dire la vérité à son ancien collègue, et lui raconta, dans les grandes lignes, ce qui s'était passé depuis qu'il était rentré de Genève. L'implication de la CIA et les coups de feu à Coimbra semblaient tellement incroyables que son hôte douta d'abord de la véracité de l'histoire, mais la frayeur qu'il décela dans les yeux de Maria Flor finit par dissiper ses doutes.

— Écoute, Jorge, j'ai besoin de ton aide, dit Tomás lorsqu'il en vint à expliquer ses plans. Tu es un as de l'informatique, n'est-ce pas ?

Le mathématicien rit.

— Tu me charries ou quoi ? N'oublie pas que je fais un doctorat en programmation informatique…

— Tu saurais entrer clandestinement dans un réseau hautement sécurisé ?

— Je sais faire tout ce qu'il est possible de faire, assura-t-il avec une pointe d'orgueil. Sache que, quand j'étais adolescent, j'ai piraté le système informatique du gouvernement indonésien. (Il éclata d'un rire sonore.) Tu te souviens de cette histoire ?

— C'était plus ou moins pour une cause politique, non ?

— C'était un virus qui disait : « Libérez le Timor-Oriental, bande de salauds ! » Si tu savais comme je me suis amusé ! J'aurais adoré voir leur tête !

Lorsque les éclats de rire cessèrent, Tomás décida que le moment était venu de mettre cartes sur table.

— Tu serais capable d'en faire autant sur un réseau hautement sécurisé, ici, aux États-Unis ?

— Introduire un virus disant « Libérez le Timor-Oriental » ? Pour quoi faire ? Le Timor est un pays libre maintenant…

— Je ne parle pas de ça, idiot, corrigea Tomás. Je veux savoir si tu parviendrais à entrer clandestinement dans un réseau hautement sécurisé, à y trouver une information confidentielle et à en sortir sans que personne ne s'en aperçoive. Tu as les connaissances nécessaires pour faire ça ?

La question suscita un regard méfiant chez Jorge.

— De quel système parles-tu ?

L'historien toussota, comme si le simple fait d'énoncer le projet était en soi une folie.

— Celui de la CIA.

Hébété, le mathématicien regarda Tomás, puis Maria Flor. Leurs regards pleins d'espoir lui confirmèrent que la requête était sérieuse.

— Tu es malade, mon vieux ! s'exclama Jorge, en secouant la tête. Tu es fou à lier.

Tomás le connaissait depuis de nombreuses années, il savait quel registre utiliser pour l'amener à coopérer alors même que la prudence et le plus élémentaire bon sens lui recommandaient de s'abstenir.

— Je vois, murmura-t-il en s'adossant à sa chaise. Tu n'en es pas capable.

— Qui a dit ça ? répondit le mathématicien, visiblement blessé dans son amour-propre. Bien sûr que j'en suis capable ! Je t'ai déjà dit qu'en informatique je sais tout faire ! Même Bill Gates n'en fait pas autant !

— Alors tu manques de courage…

— Qu'est-ce que tu insinues ? Que je suis un lâche ?

— Ce n'est pas vraiment de la lâcheté, mais il faut avoir des…

— J'en ai !

Jorge avait mordu à l'hameçon. Il ne restait plus à Tomás qu'à manœuvrer avec tact pour obtenir ce qu'il voulait.

— Alors je ne comprends pas. Si tu sais comment entrer clandestinement dans le réseau informatique de la CIA et si tu n'as pas peur de le faire, où est le problème ?

— C'est-à-dire… enfin, il ne s'agit pas d'un réseau quelconque, comme tu dois t'en douter. Les systèmes de sécurité de la CIA doivent être très élaborés et la procédure de cryptage doit être excessivement complexe. En plus, il y a sûrement des pièges et…

— Et c'est trop compliqué.

— Je t'ai déjà dit que j'étais capable de le faire. Mais n'oublie pas qu'on s'attaque à la CIA. S'ils découvrent que quelqu'un essaye d'entrer dans leur système, ils chercheront à savoir qui. Et je n'ai pas très envie que ces types viennent frapper à ma porte.

— Tu es mathématicien, tu fais un doctorat dans le domaine de la programmation informatique et tu as voulu tester la qualité du réseau de la CIA. Je ne te garantis pas qu'ils ne vont pas t'embêter, mais tu as une excuse en béton. Tu dis que tu es entré dans le système dans le cadre de tes recherches pour ta thèse.

Jorge se mordilla la lèvre inférieure pendant qu'il évaluait la suggestion de Tomás.

— Ce n'est pas une mauvaise idée, finit-il par dire. Un des chapitres de ma thèse traite justement de la sécurité des réseaux informatiques et je suis sûr que mon directeur confirmerait qu'un test sur le système de la CIA constituerait une expérience pertinente, bien que critiquable. Mais les mecs ne vont jamais avaler une telle excuse. S'ils m'attrapent, je risque de passer un long moment derrière les barreaux.

— Comment est-ce qu'ils t'attraperaient ?

— Tout simplement en identifiant l'ordinateur par lequel on serait entré dans leur système.

— Tu ne peux pas dissimuler tes traces ?

— Oui, mais n'oublie pas qu'on parle de la CIA. Ces types ont le personnel et les moyens nécessaires pour identifier n'importe quel intrus… Non, c'est trop risqué.

— On peut procéder autrement, en lançant l'attaque au moyen d'autres ordinateurs, tu ne crois pas ?

Le mathématicien considéra cette possibilité et, convaincu, il finit par hocher la tête.

— C'est effectivement une solution, admit-il.

C'était tout ce que Tomás voulait entendre. Il se leva d'un bond et indiqua la porte de la cafétéria.

— Le moment est venu d'attaquer la CIA.

XLII

Habitué à déjeuner devant son écran, Don Snyder s'apprêtait à mordre dans sa pizza, les pieds posés sur le bureau, lorsqu'un message d'alerte se mit à clignoter. Intrigué par le signal, il se redressa sur sa chaise, posa la tranche de pizza sur l'emballage, et se pencha vers l'écran.

— Putain, c'est quoi ce truc ?! Qu'est-ce qui se passe ?

Snyder travaillait depuis une quinzaine d'années pour le Service national clandestin de la CIA comme analyste en contre-terrorisme, et l'alerte qu'il venait de recevoir était peut-être une piste concernant l'attentat de Tripoli.

Il cliqua sur l'icône d'alerte qui le dirigea vers une page dont l'accès était restreint. Il saisit son mot de passe et la page s'ouvrit. Il lut le texte, se connecta à deux autres sites pour confirmer les données, détermina le niveau de priorité des membres de l'Agence prenant part à l'enquête et, convaincu qu'il était tombé sur des informations potentiellement intéressantes, il lança l'impression.

Les pages à la main, il remonta rapidement le couloir et s'arrêta devant le bureau de son supérieur.

— Je dois parler à M. Fuchs.

La secrétaire avait le nez sur son ordinateur et ne leva même pas les yeux.

— Je crains que le directeur ne soit en réunion, répondit-elle machinalement. Repassez plus tard...

— Il faut que je lui parle maintenant.

— Je vous ai déjà dit que...

Voyant que la secrétaire n'était pas près de céder, Snyder ouvrit la porte du bureau et passa la tête à l'intérieur. Le chef de la direction était assis autour d'une table avec l'équipe chargée d'obtenir des renseignements sur l'attentat de Tripoli.

Fuchs se retourna et dévisagea l'intrus.

— Bon sang, Don ! Tu ne vois pas que je suis occupé ?

La secrétaire s'était précipitée à la porte et tentait de le faire sortir du bureau.

— Veuillez m'excuser, monsieur le directeur. Je lui ai dit que vous étiez en réunion, mais il...

Snyder la repoussa et brandit les feuilles qu'il tenait à la main.

— J'ai reçu des informations qui semblent très intéressantes, monsieur.

— Sur l'attentat de Tripoli ?

L'intrus secoua la tête.

— Non, monsieur, reconnut-il. Mais j'ai obtenu une info qui pourrait nous mettre sur la piste de l'*Œil quantique*.

La secrétaire tenta à nouveau de faire sortir Snyder.

— Veuillez vous en aller, insista-t-elle. Vous ne voyez pas que…

Fuchs l'arrêta.

— C'est bon, laissez-le, ordonna-t-il en s'approchant de l'analyste. Tu as bien dit l'*Œil quantique*? Que s'est-il passé?

Après avoir jeté un regard victorieux à la secrétaire, qui se retira en râlant, Snyder tendit les feuilles au directeur.

— Je viens de recevoir une alerte du système, monsieur. Au cours d'un croisement d'informations de routine avec la base de données du Service de l'immigration et des douanes, le système a enregistré une interception. (Il montra une des feuilles.) Ici est consignée l'entrée d'un suspect qui, d'après ce que j'ai compris, pourrait être lié à la disparition de l'*Œil quantique*. Et voici la page de garde du dossier qui se rapporte à ce projet. Je n'ai pas pu le consulter, car on ne peut y accéder qu'avec l'autorisation du directeur. J'ai aussitôt pensé qu'il s'agissait d'une affaire de la plus haute importance, j'espère ne pas m'être trompé.

— En effet, confirma Fuchs. Il n'y a que moi et deux autres personnes qui pouvons consulter ce dossier. Et alors?

L'analyste lui présenta une troisième feuille.

— Voici la liste, établie par le Service de l'immigration et des douanes, des personnes qui sont entrées aujourd'hui par l'aéroport de Dulles. Je suggère que vous jetiez un œil sur le nom mentionné à la vingt-troisième ligne.

Le directeur du Service national clandestin compta les lignes et s'arrêta sur le nom en question.

— Merde alors ! (Il leva les yeux vers Snyder.) Cette liste a été établie aujourd'hui ?

— Affirmatif, monsieur.

Fuchs se redressa et éclata de rire.

— Qui l'eût cru ? Cet enfoiré de Thomas Norona est en Amérique.

XLIII

On pouvait voir des logos de grandes marques informatiques sur les paquets que Tomás portait en sortant de la boutique située dans le centre de Georgetown. L'historien retourna à l'université et passa par la chambre où Maria Flor s'était endormie. Il ressortit silencieusement et se dirigea vers celle de son ami, située deux portes plus loin. Il sonna. Jorge lui ouvrit aussitôt.

— J'ai apporté deux ordinateurs portables, annonça l'historien en montrant les paquets. J'espère que ça suffira.

Ils déballèrent les appareils, les branchèrent et téléchargèrent les programmes intégrés. La mise en service dura une heure, pendant laquelle ils n'échangèrent aucun mot, ou presque. Ces préparatifs achevés, ils contemplèrent les écrans allumés et s'apprêtèrent à lancer l'opération.

— Et ton amie ? demanda Jorge. Elle ne vient pas ?

— Elle est couchée. Ici il n'est pas encore 22 heures, mais au Portugal il est déjà 3 heures du matin.

Après avoir déploré l'absence de Maria Flor, qu'il

jugeait capable « de répandre de la joie dans un cime-tière », le mathématicien prit les choses en main. Il commença par se connecter à Internet et activa un lien.

— Que fais-tu ? s'étonna Tomás. Tu ne devrais pas aller directement sur le site de la CIA ?

— Je brouille les pistes ! L'idée est d'utiliser d'abord un proxy puis d'envoyer le message par un réseau Tor.

— Je vois, tu veux former deux couches de sécu-rité…

— Exactement. (Il montra l'écran.) Ce proxy ne conserve pas les connexions en mémoire. Lorsqu'on s'y connecte, tout ce qui sort de l'ordinateur passe par lui, ce qui laisse penser que la connexion émane du proxy et non de la vraie source. Avec le réseau Tor, les données passent par divers relais dans le monde entier avant d'arriver sur le réseau de la CIA. Comme ça, même si l'une de ces données est compromise, le système demeure intact dans son ensemble, contraire-ment au proxy. S'ils arrivent à nous repérer, les types de la CIA vont en baver rien que pour démêler ce sac de nœuds.

— Ils seront donc incapables de retrouver notre adresse ?

— Ne t'en fais pas !

Le mathématicien passa plus d'une heure à program-mer le proxy et le réseau Tor, de manière à camoufler la signature des ordinateurs. Tomás sentit les effets du décalage horaire, mais les cafés qu'il avait ingurgités lui permirent de tenir tant bien que mal, pendant que son ami travaillait.

Au bout d'un certain temps, il vit Jorge appuyer sur

une touche, respirer à fond, et s'adosser à sa chaise avec l'air de celui qui a mené à bien sa mission.

— Tu as fini ?

Le mathématicien se tourna vers lui, afficha un sourire de satisfaction, se frotta les mains et regarda à nouveau son écran.

— Le moment est venu de mettre notre nez dans le réseau de la CIA.

Jorge se connecta au site de l'agence américaine d'espionnage et procéda à un examen préliminaire pour en saisir la structure. Puis, il utilisa un programme qu'il avait téléchargé sur le portable et, pendant que la machine tournait, croisa les bras et attendit.

— Que fais-tu ?

— J'ai introduit un programme CGI pour analyser le système et déceler ses points faibles.

— Tu crois que le réseau de la CIA est vulnérable ?

Jorge ricana.

— Tous les réseaux ont des points faibles, mon vieux. La difficulté consiste à les dénicher et à les exploiter. (Il croisa les jambes pour se mettre plus à l'aise en attendant les résultats.) Il y a quelque temps, les types du Pentagone ont lancé une opération pour tester la sécurité de leur réseau et ils ont eu un sacré choc lorsqu'ils ont découvert que le premier pirate un tant soit peu qualifié était capable de paralyser tout le système informatique militaire des États-Unis. Les pirates sont arrivés à prendre le contrôle des ordinateurs des bâtiments de guerre de la flotte du Pacifique, tu te rends compte !

— C'est dingue ! C'est vraiment possible ?

— Non seulement c'est possible, mais cela a déjà

été fait. Dis-toi que le système d'exploitation Windows contient, à lui seul, des dizaines de millions de lignes de code. Aucun dispositif de sécurité ne parvient à exercer un contrôle fiable à 100 % sur un système de cette taille. Tout programme qui comporte une masse d'informations est inévitablement vulnérable. On n'a plus qu'à…

L'écran se figea sur une page.

— Que se passe-t-il ? demanda Tomás.

Son ami se redressa.

— Il y a une faille dans le PHF, constata-t-il. C'est par là que nous allons entrer.

— Le PHF ?

— Le PHF ? C'est une interface qui accepte un nom comme input et recherche l'information correspondante sur le serveur. C'est une espèce d'annuaire, si tu veux. Voyons jusqu'où elle va nous conduire.

Pianotant sur le clavier tel un virtuose, Jorge explorait la faille du PHF. Il se concentrait sur la fonction *escape_shell_cmd*.

— Que fais-tu ?

— Ça, c'est une fonction qui nettoie les inputs, précisa-t-il. Le programmeur a commis une erreur que je vais exploiter, car il a laissé un élément en dehors de la liste, mais sans l'effacer complètement. (Il indiqua les nouvelles pages qui s'affichaient sur l'écran.) Tu vois ce que j'ai fait ? Je suis entré dans le système de courrier électronique du réseau de la CIA. Pas mal, non ? Un coup de maître. À présent je vais camoufler ma présence.

Il saisit deux lignes d'instructions et attendit la réaction du système. Des données apparurent aussitôt à l'écran et il se tourna alors vers le second portable.

— Tu travailles avec l'autre ordinateur maintenant ?

— Oui. J'ai manipulé le système de la CIA pour qu'il lui envoie un *xterm*. Comme ça, c'est le réseau de la CIA qui établit la connexion avec nous et non le contraire. Génial, non ?

Il fit un geste de victoire et, tel un illusionniste qui vient de réussir un tour de magie, il désigna le second ordinateur. L'écran s'était rempli de lignes incompréhensibles.

Adm:x:4:4Admin:/var/adm:
Orion:x:1002:10:Christopher
Adams:/usr/users/cadams:/usr/ace/sdschell
Monty:x: 1004:101:Monty
Haymes:/usr/users/monty:/bin/sh

— Qu'est-ce que c'est que ça ?

— C'est une archive Linux de mots de passe, répondit Jorge. Chaque ligne contient le nom d'une personne ayant un compte électronique à la CIA.

Tomás plissa les yeux ; il avait ainsi la possibilité d'extraire du système ce qu'il voulait.

— Cherche une ligne avec le nom Frank Bellamy.

Le mathématicien se remit au clavier et fit apparaître une autre liste.

Bella_y:x:1139:101:Frank
Bellamy:usr/users/bella_y:/usr/ace/sdschell

— Merde !

— Que se passe-t-il ?

Jorge montra le dernier mot de la deuxième ligne.

— Tu vois ce *sdschell* ? Avec cette référence, les utilisateurs ont une protection supplémentaire qui implique un RSA SecureID. Il s'agit d'un dispositif qui sélectionne une combinaison à six chiffres et la modifie toutes les soixante secondes. Je ne te raconte pas, un vrai casse-tête...

— Il y a un moyen de contourner tout ça ?

— On doit saisir les six chiffres que le dispositif choisit chaque minute, et y ajouter le mot de passe de l'utilisateur. (Il fit une grimace.) Autant te dire que ce n'est pas gagné.

— Mais c'est possible ?

Jorge se mordilla la lèvre, saisi par l'ampleur de la tâche qui l'attendait.

— Soit le mot de passe est choisi par l'utilisateur, soit il lui est imposé. Dans le premier cas, ce n'est pas très sorcier, les gens choisissent en général des mots de passe qui leur sont familiers. En revanche, la seconde hypothèse est très compliquée car les codes sont aléatoires ; il est plus difficile de s'en souvenir, mais ils sont plus sûrs. Connaissant l'obsession sécuritaire qui anime la CIA, je dirais qu'ils ont opté pour la seconde solution.

— Tu sais, Bellamy avait un certain âge et je ne suis pas sûr qu'il aurait eu la patience d'apprendre par cœur des mots de passe complexes...

Le mathématicien prit en compte cette information.

— Dans ce cas, il est possible qu'ils aient fait une exception. (Il regarda à nouveau son écran et saisit de nouvelles instructions.) Je vais rechercher des données sur sa vie, sa date de naissance et de mariage et autres trucs de ce genre, et je vais voir si ça marche. Avec de la chance, on peut tomber sur le bon mot de passe.

Avec une énergie redoublée, Jorge lança la recherche des données personnelles de Bellamy. L'opération allait prendre beaucoup de temps. Tomás s'allongea sur le lit de son ami. Ses yeux se fermaient et, sans qu'il puisse s'en empêcher, il s'endormit.

Il commença à rêver de Maria Flor ; il voulait la rattraper alors qu'elle fuyait par l'allée centrale d'un avion. Puis ils n'étaient plus dans l'avion, mais au sommet d'un gratte-ciel new-yorkais, et marchaient sur la rambarde de sécurité. Soudain, elle tomba et Tomás, pris de panique, se précipita dans le vide en criant au *sniffer* et…

— Un *sniffer* !

L'historien se réveilla en sursaut et trouva son ami debout, paniqué.

— Qu… quoi ? balbutia-t-il. Que se passe-t-il ?

Jorge pianota à toute vitesse sur son clavier et, au bout de quelques secondes, l'ordinateur s'éteignit.

— Il y a eu un *sniffer* !

Encore endormi, Tomás ne comprit pas ce qui se passait, ni ce qu'il disait.

— Un quoi ?

— Un *sniffer* ! répéta le mathématicien, à bout de nerfs. Un administrateur du système de la CIA a compris que quelqu'un s'était infiltré sur leur réseau et a envoyé un traceur pour voir qui c'était. (Il souffla, soulagé.) Heureusement que j'avais un programme pour le détecter, sinon j'étais cuit. (Il ébaucha une grimace.) En fait, je ne sais pas trop. J'espère l'avoir détecté à temps…

Tomás était enfin sorti de sa torpeur.

— De toute façon, s'ils t'ont repéré, ils ne trouveront que le *proxy*, rappela-t-il. Et, s'ils passent ce premier niveau de sécurité, ils vont entrer dans le réseau Tor. En outre, s'ils franchissent tous ces obstacles, ils n'arriveront pas à notre ordinateur puisque nous avons utilisé un programme sans IP. Et, à supposer qu'ils remontent jusqu'à nous, ils découvriront que ce sont eux qui se sont connectés à nous. Enfin, même s'ils arrivent à ce portable, il n'existe aucun lien entre lui et toi, n'est-ce pas ? C'est moi qui l'ai acheté. Donc tu n'as rien à craindre.

Jorge respira profondément.

— Espérons que tu aies raison.

L'historien consulta sa montre ; il était 3 heures. Il se leva et s'approcha de son ami.

— Et sinon, tu as réussi à trouver quelque chose ?

— Oui, j'ai découvert le mot de passe de Bellamy. C'est sa date de naissance, mais à l'envers. Un truc élémentaire. Beaucoup de gens font l'erreur d'utiliser des données personnelles pour…

— Peu importe, s'impatienta Tomás, qui n'avait qu'une envie : aller se coucher. Ce que je veux savoir, c'est si tu as trouvé des infos qui puissent m'être utiles.

La première réaction de Jorge fut une moue peu encourageante. Le mathématicien n'avait pas l'air très optimiste.

— Peu de choses, finit-il par reconnaître. J'ai obtenu quelques renseignements généraux et, lorsque j'ai commencé à fouiller dans ses mails, le *sniffer* est apparu et j'ai dû annuler l'opération.

Effectivement, il n'y avait pas de quoi se réjouir.

— Merde ! dit Tomás, irrité. Tout ce travail pour rien !

Son ami paraissait gêné.

— Désolé, mais je n'ai pas eu le temps de faire grand-chose.

L'historien lâcha un soupir contrarié et posa les yeux sur les notes griffonnées par Jorge.

— Qu'est-ce que c'est que ça ?

— Le peu de choses que j'ai pu récolter, dit-il en lui tendant une feuille. Il y a notamment son numéro de téléphone portable, son adresse, des extraits de compte en banque et une facture d'électricité.

— C'est tout ?

— Je le crains. C'est tout ce que j'ai. (Il regarda son ami d'un air interrogateur.) Que comptes-tu faire à présent ?

Tomás prit la feuille de papier sur laquelle figuraient les quelques renseignements que le mathématicien avait réussi à arracher au site de la CIA et, regardant l'adresse, il se fendit d'un sourire plein de sous-entendus.

— Entrer chez lui.

XLIV

Sa femme avait beau lui répéter chaque matin que ce n'était pas un petit déjeuner digne de ce nom, qu'il devait manger des fruits et des crudités, qu'il devait faire attention au cholestérol, aux triglycérides et à tous ces trucs-là, ce qu'il aimait par-dessus tout pour commencer la journée, c'était un café chaud et un muffin. Aussi, la première chose que fit Don Snyder en arrivant ce matin-là à Langley, ce fut d'aller au distributeur pour s'acheter son petit déjeuner.

Quelques minutes plus tard, il s'assit à son bureau et démarra son ordinateur tout en dégustant son muffin au chocolat. « Quel délice ! » pensa-t-il en savourant cet instant les yeux clos. Snyder mit un certain temps à s'apercevoir que des documents avaient été posés près de son clavier. Sur le dessus de la pile, il y avait un dossier contenant les dernières informations relatives à l'attentat de Tripoli. En dessous se trouvait une chemise jaune, très fine et apparemment insignifiante. Il feuilleta le premier dossier et constata que les renseignements des agents sur le terrain n'étaient que pures spéculations. Ils passaient en revue l'arsenal de l'armée libyenne qui était tombé entre les mains d'extrémistes islamiques pendant la révolution, et précisait que ces djihadistes étaient à présent armés et pourraient mener des opérations violentes dans d'autres pays d'Afrique et du Moyen-Orient, comme le Mali, l'Iraq ou la Syrie.

— Bon sang ! murmura-t-il. À quoi servent ces gars-là ? On a besoin de renseignements concrets, pas de suppositions.

Pour ne pas s'énerver, il reposa le dossier et ouvrit la chemise jaune. Il y trouva un document de deux pages que les gars de l'informatique lui avaient laissé pendant la nuit. Il lut le texte et, intrigué, ouvrit un tiroir et vérifia l'information dont faisait état l'alerte reçue la veille. « Pas de doute », conclut-il. Les deux affaires semblaient liées. Il posa son gobelet, saisit le clavier et se connecta à un site pour vérifier des numéros d'achats ; il entra un nom et attendit les résultats qui apparurent au bout de quelques secondes.

— Bordel de merde !

Sans perdre un instant, il sauta de son siège et dévala le couloir en direction du bureau du directeur. La secrétaire du chef du Service national clandestin, qui n'avait pas oublié l'incident de la veille, ne paraissait guère ravie de le voir. Pourtant, cette fois, elle ne souleva aucune objection. Elle prit son téléphone pour annoncer le visiteur et, sans adresser la parole à Snyder, lui fit signe d'entrer.

L'analyste en contre-terrorisme ouvrit la porte.

— Vous permettez, monsieur ?

Un cigare aux lèvres, Harry Fuchs était assis dans un fauteuil et lisait le *New York Times*. Sur la première page, on voyait une photographie des dommages causés par l'attentat de la veille.

— Tu as vu ça, Don ? Ces enfoirés de journalistes nous traitent d'incompétents ! Écoute ce qu'ils écrivent dans l'éditorial : « Comme cela est devenu habituel depuis un certain temps, cet attentat a pris la CIA par surprise, ce qui amène à s'interroger une fois de plus sur la compétence et l'utilité de cette agence que l'on surnomme déjà discrètement dans les couloirs du département d'État "Coterie d'idiots et d'analphabètes – CIA". » Non mais t'as vu les conneries que ces branleurs écrivent ? Qu'ils aillent tous se faire foutre, le *New York Times*, le département d'État et tous les autres !

— C'est lamentable, monsieur.

Toujours sur le pas de la porte, Snyder assista à la colère de son chef ; les coups de gueule de Fuchs étaient bien connus à l'Agence. Le directeur jeta le journal par terre et, d'un geste furieux, écrasa son cigare dans le cendrier. Il fit un effort pour se contrôler et, retrouvant son calme, invita son subordonné à s'asseoir.

— Entre, Don. Tu as des nouvelles au sujet de l'*Œil quantique* ?

Snyder traversa le bureau de son chef et s'assit sur la chaise que celui-ci avait désignée.

— J'ai des informations, monsieur, mais elles ne concernent pas directement l'*Œil quantique*, je le crains. (Il posa la chemise jaune sur le bureau du directeur.) Je viens de recevoir ce rapport du service informatique. Un incident s'est produit ce matin, apparemment une tentative d'intrusion dans le réseau.

Fuchs afficha un air méfiant.

— Rien de méchant ?

— Il semblerait que non. Un *firewall* a alerté l'administrateur du serveur, qui a lancé un *sniffer*, lequel a effrayé l'intrus. D'après le relevé des données consultées, ce n'était rien de particulièrement sensible.

— Ah, bon, dit le directeur, soulagé. Il ne manquerait plus que j'aie des problèmes aussi de ce côté-là. Mais, si l'intrusion n'était pas grave, qu'est-ce qui vous amène ?

D'un mouvement rapide des yeux, l'analyste en contre-terrorisme indiqua la chemise jaune.

— Je pense que vous devriez jeter un œil sur le rapport, monsieur.

Le directeur du Service national clandestin prit la chemise et consulta le document du service informatique.

— Je ne vois rien de particulièrement important...

— Veuillez regarder le nom de l'utilisateur dont le mot de passe a été usurpé par le pirate.

Les yeux de Fuchs se posèrent sur le nom imprimé. Frank Bellamy.

— Merde alors ! (Il fixa son regard sur Snyder avec un air interrogateur.) Qui est entré dans le réseau avec le mot de passe du vieux ?

— Comme le prévoit le protocole dans les situations de ce genre, l'administrateur du serveur a passé toute la nuit et une partie de la matinée à suivre la trace de l'intrus. Ce qu'il a découvert figure sur la deuxième page du compte rendu.

Le directeur considéra le document avec dédain.

— Je ne comprends rien à ce langage de timbrés. Fais-moi un résumé.

— Le pirate a utilisé un système proxy et un réseau Tor pour brouiller les pistes. L'administrateur de notre serveur a dû passer la planète au crible avant de comprendre que cela menait à un cul de sac. Apparemment, l'intrus aurait utilisé un programme sans IP. On n'a donc pas réussi à identifier l'ordinateur source.

— C'est du travail de pro, non ?

— Sans aucun doute, monsieur. Mais je me suis creusé les méninges en me demandant qui pouvait bien avoir intérêt à pénétrer dans le site de la CIA pour y rechercher des informations relatives à Frank Bellamy. J'ai consulté le registre de tous les achats faits hier ici, à Washington et... devinez ce que j'ai découvert.

— Bon sang ! Ne me dis pas que les enfoirés du FBI sont déjà sur le coup...

Snyder secoua la tête.

— Pas du tout, monsieur.

— Mais, alors, qui peut bien s'intéresser au mot de passe du vieux ?

Fuchs passa mentalement en revue une liste de suspects, mais écarta chaque nom qui lui venait à l'esprit. Qui, en dehors de la CIA, aurait intérêt à mettre son nez dans le dossier de Frank Bellamy ? Soudain, il se figea.

— *Thomas Norona ?*

Don Snyder sourit.

— Bingo !

— Norona ? Comment peux-tu en être sûr ?

— Je ne peux pas, reconnut Snyder. Mais reprenons le fil des événements. Hier soir, vers 21 h 30, notre ami, qui vient d'arriver à Washington, a utilisé sa carte de crédit pour retirer de l'argent dans un distributeur situé à proximité d'un magasin informatique de Georgetown. J'ai vérifié les registres de la boutique et j'ai constaté que, dix minutes plus tard, deux ordinateurs portables y avaient été vendus et réglés en liquide, ce qui est rare. Deux heures après, quelqu'un est entré clandestinement dans notre système et a utilisé le mot de passe de Bellamy. Et pour quoi faire ? Comme par hasard, pour obtenir des informations sur le défunt chef de la Direction de la science et de la technologie. Vous croyez que tout ça est une simple coïncidence ?

— Mais, s'il voulait entrer dans notre réseau avec des ordinateurs portables qu'il venait d'acheter, il aurait dû éviter de retirer de l'argent avec sa carte de crédit.

— En effet, reconnut Snyder. Soit le type a été imprudent, soit il ignorait que l'on vérifiait aussi les opérations effectuées sur les distributeurs automatiques. Ou bien il s'en fiche complètement… Le fait est que la coïncidence est troublante.

Convaincu, Fuchs répondit par un murmure d'assentiment. Il fit signe à Snyder de sortir, puis, une fois seul, il tourna son fauteuil vers la fenêtre de son bureau pour contempler le Potomac. La surface bleutée de l'eau reflétait les nuages. L'ambiance bucolique de Washington D.C., en particulier dans le quartier où se trouvait la CIA, lui offrait la sérénité dont il avait besoin pour réfléchir.

Il fit tourner à nouveau son fauteuil et appuya sur l'interphone.

— Tish, passez-moi le major Fuentes.

Il allait mettre son meilleur homme sur la piste de Noronha.

XLV

En plein milieu de la nuit, Tomás et Maria Flor étaient assis à la fenêtre d'un coffee shop à Dupont Circle, le quartier historique de Washington où se trouvait l'appartement de Bellamy. Tous deux surveillaient l'immeuble d'en face. Ils n'avaient d'yeux que pour le gardien qui était assis dans le hall et qui lisait un journal.

— Encore combien de temps ?

L'historien consulta sa montre.

— Six minutes.

Grâce au décalage horaire, ils s'étaient réveillés très tôt. Ils avaient quitté le campus et s'étaient rendus à Dupont Circle bien avant l'agitation matinale afin de s'introduire dans l'appartement de Bellamy.

Malheureusement, lorsqu'ils avaient voulu monter au troisième étage, le gardien les en avait empêchés en leur expliquant clairement qu'ils ne pourraient le faire qu'avec l'autorisation expresse du locataire. Ils avaient bredouillé des excuses embarrassées, prétextant qu'ils s'étaient trompés d'immeuble, et avaient rebroussé chemin.

Assis à la table et sirotant son café, Tomás ne put s'empêcher de sourire en repensant au stratagème qu'il avait imaginé pour contourner l'obstacle. Pendant que Maria Flor était retournée au campus pour téléphoner chez Bellamy afin de s'assurer que personne ne s'y trouvait, il avait consulté un journal de petites annonces pour y rechercher une…

— Attention ! s'exclama Maria Flor. Elle arrive.

Un taxi s'arrêta. Juchée sur des talons aiguilles noirs, une blonde sculpturale, vêtue d'une robe rouge moulante, sortit du véhicule. La jeune femme régla la course et se dirigea vers l'immeuble de Bellamy.

— Allons-y !

Sans perdre de temps, les deux Portugais sortirent du coffee shop, traversèrent la rue et se plantèrent à côté de l'entrée du bâtiment, là où le gardien ne pouvait pas les voir. La blonde passa près d'eux, laissant flotter derrière elle un parfum légèrement sucré. Elle ressemblait à une de ces créatures qui posaient dans *Playboy*.

Elle se mit soudain à tituber avant de disparaître dans le hall. Suffisamment près de la porte, Tomás et Marie Flor pouvaient entendre ce qui s'y passait.

— Salut, mon grand ! dit-elle d'une voix mielleuse. Tu es nouveau ici, n'est-ce pas ?

— Euh… non, répondit le gardien, hésitant. En fait, je travaille dans cet immeuble depuis quelques années. Je peux vous aider ?

La blonde rit.

— Oh oui, tu peux ! s'exclama-t-elle. Mais… je ne reconnais pas mon immeuble. On n'est pas à l'angle de Rhode Island Avenue ?

— Je crains bien que non, madame. Nous sommes à Dupont Circle. Rhode Island Avenue c'est plus loin, par là.

— Et merde ! râla-t-elle. Chaque fois que je bois une coupe, c'est la même chose. Je me perds...

— Je vais vous appeler un taxi.

— Oh, c'est trop chou ! Mais ne vous en faites pas. Écoutez, vous avez l'air d'être un garçon sympathique et... plutôt mignon. Je peux vous dire un secret ?

— Bien sûr, madame.

— Eh bien, voyez-vous, le champagne a deux effets troublants sur moi. Tout d'abord, il me désoriente complètement. Ensuite, il... me met dans un tel état d'excitation. (Elle gloussa.) Vous voyez ce que je veux dire ?

— Euh...

— C'est pour ça que je ne peux pas rentrer chez moi tout de suite, vous comprenez ? Mon mari est trop vieux. Aaah, j'ai besoin de quelqu'un, tout de suite. Et vous... êtes tellement viril...

— Mais...

— Je n'en peux plus, c'est une vraie torture. J'ai envie d'un homme. Maintenant ! Il y a bien un endroit où nous pourrions...

— Mais, je ne peux pas abandonner mon poste. En revanche, je termine mon service dans deux heures.

— Tout de suite ! J'ai envie de toi, tout de suite ! Ça ne prendra que quelques minutes, tu sais.

Le gardien hésita.

— On pourrait... aller dans mon bureau.

— Tu vas voir, je vais te rendre fou.

— Venez, venez... là on sera plus à l'aise.

Les voix s'éloignèrent et une porte se referma. Après avoir jeté un œil dans le hall, Tomás se retourna et regarda Maria Flor, qui était devenue toute rouge.

— La voie est libre, annonça-t-il. Allons-y !

Ils entrèrent dans l'immeuble et traversèrent le hall. Il y avait deux ascenseurs, mais ils préférèrent emprunter l'escalier, c'était plus discret. Ils passèrent à côté du bureau du gardien, qui visiblement prenait du plaisir.

— Dis donc, où as-tu dégotté cette… fille ?

La question amusa Tomás. Depuis que la blonde était arrivée, il s'attendait à une remarque de ce genre.

— Dans le journal.

— Tu l'as trouvée dans le journal ?

— Dans les petites annonces. J'ai appelé une agence de luxe, du genre de celles qui fournissent des poules aux membres du Congrès. Pendant que tu étais au campus, j'y suis allé et j'ai choisi cette fille. Ça m'a coûté les yeux de la tête, tu peux me croire.

Maria Flor s'arrêta entre deux marches et le fixa.

— Tu es allé dans leur « agence » ?

— Bien sûr, répondit-il. Il fallait bien que je m'assure que la demoiselle serait capable de nous débarrasser du gardien. (Il fit un geste en direction du rez-de-chaussée.) Et je crois avoir bien choisi, tu ne trouves pas ?

Son amie ne répondit pas. Elle recommença à monter les marches tout en marmonnant… « Quelle dévergondée », « Les hommes sont tous les mêmes », « Que peuvent-ils trouver à ces filles ? » Arrivés au troisième étage, ils empruntèrent le couloir et s'arrêtèrent devant l'appartement de Frank Bellamy.

— À toi de jouer, dit Tomás devant la porte. Tu penses que tu arriveras à l'ouvrir ?

Maria Flor hésita.

— Tu es sûr qu'il n'y a pas de système d'alarme ?

— Pas vraiment. Mais rappelle-toi que le propriétaire de l'appartement est mort. En dehors de lui, qui viendrait brancher l'alarme ?

— Tout de même...

— De toute façon, nous n'avons pas le choix, il faut prendre ce risque.

Résignée, la jeune femme s'agenouilla sur la moquette et examina la serrure.

— Elle est compliquée, constata-t-elle. Mais je devrais y arriver.

Elle sortit une épingle de son sac et la glissa dans le trou de la serrure, puis la fit tourner à l'intérieur pour en comprendre la structure et le mécanisme.

— Où as-tu appris à faire ça ?

— Avec la police, expliqua-t-elle sans quitter la serrure des yeux. Il arrive que les pensionnaires du foyer s'enferment dans leur chambre et alors c'est la croix et la bannière pour les faire sortir, tu n'as pas idée. En général, on a les doubles des clés, mais quand ça n'est pas le cas, cela devient toute une histoire. Pour régler ce problème une bonne fois pour toutes, je suis allée voir la police, qui m'a donné un cours sur le crochetage de serrures.

— Très utile en effet.

Maria Flor se concentra sur sa tâche et le silence revint dans le couloir. Elle colla son oreille gauche au trou de la serrure et écouta les sons que faisait le mécanisme interne. L'exercice se prolongea sans que rien ne se passe, ce qui ne manqua pas de préoccuper Tomás.

Si quelqu'un arrivait, il donnerait l'alarme. Il fallait donc accélérer les choses, mais presser Maria Flor ne l'aiderait pas à être plus efficace. Il prit donc son mal en patience.

Soudain, il entendit le bruit.

— Ça y est.

La porte s'entrouvrit.

XLVI

Sans émettre un seul bruit, le signal d'alarme apparut sur l'écran alors que Peter travaillait sur le rapport qui lui avait été demandé la veille. L'homme aux yeux bleus cristallins cliqua sur l'icône du dispositif de sécurité.

Les deux lignes qui s'affichèrent ne laissèrent pas de place au doute.

Effraction en cours
Entrée principale

— Merde !

Quelqu'un avait forcé la porte d'entrée et pénétrait en ce moment même dans l'appartement. Sans perdre une seconde, le cœur battant à tout rompre, Peter débrancha l'ordinateur, saisit les papiers qui se trouvaient sur son bureau et se précipita vers la pièce de survie, le local de haute sécurité qu'on avait eu la bonne idée de faire construire près de la cuisine. Il appuya sur un bouton et la porte métallique se referma derrière lui.

Il s'adossa au mur et ferma les yeux. Il se laissa glisser jusqu'au sol et respira profondément.

— Ouf ! soupira-t-il. Il s'en est fallu de peu.

Il était à l'abri.

C'était la deuxième effraction en deux jours. La première fois, il était absent, retenu au bureau à cause de ce foutu rapport que le chef lui avait confié. À son retour, il ne lui avait pas fallu longtemps pour deviner que quelqu'un était entré. Depuis, il vivait dans la crainte que l'incident ne se reproduise. L'affaire impliquait des gens puissants et de nombreux intérêts étaient en jeu.

Sa meilleure arme était la dissimulation. Il avait donc cessé de répondre au téléphone. Il savait que les cambrioleurs avaient tendance à téléphoner avant de lancer une opération, afin de s'assurer que les lieux étaient déserts. Il était déterminé à les prendre en flagrant délit.

Le moment était venu.

L'appartement était truffé de caméras vidéo, cachées derrière des miroirs, dans des vases et dans les dispositifs anti-incendie fixés au plafond. Ayant retrouvé son calme, Peter regarda l'écran qui était divisé en neuf images, chacune d'entre elles filmait une pièce de l'appartement.

Sur celle de l'entrée on distinguait les deux intrus. Il prit la télécommande et zooma. Il ne les reconnut pas, mais constata que l'un d'eux était une femme.

— Bon sang, murmura-t-il, étonné. Ils envoient des minettes maintenant…

L'homme sur l'écran avait allumé une lampe-torche. On voyait les inconnus qui avançaient prudemment, explorant l'appartement si lentement qu'il leur fallut un bon moment pour traverser le vestibule.

Enfermé dans la pièce de sûreté, Peter réfléchissait à

la meilleure façon d'agir. Il pouvait appeler la police. Mais, si les intrus étaient effectivement ceux auxquels il pensait, cela ne servirait à rien. Le mieux était de s'en tenir à son plan initial. Il allait les observer et attendre la suite des événements. Il fallait absolument tout enregistrer, cela pourrait être utile en cas de besoin.

Il ouvrit le panneau qui contrôlait le système de vidéosurveillance et inséra un DVD vierge dans le lecteur. Puis il s'assura que la machine enregistrait bien tout et tourna le bouton du système audio. Le son emplit les haut-parleurs de la pièce blindée.

XLVII

S'avançant le premier, Tomás dirigeait les opérations.

— On doit d'abord s'assurer qu'il n'y a personne.

L'appartement était plongé dans le noir et les deux Portugais n'osaient pas allumer les lumières. La tension était intense et constante. À tout moment quelqu'un pouvait entrer.

Pour l'instant, c'était désert.

— Il n'y a personne, murmura Maria Flor, quelque peu rassurée. Que fait-on à présent ?

— Commençons par le bureau. C'est là que doit se trouver ce que nous cherchons.

Ils empruntèrent le couloir central de l'appartement et entrèrent dans la pièce qui semblait être le bureau.

— Tu penses que je peux allumer la lumière ? demanda Maria Flor.

— Vas-y. Mais ferme d'abord les rideaux, on ne sait jamais.

Les murs étaient tapissés de panneaux en bois de chêne, tout comme le parquet qui apparaissait sous les tapis persans. Aux murs étaient suspendues des photographies encadrées et un immense secrétaire en acajou occupait l'espace.

Attiré par ces images, Tomás les examina avec soin, cherchant à deviner les histoires qu'elles avaient à raconter. Il posa les yeux sur le premier cliché en noir et blanc, et reconnut Frank Bellamy, jeune, assis dans un laboratoire. Dans un coin de la photo, on pouvait lire « Los Alamos, 1944 » ; elle avait donc été prise à l'époque où le futur chef de la Direction de la science et de la technologie de la CIA avait collaboré au projet *Manhattan*. La photo à côté le confirmait. On y voyait le jeune Bellamy poser avec Robert Oppenheimer, au *ground zero* de Trinity, où avait explosé la première bombe atomique, à Alamogordo, au Nouveau-Mexique.

— C'était lui, Bellamy ? demanda Maria Flor en regardant d'autres photos encadrées. Il était bel homme ! On dirait Clint Eastwood en plus jeune.

— Alors, toi, tu me reproches la Marilyn Monroe que j'ai jetée dans les bras du gardien, et tu te mets à admirer Bellamy. (Il ébaucha une moue semblable à celle qu'elle avait faite quelques minutes plus tôt, lorsqu'ils montaient les marches.) Les femmes sont toutes les mêmes…

— Oui, oui, c'est ça… rétorqua-t-elle avec un sourire moqueur. Fais le malin…

Les deux intrus portèrent à nouveau leur attention sur les photographies. Tomás examina un cliché de Bellamy pris dans un champ de tir de la CIA, et une photo en couleurs sur laquelle il apparaissait au bras d'une mariée blonde et souriante à la porte d'une église.

— Viens voir, dit-il en appelant son amie.

Maria Flor s'approcha et regarda par-dessus son épaule.

— La mariée est très belle. Tu sais si elle est encore vivante ?

— Je n'en ai pas la moindre idée. (Il fit un geste en indiquant l'espace alentour.) Mais, à en juger par la décoration rudimentaire de l'appartement, il semblerait bien qu'elle ne vive pas ici.

Les autres photographies étaient autant de tranches de vie du défunt directeur de la CIA. Sur l'une d'elles, on le voyait dans son bureau de Langley. Sur une autre, il se tenait aux côtés de Werner Heisenberg et d'Erwin Schrödinger, devant un tableau noir rempli d'équations mathématiques écrites à la craie. Sur la suivante, il était en conversation avec le Président Eisenhower dans le Bureau ovale.

À mesure que les photos se succédaient, Frank Bellamy vieillissait ; toujours mince et sec, les premières rides commençaient à apparaître au coin des yeux et ses cheveux blonds devenaient grisonnants. On le voyait ainsi à Camp David, saluant le Président Kennedy et son épouse. Sur un autre cliché, pris au cap Canaveral devant une fusée Saturn, il posait en compagnie de Neil Armstrong et de Buzz Aldrin, et sur un autre encore, il dînait avec Richard Feynman et John Bell, chacun tenant une coupe de champagne. Les deux dernières photos étaient bien plus récentes. Sur la première, le Président Clinton le décorait dans les jardins de la Maison Blanche, tandis que sur la seconde il se tenait aux côtés de Barack Obama et d'Hillary Clinton dans la *situation room*, où les responsables de l'opération suivaient les dernières heures d'Oussama Ben Laden.

— Ce type n'était pas n'importe qui... remarqua Maria Flor, impressionnée.

— Pendant des décennies, il a été le chef de la Direction de la science et de la technologie de la CIA, acquiesça Tomás. Pour occuper un tel poste si longtemps, il faut être un colosse. Ce type était une légende vivante. (Il soupira, subitement abattu.) Tu comprends à présent la gravité des soupçons qui pèsent sur moi. Si la CIA pense vraiment que c'est moi qui ai tué Frank Bellamy, elle ne se contentera pas de m'arrêter.

Cette perspective leur redonna le courage de poursuivre leur inspection. Les deux Portugais se concentrèrent donc sur ce qui leur semblait prioritaire : le grand bureau en acajou. Derrière celui-ci, une décoration avait été encadrée. La signature présidentielle était celle de Bill Clinton. Trois livres étaient posés sur le bureau : l'ouvrage classique de Claude Shannon portant sur la théorie de l'information et deux œuvres de Seth Lloyd et de Freeman Dyson, toutes deux sur le calcul informatique.

— Il était fou de physique, constata Maria Flor, un rien déçue. Il devait avoir la tête pleine d'équations et de formules. Quel ennui !

— N'oublie pas que la spécialité de Bellamy était avant tout la physique. Ces livres sont la preuve qu'il continuait à s'y intéresser.

Sur un coin du bureau, deux chemises attirèrent leur attention. Tomás prit la chemise bleue et constata qu'elle contenait un document intitulé *Mind Wave*, portant un cachet rouge « top secret ». Il feuilleta le document et comprit qu'il s'agissait d'une étude sur les effets quantiques dans le fonctionnement du cerveau.

Quant à Maria Flor, elle avait mis la main sur la seconde chemise. La couverture en plastique transparent laissait apparaître un compte rendu médical établi par une clinique de Boston.

— Tu as vu ça ? l'interpella-t-elle, interrompant l'examen auquel se livrait l'historien. Pauvre homme, il ne lui reste que deux mois à vivre.

— Qui ?

— Un type qui s'appelle Daniel Dare. Les médecins lui ont diagnostiqué un cancer du pancréas.

— Fais voir.

Son amie lui tendit le document. Le dossier, au nom de Daniel Dare, contenait plusieurs clichés de scanner et des analyses cliniques avec des marqueurs tumoraux. Les médecins de la clinique de Boston concluaient à un cancer du pancréas et pronostiquaient six mois de vie au maximum.

L'historien constata que le compte rendu remontait à quatre mois, ce qui signifiait, en effet, que le patient n'avait plus que deux mois à vivre.

— Qui est-ce ? demanda Maria Flor. Un parent ?

Tomás haussa les épaules et reposa le dossier à sa place. Ayant passé en revue tout ce qui se trouvait sur le bureau, il ouvrit les tiroirs l'un après l'autre. Dans le premier, il y avait quelques lettres et de nombreuses cartes postales qu'il examina. L'une d'elles représentait le Grand Canyon et portait au dos la mention « *With love* » avec la signature d'une certaine Helen.

— Quel romantique, commenta Maria Flor. Ça doit être sa femme.

— Ou sa maîtresse.

— Et voilà, tu recommences ! protesta-t-elle. Vous pensez tous à la même chose !

Tomás ricana et passa au deuxième tiroir, qui était rempli de blocs-notes griffonnés d'équations mathématiques incompréhensibles. Il y avait aussi quelques photographies professionnelles, notamment celle d'un groupe d'hommes devant les escaliers d'un édifice ; on reconnaissait Bellamy à l'extrême gauche. Le dernier tiroir contenait des dossiers avec des factures, des déclarations d'impôts, des contrats et des titres de propriété. L'historien constata que, outre l'appartement de Washington D.C., Bellamy possédait une propriété à Savannah, en Géorgie, et une résidence secondaire dans les environs de Clearwater, en Floride. Ils trouvèrent également une enveloppe qui contenait 2 200 dollars.

— C'est tout, dit Tomás lorsqu'il referma le tiroir. Je crains bien qu'on ne trouve plus rien ici.

— Alors que faisons-nous ?

L'historien regarda autour de lui et remarqua une petite bibliothèque.

— Par là.

La première étagère était remplie d'œuvres de science-fiction, dont les meilleurs auteurs du genre, Robert A. Heinlein, Arthur C. Clarke, Isaac Asimov, Ray Bradbury et Philip K. Dick.

— Je ne suis pas passionnée de science-fiction, avoua Maria Flor. Je préfère mille fois les romans policiers. Tu te souviens de la collection « Le Masque » ? Ah, quand j'étais plus jeune, j'adorais Agatha Christie, Erle Stanley Gardner, Edgar Wallace…

Elle soupira avec nostalgie.

Tomás indiqua les ouvrages sur l'étagère.

— Eh bien, moi, j'ai toujours préféré la collection « Argonaute ». Je me souviens d'avoir lu tous leurs auteurs quand j'étais lycéen. Mon préféré était *Rendez-vous avec Rama*, d'Arthur C. Clarke. Un chef-d'œuvre.

La partie inférieure de l'étagère était occupée par quelques vieux magazines de science-fiction, surtout des exemplaires d'*Astounding,* d'*Amazing* et de *Tales of Wonder*. Il y avait aussi des tas de bandes dessinées comme *Flash Gordon, Beagle* et *Weird Science*, que l'historien feuilleta.

Ils passèrent ensuite à la deuxième étagère, où étaient rangés les livres de physique. Frank Bellamy y conservait les œuvres de Max Planck, de Werner Heisenberg, de Louis de Broglie, Erwin Schrödinger, Richard Feynman, John von Neumann, John Wheeler, John Bell et d'autres physiciens éminents. Les principaux ouvrages étaient ceux d'Albert Einstein et de Niels Bohr, posés sur l'étagère centrale à côté d'une photographie.

— Regarde, c'est Einstein, observa-t-elle avec un air attendri, considérant le cliché en noir et blanc. Tu sais, j'ai toujours eu un faible pour lui. Tu ne trouves pas qu'il a une bonne tête ?

— C'est vrai, rit Tomás. Surtout avec ses cheveux ébouriffés…

Maria Flor désigna l'homme à côté d'Einstein.

— Et lui, qui est-ce ?

— Niels Bohr, dit-il. Un célèbre physicien danois. Cette photo a été prise au cours de l'un des congrès Solvay, à Bruxelles, où ont eu lieu leurs fameux duels.

— Des duels ? interrogea Maria Flor.

L'historien agita vaguement la main.

— Duels, c'est une façon de parler. Einstein et Bohr ont alimenté un débat extrêmement intense sur la nature de la réalité et, dans le fond, sur la véritable signification de la fonction d'onde symbolisée par la lettre *psi*. La réalité existe-t-elle en dehors de nous ou est-elle construite par l'observation ? Le réel est-il déterministe ou probabiliste ? Ce sont là les questions qui les ont opposés pendant ces congrès.

— Einstein a gagné, j'imagine ?

— Eh bien, ça, je n'en sais rien. Après Bruxelles, la science n'a plus jamais été la même.

— Mais pourquoi, que s'est-il passé de si extraordinaire pendant ce congrès-là ?

— C'est là qu'est née l'idée que toutes les choses différentes qui existent sont en réalité une seule et même chose.

— Comment ça, une seule et même chose ? Que veux-tu dire par là ?

L'historien prit la photo des deux physiciens, tous deux coiffés d'un chapeau, Einstein portant moustache et pardessus, souriant, et Bohr tenant son pardessus plié sur le bras gauche, apparemment absorbé par la conversation. En réalité, la photo avait été prise par Ehrenfest à l'occasion du sixième congrès Solvay en 1930, mais elle illustrait parfaitement le grand duel engagé trois ans plus tôt par les deux géants.

Tomás fit un pas en arrière pour mieux apprécier le cliché. Il l'examina avec fascination et avec un sentiment mêlé d'admiration et de mélancolie, comme si sa contemplation lui permettait de voyager dans l'espace-temps et de se transporter à ces quelques jours de l'automne 1927, où se tint le cinquième congrès Solvay, au cours duquel débuta la grande confrontation entre les deux physiciens. Tout se déroula devant dix-sept prix Nobel, à l'Institut de physiologie du parc Léopold, à Bruxelles. Tous les grands étaient là. Tous. Max Planck, Albert Einstein, Marie Curie, Louis de Broglie, Erwin Schrödinger, Werner Heisenberg, Max Born, Paul Dirac, Wolfgang Pauli... Ils étaient la fine fleur de la physique du XXe siècle, il ne manquait personne.

Le regard perdu, Tomás résuma en une phrase le processus enclenché lors du cinquième congrès Solvay.

— L'univers est un.

XLVIII

Observant la situation depuis la pièce de survie, Peter ne quittait pas l'écran des yeux.

« Qui sont ces gens, se demanda-t-il, surpris. Qui a bien pu les envoyer ? »

La peur avait laissé place à la surprise. D'abord, il avait l'impression qu'ils parlaient russe et il s'était demandé s'il ne s'agissait pas d'un commando de l'agence russe d'espionnage qui avait succédé au KGB. Cependant, en les écoutant plus attentivement, il s'était ravisé. Serait-ce une autre langue slave, comme le bulgare ou le polonais ? Cela n'avait aucun sens, songea-t-il aussitôt, ne serait-ce que parce que ces pays étaient à présent alignés sur les États-Unis.

Et s'ils n'étaient pas slaves ? Il redoubla d'attention. Tout à coup il se souvint qu'il avait déjà entendu des sonorités similaires lors d'une mission effectuée des années plus tôt à Rio de Janeiro. Les deux intrus, comprit-il subitement, parlaient portugais.

— Ce n'est pas possible, murmura-t-il, stupéfié par cette découverte. Des Brésiliens ?

Les événements prenaient une tournure inattendue.

Après un moment de stupeur, Peter prit une décision. Il lui fallait tirer l'affaire au clair.

Son premier réflexe fut de saisir le téléphone pour appeler la police. Mais après avoir composé les deux premiers chiffres, il reposa le combiné. Tout bien considéré, il allait s'occuper lui-même de cette affaire. Bien que ce ne fût pas son métier, la formation qu'il avait reçue l'avait préparé à agir dans des conditions équivalentes et ce n'étaient pas deux voyous recrutés dans une *favela* qui allaient lui faire peur.

Il se dirigea vers l'armoire et ouvrit les portes. Deux fusils automatiques et divers pistolets de calibres différents s'y trouvaient. Il choisit un Smith & Wesson M&P40, le chargea et le logea dans le *holster* qu'il attacha autour de sa taille. Puis il accrocha deux paires de menottes en métal à sa ceinture. Enfin, il s'empara d'un fusil automatique M16, qu'il munit d'un chargeur et déverrouilla, prêt à faire feu.

Armé jusqu'aux dents, il pressa le bouton vert sur le mur. La porte s'ouvrit avec un bourdonnement et Peter franchit le seuil.

— À nous maintenant !

XLIX

Non sans une certaine admiration, Tomás reposa sur l'étagère le cliché d'Einstein et de Bohr pris au fameux congrès Solvay.

— L'univers est un ? s'étonna Marie Flor. Que veux-tu dire par là ?

L'historien fit un geste qui englobait le bureau et tout ce qui se trouvait au-delà.

— Que la diversité que nous voyons autour de nous n'est qu'une illusion, répondit-il. Même si elles semblent séparées par l'espace et le temps, les parti-cules sont entrelacées, liées les unes aux autres. Bien qu'elles nous paraissent différentes, les choses sont toutes les mêmes. Le cinquième congrès Solvay a constitué le point de départ de cette grande découverte scientifique que la plupart des gens méconnaissent.

La jeune femme ne se contenta pas de cette explication.

— Cela nous aide-t-il à comprendre l'énigme que le défunt directeur de la CIA nous a laissée ?

— Je pense que oui.

— Alors, que s'est-il passé de si important pendant ce congrès ?

Tomás tendit le bras et prit un livre sur l'étagère. Il s'agissait d'un ouvrage en allemand intitulé *Die Ableitung der Strahlungsgesetze*, dont Max Planck était l'auteur.

— Comme je te l'ai déjà dit à Lisbonne, la théorie quantique est née de l'étonnante explication que Max Planck a donnée, en 1900, de la radiation émise par les corps noirs. Dans ce qu'il décrivit plus tard comme un « acte désespéré » pour tenter d'expliquer l'inexplicable, Planck avança l'idée que les sources de lumière émettaient de l'énergie par paquets, ou *quanta*. Ce n'est qu'ainsi que l'on parvenait à expliquer les propriétés de la radiation, mais l'idée était si extravagante que personne ne la prit au sérieux. (Tomás montra un autre livre posé sur l'étagère, cette fois-ci d'Albert Einstein.) Personne, à l'exception de ce monsieur. En 1905, analysant l'effet photoélectrique, Einstein reprit l'idée de Planck, mais il la poussa plus loin, en affirmant que la lumière elle-même existait non de manière continue, mais sous forme de paquets de particules, les fameux *quanta*.

— Tu as déjà expliqué tout cela avant-hier, quand nous étions dans le laboratoire de la fondation.

— C'est vrai, admit-il. Mais je pensais qu'il était important de rappeler ces deux premières découvertes pour que tu comprennes ce que je vais te dire maintenant. Note qu'en parlant d'énergie et de paquets, ou *quanta*, Planck et Einstein ont créé sans s'en rendre compte la théorie quantique. Cela est d'autant plus ironique que tous deux sont morts en croyant que la réalité est différente de ce qui est décrit par la théorie qu'eux-mêmes avaient fondée.

Maria Flor hocha la tête.

— Qu'est-ce que tu insinues ? Ils ne croyaient pas en ce qu'ils avaient découvert ?

L'historien désigna la photographie d'Einstein et de Bohr marchant côte à côte.

— Ce n'est qu'à l'occasion du cinquième congrès Solvay, en 1927, que les véritables implications de leurs découvertes sont clairement apparues ! s'exclama-t-il. Einstein et Planck étaient des scientifiques classiques, en ce sens qu'ils étaient convaincus que la réalité est extérieure à nous, que le monde existe indépendamment de notre présence et que tout ce qui arrive a une cause spécifique et un fonctionnement déterministe, comme si l'univers était une espèce d'horloge géante où tout ce qui se produit a une origine et où la relation cause-effet est universelle. D'une certaine manière, ils ont eu l'intuition que l'hypothèse des *quanta* n'était pas conforme à la vision classique, mais ils n'imaginaient pas qu'elle allait provoquer une telle révolution.

— Et quand est-ce que les choses ont radicalement changé ?

— Cela s'est fait peu à peu. (Il montra l'image de l'homme qui marchait à côté d'Einstein dans une rue de Bruxelles.) Après qu'Einstein et Planck eurent enclenché le processus, ce monsieur est entré en action. Niels Bohr était danois. En 1912, il a fait un stage à Manchester avec Ernest Rutherford, le physicien qui, l'année précédente, avait découvert la structure planétaire des atomes. Il y avait cependant un problème que Rutherford ne parvenait pas à résoudre. Selon les équations classiques de Newton et de Maxwell, après avoir utilisé leur énergie, les électrons qui gravitaient autour du noyau de l'atome devaient obligatoirement s'écraser sur lui en un milliardième de seconde. Seulement, dans le monde réel, les choses ne se passaient pas ainsi. Comment expliquer ce mystère ? Bohr s'empara de la question et, faisant preuve d'une grande audace, il passa outre les équations de Newton et de Maxwell, ce qui à l'époque était impensable. S'inspirant de la théorie des *quanta*, il établit que les électrons ne pouvaient occuper qu'un nombre limité d'orbites et que, lorsqu'ils perdaient de l'énergie, ils passaient en sauts quantiques d'une orbite haute à une orbite plus basse jusqu'à atteindre une orbite minimale au-dessous de laquelle ils ne pouvaient pas descendre, ce qui expliquait qu'ils ne s'écrasaient pas sur le noyau de l'atome. Le physicien danois se livra à des calculs et à des prévisions que les expériences ultérieures confirmèrent intégralement, prouvant ainsi que le modèle était exact.

— C'est ainsi qu'on a expliqué la stabilité des atomes ?

— Tout à fait. Le problème, c'est qu'en expliquant cette énigme Bohr en a créé d'autres plus grandes encore. C'est à ce moment-là que certains physiciens ont commencé à être perturbés par la théorie quantique. Comment les électrons pouvaient-ils passer d'une orbite à une autre, ou d'un état énergétique à un autre, sans passer par les orbites ou les états intermédiaires ? Quelle était cette « bizarrerie » ?

Maria Flor rit.

— Je comprends qu'à l'époque on ait pu trouver ça curieux, remarqua-t-elle. Aujourd'hui encore ça semble étrange !

Après avoir posé le livre de Max Planck sur l'étagère, l'historien en retira deux autres : *Quantentheorie und Philosophie : Vorlesungen und Aufsätze*, de Werner Heisenberg, et *Geist und Materie*, d'Erwin Schrödinger.

— Les implications des découvertes de Bohr provoquèrent des dissensions parmi les physiciens. Comme rien de tout cela ne collait avec la théorie en vigueur, ils comprirent qu'il fallait élaborer une nouvelle théorie susceptible d'expliquer les observations expérimentales. Le défi fut relevé en 1925 par un disciple de Bohr, le jeune physicien allemand Werner Heisenberg. Retiré sur l'île allemande de Helgoland, il se concentra sur les fréquences des raies spectrales produites par les sauts quantiques des électrons. Au bout de quelques jours, il avait élaboré une mathématique des matrices fondée exclusivement sur les relations entre propriétés observables. Bénéficiant de l'aide de Max Born et de Pascual Jordan pour mener à bien ce travail, Heisenberg a ainsi créé la mécanique quantique, qui a permis de réaliser des prévisions rendant compte des observations qui étaient alors faites et pour lesquelles personne ne trouvait d'explication satisfaisante. C'est ainsi qu'a débuté la seconde révolution quantique.

Son amie désigna le second livre.

— Et quel fut le rôle de Schrödinger ?

— Schrödinger est entré en scène à peu près en même temps. Louis de Broglie s'était inspiré de la dualité onde-particule de la lumière pour suggérer que la matière pouvait elle aussi, tout comme la particule, être une onde. L'idée séduisit tout d'abord Einstein, puis Schrödinger, qui pensait que le concept d'onde permettrait d'éliminer l'aspect perturbateur des sauts quantiques préconisés par Bohr, étant donné que les ondes sont fluides et continues. Au cours d'une conférence sur la proposition faite par de Broglie, un physicien appelé Pieter Debye observa au passage qu'il y a normalement une onde pour décrire la physique ondulatoire. Entendant cela, Schrödinger pensa qu'il devait être possible d'élaborer une équation décrivant les ondes quantiques. S'attelant à la tâche, il développa la mécanique des ondes quantiques à la fin de 1925 et publia sa fameuse équation en 1926.

Maria Flor feuilleta le bloc-notes de son ami et indiqua le Ψ qu'il avait dessiné à Lisbonne.

— C'est cette équation qui aborde la fonction d'onde ?

— Exactement, confirma Tomás. Schrödinger a représenté la fonction d'onde avec le *psi*. Einstein l'a félicité et a commencé à s'enthousiasmer pour la mécanique ondulatoire de la fonction d'onde. Il se trouve que Schrödinger s'est rendu compte que son équation décrivait la même réalité que celle dont rendait compte la mécanique des matrices de Heisenberg. Ce fut un choc.

— Les deux mécaniques étaient donc identiques.

— Non, elles étaient différentes. Cependant, elles décrivaient la même réalité. Ce qui était déconcertant, c'est qu'elles abordaient des aspects apparemment contradictoires de la réalité. La mécanique de Heisenberg utilisait l'algèbre des matrices et décrivait des particules ; elle se caractérisait par les sauts quantiques, par l'interruption de causalité et par la discontinuité dans le monde atomique, tandis que la théorie de Schrödinger, qui recourait à la mécanique ondulatoire et décrivait des ondes, se caractérisait par une évolution fluide, par la causalité et par la continuité. Elles semblaient donc différentes, tant dans la forme que dans le fond. Cependant, toutes deux donnaient des réponses justes lorsqu'on les appliquait aux mêmes problèmes. Équivalentes sur le plan technique, elles présentaient la réalité physique différemment.

— C'est étrange, constata-t-elle. Comment pouvaient-elles être justes et présenter la réalité de manière si différente ? La réalité est continue ou discontinue, causale ou non causale, fluide ou procédant par sauts quantiques…

— … elle est onde ou particule.

Tomás sourit.

— La réponse réside dans l'expérience des deux fentes ?

— L'expérience des deux fentes recèle tout le mystère du monde quantique, confirma-t-il. En réalité, Schrödinger s'est aperçu que sa fonction d'onde posait un sérieux problème. Où était l'onde exactement ? Comme on le sait, les ondes ne se situent pas en un lieu unique. En général, il s'agit d'une perturbation qui transporte de l'énergie. Les ondes de la mer sont constituées de molécules d'eau, et les ondes du son de molécules d'air. Mais de quoi étaient constituées les ondes de lumière et celles de matière ? Schrödinger suggéra que la fonction d'onde d'un électron, par exemple, était liée à une distribution de charge électrique, une espèce de nuage qui voyage dans l'espace. Selon Schrödinger, la dualité onde-particule n'était qu'une illusion. Seule l'onde existait. Cependant, on a découvert que cette description violait la limite de la vitesse de la lumière. En outre, elle ne permettait pas d'appréhender des phénomènes tels que la loi de la radiation de Planck, l'effet photoélectrique et l'effet Compton, qui ne sont explicables que par l'existence de particules. Bref, on s'est vite rendu compte que cette hypothèse n'était pas bonne.

— Alors, quelle est la bonne réponse ? De quoi est faite l'onde quantique au bout du compte ?

— Ça, c'est un grand mystère, comme je te l'ai déjà expliqué à Lisbonne. Si la fonction d'onde ne représente pas des ondes réelles dans l'espace tridimensionnel, que représente-t-elle ? Aujourd'hui encore la question laisse perplexe. C'est Max Born, s'inspirant d'un concept proposé par Einstein, désigné « champ ondulatoire fantôme », qui a fourni la réponse la plus généralement acceptée. Selon lui, l'équation de Schrödinger traite d'ondes de probabilité. En somme, l'équation ne donne que des probabilités que la matière apparaisse en tel ou tel point de l'onde. La difficulté avec cette solution, c'est, évidemment, qu'elle met en cause l'existence réelle de l'onde et les relations de cause à effet déterministes. Pour compliquer encore les choses, Niels Bohr a peu après avancé l'hypothèse que, tant qu'une observation n'était pas faite, l'électron n'existait tout simplement pas. Entre deux mesures, un électron n'a pas d'existence en dehors des possibilités abstraites fournies par la fonction d'onde. Par conséquent, non seulement l'équation de Schrödinger ne règle pas la question des insupportables sauts quantiques que son auteur croyait avoir résolue, mais en plus l'onde n'a pas d'existence réelle !

La jeune femme rit.

— Je suppose que tout cela n'a pas dû plaire à Schrödinger…

— C'est le moins qu'on puisse dire ! Ces conclusions ont eu l'effet d'une véritable bombe ! Elles contredisaient catégoriquement les préceptes de la physique classique de Newton et allaient à l'encontre du bon sens. Pour aggraver encore les choses, quelques mois plus tard, en 1927, Heisenberg a formulé le principe d'incertitude, selon lequel il est impossible de déterminer de façon rigoureuse et simultanée la position et la vitesse d'une particule. Lorsqu'on calcule la vitesse exacte, la position n'existe littéralement pas, et vice versa. Il est impossible de prévoir les parcours passé et futur d'une particule, car, selon les propres termes de Heisenberg, « le parcours n'existe qu'à partir du moment où on l'observe ».

— Je refuse d'y croire. Ce qu'il a sans doute voulu dire, c'est que l'on ignore le parcours passé de la particule…

— Non, Flor. C'est plus que cela. Ce parcours n'existe pas, point. Tu comprends ce que Heisenberg a véritablement affirmé ? C'est l'observation qui donne une existence réelle au parcours de la particule.

Maria Flor ouvrit la bouche.

— Allons donc, il ne manquait plus que ça !

— La même année, Bohr a formulé le principe de complémentarité selon lequel un électron, la lumière ou tout autre objet quantique est particule ou onde en fonction de l'expérience qui est menée, mais n'est jamais les deux en même temps. En d'autres termes, la réalité est créée selon le type d'expérience que l'on décide de faire. « Le monde quantique n'existe pas, a affirmé

Bohr. Il n'existe qu'une description de la mécanique quantique abstraite. » Comme tu peux l'imaginer, une telle affirmation ne pouvait que choquer des scientifiques pour qui la réalité existe indépendamment de l'observation et qui étaient habitués à croire dans les relations déterministes de cause à effet. L'équation de Schrödinger, le principe d'incertitude de Heisenberg, le principe de complémentarité et les sauts quantiques des électrons dans le modèle atomique de Bohr ont bien failli provoquer des crises de nerfs chez nombre de physiciens.

Maria Flor indiqua la photographie d'Einstein et de Bohr.

— C'est alors que le duel a commencé...

— Exactement. Les plus grands physiciens du monde se sont réunis en octobre 1927, lors du cinquième congrès Solvay, pour discuter de ces découvertes perturbantes et de leur signification philosophique. Que signifie cette histoire d'électrons qui bondissent instantanément d'une orbite à l'autre, et qui sautent d'un état à un autre sans passer par des états intermédiaires ? Quelle sottise est donc ce principe d'incertitude selon lequel la position et la vitesse d'un objet quantique n'auraient pas d'existence réelle simultanée, lorsqu'on connaîtrait l'une, on ne pourrait pas connaître l'autre ? Et ce Schrödinger qui soutient, avec son équation, qu'un électron ou un atome peut être en plusieurs endroits en même temps, et qu'il n'apparaît en un endroit donné que selon certaines probabilités et non par nécessité déterministe ? Et quelle est cette onde fantôme qui joue un rôle dans cette équation ? Schrödinger était atterré par les implications inattendues de son équation et regrettait déjà de l'avoir formulée. Planck et de Broglie secouaient la tête, incrédules ; quant à Einstein… oh, Einstein était stupéfait. Au départ, il avait approuvé la notion d'onde et il était même allé jusqu'à envisager qu'elle pouvait éventuellement exister sous forme de « champ fantôme », mais il se méfiait de l'idée selon laquelle la nature était probabiliste et, surtout, il se refusait à croire que la réalité n'avait pas d'existence objective. Einstein, qui accusa Bohr et ses partisans d'éviter la réalité physique, écrivit : « Je ne peux accepter l'idée qu'un électron, exposé à un rayon de lumière, choisisse, de sa propre initiative, le moment où il va sauter et la direction dans laquelle il le fera. »

— En effet, l'idée selon laquelle un électron serait doté d'un libre arbitre est réellement étrange…

— Le libre arbitre de l'électron, c'est une façon de parler, bien sûr. Einstein ne partageait pas l'idée que les choses pouvaient se produire sans causalité déterministe et, en particulier, que la réalité n'avait pas d'existence objective et qu'elle dépendait de l'observation. Le fait est, cependant, que les expériences, le principe d'incertitude et l'équation de Schrödinger montrent que les choses ne se produisent pas par nécessité déterministe, mais de façon probabiliste, que la réalité est par essence aléatoire et que sa nature dépend de la manière dont elle est observée. En résumé, les tenants de ces deux positions, la classique et la quantique, se sont affrontés lors du cinquième congrès Solvay, ce qui a provoqué une scission profonde et irréversible dans le monde de la physique.

— Cela a dû être une sacrée bataille rangée ! Quelles étaient les lignes de force ?

— Dans un camp, il y avait les physiciens classiques, des scientifiques reconnus qui pensaient que la réalité existe indépendamment de l'observation et que tout a un comportement déterministe de cause à effet. Ce groupe rassemblait Planck, Schrödinger et de Broglie, avec Einstein à sa tête. De l'autre côté de la barricade, on trouvait la nouvelle génération de physiciens quantiques, selon lesquels l'observation crée partiellement la réalité et le comportement de la matière n'est pas déterministe, mais intrinsèquement probabiliste. Les partisans de cette idée incroyable se recrutaient surtout parmi les physiciens les plus jeunes, tels Heisenberg et Pauli, dirigés par Bohr et soutenus par l'un des plus vieux, Born.

— C'est alors que s'est déroulé le duel dont tu parlais tout à l'heure…

— Précisément, acquiesça Tomás, en replaçant les livres sur l'étagère. Tous deux se sont engagés dans une longue discussion sur la nature de la réalité. Les tirs de semonce ont eu lieu lorsque Born et Heisenberg ont conclu leur présentation en affirmant, de manière volontairement provocante, que la mécanique quantique était une théorie close. Cela revenait à dire que la théorie était complète et que, selon eux, aucune découverte future ne viendrait en bouleverser les éléments fondamentaux. En entendant cela, Einstein a éclaté de rire. Interrogé par Ehrenfest, il lui a confié : « Je ris de leur ingénuité. » Les hostilités étaient ouvertes. Einstein demeura silencieux pendant les sessions officielles. Il ne brisa le silence que pour aller au tableau dessiner un croquis de l'expérience des fentes et attirer l'attention sur le fait que, si la fonction d'onde se répandait dans l'espace et s'effondrait instantanément lorsqu'on l'observait, cela signifiait que lorsqu'elles se formaient sur l'écran les particules violaient la limite de la vitesse de la lumière. Il retourna ensuite à son mutisme pendant les sessions suivantes et ne l'interrompit qu'une fois pour poser une question. Les jours suivants, il prenait son petit déjeuner avec ses collègues, à l'hôtel Métropole, et leur soumettait des problèmes qui visaient à démontrer que la théorie quantique était non seulement incomplète – ce qui contredisait la déclaration initiale de Heisenberg et de Born – mais aussi incohérente et erronée. Bohr l'écouta avec attention, puis au dîner, après en avoir débattu tout au long de la journée, en privé, avec Heisenberg, Born et Pauli, il apporta une solution détaillée à ces problèmes. Ce débat, lancé à Bruxelles lors de ce congrès, se prolongea pendant quelques années.

— Mais de quoi discutaient-ils exactement ?

— La position de fond d'Einstein était que le monde existe indépendamment de nous et que tout est lié par une relation de cause à effet. Si le principe d'incertitude et les expériences montrent que la réalité n'a pas d'existence objective, cela n'est pas dû au fait que la réalité soit effectivement créée par l'observation, mais au fait que les instruments d'observation nuisent à l'observation elle-même, ou bien que certaines variables, qui pourraient expliquer l'étrange comportement de la matière, n'aient pas encore été découvertes. Quant à l'onde de probabilité de l'équation de Schrödinger, elle résulte de la limitation de nos connaissances. La matière n'apparaît pas en un point donné de l'onde de façon spontanée et aléatoire, mais parce que quelque chose l'a obligée à surgir à cet endroit, et le fait qu'on en ignore la cause n'empêche pas celle-ci d'exister. Le comportement probabiliste n'est qu'une illusion découlant de notre incapacité à voir les relations de cause à effet au niveau microscopique. Mais la réalité n'est pas probabiliste, elle est déterministe, car « Dieu ne joue pas aux dés »...

— Ça tient debout...

— Certes, mais j'insiste sur le fait que ce n'est pas ce que nous disent l'équation de Schrödinger et le principe d'incertitude, ni ce que révèlent les expériences, comme j'ai essayé de te le montrer à Lisbonne avec l'expérience des deux fentes. Je souligne une fois de plus que, lorsque les expériences et les calculs mathématiques contredisent le bon sens et notre intuition, l'expérience et les mathématiques l'emportent toujours, comme ce fut le cas avec Copernic qui soutenait que la Terre tournait autour du Soleil et non l'inverse. C'est pour cela que Bohr, entendant Einstein dire que Dieu ne jouait pas aux dés, a répondu : « Einstein, cessez de dire à Dieu ce qu'il doit faire ou ne pas faire ! » Ce que Bohr voulait dire, c'est que la réalité est ce qu'elle est, et non l'idée que nous nous en faisons. Les calculs mathématiques et les expériences montrent que l'observation crée partiellement la réalité, que les particules procèdent par sauts quantiques sans passer par des états intermédiaires, lesquels n'existent peut-être même pas, et occupent divers états et positions en même temps, et que la matière modifie son état ou sa position de façon réellement spontanée et imprévisible, sans qu'une cause déterministe le justifie, son comportement ne pouvant donc être prévu qu'en termes de probabilités. Cela n'est pas dû aux limitations de nos observations, mais au fait que la réalité est vraiment aléatoire. Si nous ne voyons pas la cause déterministe de certains événements quantiques, ce n'est pas parce que nous ne la connaissons pas, mais tout simplement parce qu'elle n'existe pas. Les particules peuvent faire des sauts quantiques sans y être contraintes par une quelconque cause déterministe. Pire encore, la réalité n'existe pas sans observation. De la même manière que Bohr a déclaré que « le monde quantique n'existe pas » et qu'« une réalité indépendante au sens physique commun ne peut être attribuée au phénomène ni au dispositif d'observation », Heisenberg a expliqué que « les atomes ou les particules élémentaires ne sont pas réels ; ils forment un monde de potentialités ou de possibilités », et Pascual Jordan a ajouté que l'observation ne se limite pas à perturber l'objet quantique qui est mesuré ; l'observation *crée* cet objet. Tout cela a conduit Bohr à conclure : « Si on n'est pas choqué par la physique quantique c'est qu'on ne l'a pas véritablement comprise. Lorsqu'on la comprend, on ne peut qu'être terrifié. »

— Ce sont réellement des points de vue irréconciliables, reconnut Maria Flor. Quel fut le dénouement du débat ?

Une fois de plus, Tomás porta son regard sur la photographie d'Einstein et de Bohr.

— Devine lequel des deux a gagné ?

L

Toujours prudent, Peter laissa la porte de la pièce de survie ouverte, même s'il semblait évident qu'un retour serait impossible. Son fusil automatique à la main, il parcourut le couloir à pas lents, attentif au moindre bruit. Après avoir dépassé le premier angle, il s'arrêta afin de laisser ses yeux s'habituer à l'obscurité. Au bout de quelques instants, il commença à distinguer les formes. Reprenant confiance, il progressa lentement vers le bureau.

Comme il s'y attendait, la porte était ouverte et la lumière allumée. Son cœur se serra. C'était une chose de voir les intrus sur l'écran de surveillance, mais c'en était une autre d'être là, à quelques mètres d'eux. Il devait maintenant faire face à la réalité. Collé au mur, il s'approcha de la porte et entendit les premiers sons s'échappant du bureau. Il aurait aimé pouvoir suivre la conversation, mais il ne parlait pas un mot de portugais.

Il était temps de passer à l'action.

Il se concentrerait d'abord sur l'homme, qui lui paraissait plus dangereux et devait être immédiatement neutralisé. Si l'un d'eux résistait, il n'hésiterait pas. Il l'abattrait d'une balle dans la tête.

Il déverrouilla le M16 et mit le doigt sur la détente. Sa formation de combattant reprenait le dessus.

LI

Intrigué, Tomás examinait encore la photographie d'Einstein et de Bohr. Rien ne laissait supposer que les deux scientifiques se livraient alors à un duel sans merci sur la nature la plus profonde de la réalité. Corpulent, la moustache sombre et fournie, Einstein paraissait détendu, tandis que le petit Danois, grave et absorbé par la conversation, semblait presque devoir courir pour ne pas se laisser distancer par son compagnon et adversaire.

— Qui a remporté le duel ?

Tomás savait qu'il y avait une réponse claire à la question de Maria Flor, mais il préféra la garder pour plus tard, lorsqu'elle aurait toutes les cartes en mains pour la comprendre.

— Il faut que tu saches que, pour la grande majorité des physiciens, la question fut réglée d'une manière simple. La théorie quantique n'a effectivement pas grand sens, elle est absurde et choquante, mais le fait est que tous ses calculs rendent correctement compte de la réalité. C'est pourquoi de nombreux physiciens décidèrent que la meilleure attitude à adopter était de faire les calculs et d'ignorer leur signification. Tel calcul montre qu'une particule se trouve en deux cents endroits en même temps ? Le principe de complémentarité démontre qu'un électron peut être particule ou onde en fonction de la manière dont l'observateur décide de le détecter ? La mécanique quantique établit qu'une particule n'a pas d'existence réelle si elle n'est pas observée ? Soit ! Ne tenons pas compte de ces implications invraisemblables et effectuons quand même les calculs. Faisons comme si tout était normal. Ne nous préoccupons pas de la signification déconcertante de ces calculs et de ces expériences, et tout ira bien. Si un physicien débutant nous dit que tel résultat est impossible, car cela signifierait que l'électron est passé par tous les chemins à la fois, ou des choses de ce genre, nous n'avons qu'à lui répondre : « Tais-toi et calcule ! » Du moment qu'il n'y a pas d'erreur, nous ne nous intéresserons pas aux curieuses implications des calculs et des expériences.

— Einstein a également adopté cette position ?

Tomás secoua la tête.

— Tout comme Schrödinger, Einstein a refusé d'ignorer les profondes implications philosophiques de la théorie quantique. Ce qui le perturbait le plus à cet égard, c'était l'idée que le réel n'existait pas s'il n'était pas observé. Il refusait, purement et simplement, de l'admettre. Il considérait que le monde était déterministe, que la réalité avait une existence objective et que les choses ne se produisaient pas spontanément ou de façon probabiliste. Si la théorie quantique affirmait que la réalité était casuelle, et non causale, et qu'elle n'existait que si elle était observée, c'était parce que cette théorie était incomplète, et qu'un jour on ferait une découverte qui démontrerait que l'univers microscopique existe indépendamment de l'observation et que la réalité est guidée par des relations déterministes de cause à effet. Bohr, pour sa part, soutenait que la théorie quantique était cohérente, tandis que Heisenberg et Born allaient jusqu'à proclamer qu'elle était close et complète. La contingence n'est pas due aux limitations de nos connaissances, fit valoir Bohr, mais à la nature plus profonde de la réalité elle-même. Le duel entre les deux commença avec le cinquième congrès Solvay et il se prolongea pendant de nombreuses années. Pour tenter de sortir de l'impasse, Einstein présenta une série de problèmes et d'exemples censés montrer, selon lui, que la théorie quantique était erronée ou, pour utiliser une expression moins agressive, incohérente, mais Bohr les résolut un par un.

— Ils parvinrent à une conclusion ?

— Bohr finit par convaincre Einstein que la théorie quantique était cohérente, de sorte qu'à partir de 1930 ce dernier en vint à reconnaître que la nouvelle théorie présentait la vérité. (Tomás leva le doigt comme pour nuancer son propos.) Mais une partie de la vérité seulement. En réalité, Einstein persista à croire que la théorie quantique, bien que vraie et cohérente, demeurait incomplète, car il fallait encore découvrir des variables susceptibles d'en expliquer les « bizarreries ». L'épreuve de vérité se produisit en 1935, année où Einstein soumit à Bohr son dernier problème, qui était aussi le plus important. Avec deux autres physiciens, Podolsky et Rosen, il conçut ce que l'on appelle aujourd'hui « le paradoxe EPR », les initiales de ses trois auteurs. Ce problème, qui en dernière instance était imaginé pour démontrer qu'une particule pouvait exister sans être observée, se fondait sur une propriété jusqu'alors peu connue de la physique quantique, à savoir qu'une particule influence instantanément une autre particule avec laquelle elle est en relation, quelle que soit la distance à laquelle elles se trouvent l'une de l'autre.

— Instantanément ? s'étonna son amie. C'est impossible ! Si une particule est ici, sur terre, et la deuxième à l'autre bout de la Voie lactée, elles ne peuvent pas s'influencer instantanément. Même à la vitesse de la lumière, il faudrait des milliers et des milliers d'années pour que l'information arrive à destination ; l'influence ne peut donc pas être instantanée. Il faut tenir compte de la limite de la vitesse de la lumière.

— C'était justement l'argument d'Einstein. L'une des conséquences de la théorie quantique est que les particules reliées s'influencent en même temps, indépendamment de la distance à laquelle elles se trouvent l'une de l'autre, violant ainsi apparemment la limite de la vitesse de la lumière. Einstein a placé Bohr face à un dilemme : soit les particules étaient créées par l'observation et elles avaient un comportement qui violait la limite de la vitesse de la lumière et celle de la causalité locale, soit elles existaient avant l'observation et la théorie quantique était dès lors incomplète. Il lui semblait que le paradoxe confirmait la seconde hypothèse, car la première n'avait aucun sens et était à ce point absurde qu'il l'appela *spukhafte Fernwirkung*, c'est-à-dire « action fantôme à distance ».

— Et il avait raison.

— Ce n'est pas ce qu'a répondu son adversaire. Confronté à ce paradoxe, Bohr a fini par considérer que l'observation définissait ontologiquement une particule et que l'influence entre particules était de fait instantanée. L'observation d'une particule entraînait l'effondrement non seulement de sa fonction d'onde, mais aussi et au même moment de celle de l'autre particule à laquelle elle était reliée, quelle que fût la distance qui les séparait, dans la mesure où les objets quantiques en cause étaient indivisibles. Partant, la théorie quantique n'était pas incomplète.

— Mais c'est impossible ! insista Maria Flor. Si la théorie quantique prévoit une telle chose, elle est de toute évidence incomplète ! Einstein avait raison.

Le ton convaincu sur lequel elle prononça ces paroles suscita une légère hésitation chez Tomás. Devrait-il mener l'explication à son terme ? Pourquoi pas ?

— Le paradoxe EPR soulevait un vrai problème et Einstein s'est gentiment moqué de la réponse de Bohr, en disant que la communication instantanée entre particules devait se faire par « télépathie ». Il pensait que la communauté scientifique allait enfin se ranger derrière lui dans ce débat. Ce ne fut pourtant pas le cas. Après le cinquième congrès Solvay, les physiciens parvinrent à la conclusion que Bohr et ses partisans, à l'origine de ce qu'il est convenu d'appeler l'interprétation de Copenhague, avaient raison, et ce essentiellement parce que tout ce qu'ils disaient était confirmé par des expériences successives.

— Et les « bizarreries » quantiques, alors ? Elles ne dérangeaient personne ?

— Bien sûr que si. Comme je te l'ai déjà expliqué,

de nombreux physiciens avaient décidé d'ignorer les conséquences philosophiques de ces « bizarreries ». La théorie quantique partait du principe que la matière n'avait pas d'existence réelle avant et après l'observation, que c'était donc la conscience qui créait en partie la réalité et qu'un électron pouvait très bien se trouver en plusieurs endroits en même temps ? Eh bien, de nombreux scientifiques ont pris le parti d'ignorer purement et simplement ces « bizarreries », en alléguant que la conscience ne relève pas de la physique, et ils se sont contentés d'utiliser l'équation de Schrödinger pour faire des calculs. Pour surmonter un problème qu'ils ne pouvaient éliminer, ils l'ont poussé sous le tapis. Ainsi, ne le voyant pas, ils pouvaient feindre qu'il n'existait pas. Un physicien qui oserait aborder le sujet et voudrait comprendre les « bizarreries » du monde quantique prendrait le risque d'être regardé de travers par ses collègues et, pire encore, par ses supérieurs hiérarchiques. Moins on penserait aux mystères cachés sous le tapis, mieux ce serait.

— Une telle attitude ne me paraît pas très scientifique… répondit Maria Flor.

L'historien fit quelques pas et se dirigea vers l'une des photos encadrées sur laquelle Frank Bellamy était attablé en joyeuse compagnie, avec Richard Feynman et John Bell.

— Les physiciens étaient déconcertés par les implications philosophiques des « bizarreries » quantiques et par le rôle de l'observation dans la création de la réalité, c'est pourquoi ils préférèrent se concentrer sur les calculs et ignorer tout le reste. (Il désigna l'un des physiciens assis à côté de Bellamy.) L'exception fut cet Irlandais : John Bell. Il travaillait au CERN et, un jour de 1965, alors qu'il avait pris une année de congé sabbatique et se trouvait donc à l'abri de la pression inhibante et de la censure de ses collègues, il décida d'examiner les fondements de la théorie quantique. Il pensait qu'Einstein avait raison dans ce débat et que la réalité existait indépendamment de l'observation, mais il savait aussi qu'il n'existait aucune preuve en sa faveur. En effet, le paradoxe EPR montrait bien selon lui que la physique quantique était incomplète, mais ce n'était qu'une hypothèse théorique qui n'avait jamais été testée. Bell fut le physicien qui conçut ce test, une expérience réelle qui pouvait être réalisée dans un laboratoire et qui fut théorisée sous l'appellation des « théorèmes de Bell ».

— Cette expérience a été effectuée ?

— Bien sûr, et à plusieurs reprises. Se fondant sur une idée de David Bohm, concernant l'existence de « variables cachées » qui expliqueraient les « bizarreries » quantiques, Bell conçut une manière de tester l'EPR. Si les expériences révélaient l'existence de ces variables cachées, alors la réalité existait indépendamment de l'observation et il ne pouvait y avoir d'influences instantanées susceptibles de violer la limite de la vitesse de la lumière, ce qui permettrait de démontrer qu'Einstein avait raison et que Bohr avait tort. En revanche, si les variables cachées n'existaient pas, la théorie quantique était juste et Einstein s'était trompé. La première expérience fut menée à bien par John Clauser en 1972 et perfectionnée en 1974 et en 1976. Puis, en 1982, une expérience encore plus élaborée et absolument incontestable fut réalisée par Alain

Aspect à l'université Paris-Sud, dont les résultats furent confirmés par d'autres laboratoires au cours des années qui suivirent.

— Et… ?

Tomás avait attisé la curiosité de Maria Flor et, la voyant si avide de réponses, prit malicieusement son temps avant de reprendre ses explications.

— Les expériences ont prouvé qu'il n'y avait pas de variables cachées. Bohr avait raison et Einstein s'était trompé.

Son amie porta la main à la bouche.

— Mon Dieu !

— Comme tu peux l'imaginer, le retentissement de ces expériences fut considérable, dans la mesure où deux prémisses essentielles étaient en cause : la réalité existe indépendamment de l'observation, d'une part ; il n'y a pas d'influences instantanées qui violent la limite de la vitesse de la lumière, d'autre part. Les expériences ont prouvé que l'une des deux prémisses voire les deux étaient erronées. La plupart des physiciens étant intimement convaincus, pour des raisons philosophiques, que la réalité existe indépendamment de l'observation, et ce malgré tout ce que démontre la théorie quantique, ils choisirent le moindre mal et décidèrent que la prémisse erronée devait être l'autre, celle de la limite de la vitesse de la lumière. En d'autres termes, quelle que soit la distance à laquelle se trouvent deux particules intriquées, même si l'une d'elles est à un bout de l'univers et l'autre à l'autre bout, elles s'influencent instantanément.

— Mais… qu'en est-il de la limite de la vitesse de la lumière ?

— Il faut croire qu'elle se maintient.

— Tu sais pertinemment que, selon les théories de la relativité, rien ne peut se déplacer plus vite que la lumière, sous peine de voir la masse grandir infiniment, ce qui est impossible. Cela signifie que l'information d'une particule ne peut parvenir instantanément à l'autre particule, il faut du temps pour que l'information aille d'un endroit à l'autre. Cependant, tu viens de me dire que ces particules s'influencent instantanément, quelle que soit la distance qui les sépare. Comment est-ce compatible avec la limite de la vitesse de la lumière ?

Tomás haussa les épaules en signe d'impuissance.

— C'est un mystère, admit-il. Mais le fait est que les expériences d'Aspect prouvent que la réalité n'existe pas sans observation ou, selon une formulation différente que la majorité des physiciens préfèrent, que toute particule qui interagit avec une autre est à jamais liée à elle, toutes deux s'influençant mutuellement et instantanément quelle que soit la distance à laquelle elles se trouvent l'une de l'autre.

La jeune femme semblait désorientée. Ce qu'elle venait d'entendre contredisait tout ce qu'elle avait appris à l'école sur l'univers et son fonctionnement.

— Comment est-ce possible ?

— Apparemment, les deux particules ne sont pas en communication l'une avec l'autre dans le sens où elles échangeraient des informations. Les choses sont plus subtiles et plus troublantes encore : elles ne peuvent être considérées comme des objets indépendants.

— Mais ce sont *deux* particules…

— Il serait sans doute plus exact de dire qu'il s'agit de la même particule en deux points différents.

Schrödinger a qualifié d'*entanglement*, c'est-à-dire d'« intrication », cette propriété mystérieuse de l'univers quantique. Cela signifie que l'univers est enchevêtré dans une toile de liens invisibles entre ses particules, qui sont de ce fait indivisibles. Tu comprends la signification ultime de cette incroyable découverte ?

Maria Flor semblait en transe. La révélation concernant la preuve de l'intrication de l'univers n'était pas facile à avaler.

— L'univers est un.

— L'univers semble constitué d'une infinité de choses différentes, mais en réalité c'est un tout unique, confirma Tomás. Nous vivons avec la sensation que nous sommes séparés les uns des autres et de tout ce qui nous entoure, de l'herbe du jardin aux étoiles les plus lointaines, mais c'est une illusion. Tout est lié, tout est intriqué, tout est la même chose sous des apparences différentes. De fait, l'univers est un, la diversité cache l'homogénéité, la multiplicité occulte l'indivisibilité.

Maria Flor secoua la tête, comme pour se débarrasser de la torpeur qui s'était emparée d'elle.

— C'est… ahurissant, balbutia-t-elle. Le plus important, c'est que ces découvertes mettent en cause non seulement la nature du réel, mais aussi ce que nous sommes réellement. Si les atomes sont reliés les uns aux autres, indépendamment de la distance, et si nous sommes tous constitués d'atomes, cela signifie que nous sommes tous reliés les uns aux autres. Mais ce n'est pas ce que nous ressentons, tu es d'accord ? Si, par exemple, j'ai tout à coup mal au ventre, ici, à Washington, ma mère, qui se trouve à Cernache do

Bonjardim, ne ressentira pas cette douleur. Comment cela s'explique-t-il ?

— C'est un grand mystère. Einstein a toujours insisté sur le fait que l'univers ne pouvait pas fonctionner selon des lois différenciées, celles de la physique quantique indéterministe et aléatoire à l'échelle microscopique, et celles de la physique classique déterministe et objective à l'échelle macroscopique. Le rêve de nombreux physiciens a donc été d'unifier les théories et d'élaborer ce qu'ils ont appelé une « théorie du tout ». On ne conçoit pas, en effet, comment les atomes peuvent obéir à certaines lois, et nous, qui sommes faits d'atomes, être régis par d'autres lois. La théorie du tout, qui unifierait l'univers macroscopique et l'univers quantique, est le Saint-Graal de la physique. Jusqu'à présent, cependant, personne n'est parvenu à élaborer une telle théorie.

— Ah, je commence à comprendre. Cette théorie du tout mettrait fin à la théorie quantique et résoudrait ainsi toutes ces « bizarreries » qui...

— Absolument pas, coupa Tomás. S'il y a bien quelque chose dont les physiciens ne doutent pas aujourd'hui, c'est que la théorie quantique, si étrange que cela puisse paraître, est le fondement le plus solide de la physique. Si la théorie du tout devait éliminer une théorie, ce ne serait certainement pas la théorie quantique, mais la théorie classique. Cela ne fait aucun doute. Des milliers d'expériences ont déjà été réalisées pour tester les projections de la théorie quantique et, à ce jour, aucune n'a échoué. D'ailleurs, on a découvert que...

— Mains en l'air, cria soudainement une voix. Que personne ne bouge !

Effrayés, Tomás et Maria Flor se retournèrent et découvrirent un homme maigre et barbu, aux cheveux blonds et lisses, qui pointait sur eux un fusil automatique.

LII

Revenant de la réunion qu'il avait tenue en fin de soirée sur l'attentat de Tripoli, Harry Fuchs entra dans son bureau, où il était venu chercher le dossier consacré à Tomás Noronha. Il en ressortit aussitôt, traversa le couloir et se rendit dans la petite salle où l'attendait son meilleur agent.

— Major Fuentes, dit-il en refermant la porte. Vous avez tardé à venir…

En voyant entrer le chef du Service national clandestin de la CIA, l'agent, en bon militaire, se leva d'un bond et claqua les talons.

— J'étais en transit, monsieur. Je rentrais d'une opération au Yémen lorsque…

— Je sais, je sais, coupa Fuchs. Asseyez-vous, j'ai à vous parler.

Il désigna un fauteuil à côté de l'immense baie vitrée. Dehors il faisait nuit. Cela faisait un certain temps que Fuchs n'avait pas vu l'agent Fuentes. Le plus souvent, il lui transmettait ses ordres par téléphone ou par des intermédiaires. Il saisit cette occasion pour l'examiner plus attentivement. Le major était un homme athlétique, d'une quarantaine d'années. Son visage, aux origines aztèques, ses cheveux coupés en brosse et son regard sombre lui donnaient l'apparence de ceux pour qui tuer est un acte routinier. Fuchs savait que les tests psychologiques avaient révélé que son subordonné était psychopathe, ce qui faisait de lui l'homme de main idéal pour le genre de mission que lui confiait la CIA. N'était-ce pas lui qui, le mois précédent, était entré dans la maison d'un chef tribal dans la région de Kandahar et avait tué toutes les personnes qui s'y trouvaient, y compris les enfants ?

— Je suppose que vous voulez me parler de Tripoli ? demanda Fuentes, gêné par le regard inquisiteur de son chef et par le silence qui s'était installé. On a déjà réussi à identifier les auteurs ?

Fuchs secoua la tête.

— Votre prochaine mission n'a rien à voir avec Tripoli, mais avec Genève. Je suppose que vous savez que le chef de la Direction de la science et de la technologie a été assassiné au CERN…

— Oui, monsieur.

Le directeur lui tendit un dossier.

— Dans ce dossier, vous trouverez tous les éléments concernant l'assassin de Bellamy. Son nom est Tomás Noronha, c'est un historien portugais qui est consultant pour une fondation à Lisbonne.

Le major consulta sa montre.

— Il n'y a que des vols de nuit pour l'Europe, observat-il. Je vais demander que l'on me prenne un billet et, si c'est possible, je m'envole dès ce soir pour Lisbonne.

— L'assassin de Bellamy se trouve ici, à Washington.

L'agent dévisagea son interlocuteur, surpris.

— Ici ?

— C'est exact.

— Mais… vous l'avez déjà fait arrêter ?

— Négatif. Malheureusement, l'homme est en liberté. Il faut que vous le localisiez le plus vite possible et…

— Mais nous ne sommes pas habilités à agir sur le territoire national, monsieur, rappela Fuentes. Ça ne relève pas plutôt du FBI ?

Fuchs tapa du poing sur la petite table qui les séparait.

— Que le FBI aille se faire foutre ! éructa-t-il, gagné par son irritabilité légendaire. Ce salaud a assassiné l'un de nos directeurs et vous venez me dire qu'on doit confier l'affaire à ces branleurs du FBI ? Depuis quand les fédéraux lavent-ils le linge sale de l'Agence ? Cet enfoiré a tué Bellamy et nous lui ferons payer, vous entendez ? Je me contrefous de savoir si celui qui a osé toucher l'un des nôtres est en Amérique ou à l'étranger ! Est-ce que je me suis bien fait comprendre ?

— Parfaitement, monsieur.

Le directeur inspira profondément et, ayant retrouvé son calme, indiqua le dossier.

— Étudiez-moi ça attentivement. Vous y trouverez le formulaire d'entrée de ce salaud à l'aéroport de Dulles, ainsi que celui de la nana qui l'accompagne. Vous trouverez également le relevé d'un retrait bancaire, le reçu correspondant aux deux ordinateurs portables qu'il a achetés et le compte rendu d'une tentative de piratage de notre système informatique, dont ce salopard est vraisemblablement l'auteur. On a déjà inspecté tous les hôtels, pensions et auberges des alentours, mais aucune trace de nos tourtereaux. Vous devez les retrouver. Si vous avez besoin d'aide, je peux vous adjoindre Don Snyder. Cependant, comme il s'agit d'une opération sur le sol américain, que nous ne sommes donc pas habilités à mener, il me semble plus judicieux de ne pas le mêler à ça. Évitons les risques de fuites et de problèmes avec les fédéraux et le Congrès.

— Je comprends.

Fuchs leva le doigt pour souligner l'importance de ce qu'il s'apprêtait à dire.

— À aucun moment on ne doit soupçonner l'Agence d'être impliquée dans cette opération. Arrangez-vous pour qu'on ait l'impression que ce fils de pute meurt accidentellement noyé dans le Potomac ou qu'un trafiquant de drogue lui règle son compte.

— Il s'agit donc de l'éliminer…

— Pas exactement. Avant, il faut lui faire cracher tout ce qu'il sait sur l'*Œil quantique*, l'un des projets secrets de Bellamy. Tous les détails sont dans le dossier. Lisez-le attentivement. Il va de soi que tout est confidentiel.

Le major Fuentes posa quelques instants son regard sombre sur le dossier avant de lever les yeux vers son supérieur.

— Alors, quels sont mes ordres ?

Harry Fuchs se leva difficilement de son siège et ajusta son pantalon, se préparant à mettre un terme à l'entretien.

— Localisez-le et torturez-le sans pitié jusqu'à obtenir l'information. Ensuite, liquidez-le. (Il commençait à s'éloigner, mais il s'arrêta subitement.) Autre chose, je ne veux pas de témoins. Toute personne ayant connaissance de l'implication de l'Agence dans cette opération devra être supprimée.

L'agent se leva aussi et, tel un automate, salua Fuchs.

— À vos ordres, monsieur.

LIII

Resté sur le pas de la porte, l'homme qui tenait le fusil automatique forçait au respect.

— Qui êtes-vous ?

Effrayés, Tomás et Maria Flor avaient levé les bras. L'homme armé était apparu tout à coup, comme surgi de nulle part.

— Qui êtes-vous ? répéta l'inconnu, menaçant. Que faites-vous ici ?

— Nous… essayons de trouver des pistes, bégaya l'historien, tout en cherchant mentalement une tactique de défense. Nous ne sommes pas des voleurs.

— Des pistes… quelles pistes ?

Tomás comprit qu'il lui serait difficile d'échafauder des plans alors qu'il ne savait rien de la personne qui se trouvait en face de lui.

— Nous essayons de recueillir des renseignements qui nous permettraient d'identifier le ou les auteurs de l'assassinat du propriétaire de cet appartement, finit-il par révéler. Et vous, monsieur ? Qui êtes-vous ?

— Ici, c'est moi qui pose les questions, répondit

sèchement l'inconnu. Ne me forcez pas à répéter. Et pas de baratin, c'est compris ?

— Je m'appelle Tomás Noronha, je suis historien à Lisbonne.

— Et moi je suis Maria Flor Sequeira, directrice d'un... je suis administratrice.

L'homme armé gardait les yeux rivés sur Tomás.

— Noronha ? murmura-t-il. L'assassin m'est tombé dans les bras !

— Je ne suis pas un assassin, rétorqua Tomás le plus calmement possible.

— Ce n'est pas ce que dit le dossier de l'Agence. Vous y êtes désigné comme l'assassin de Bellamy. Ce que je veux savoir, c'est de qui vous tenez vos ordres.

Première piste, nota Tomás. L'homme devant lui avait eu accès au dossier de la CIA. Il s'agissait très probablement d'un agent qui devait surveiller l'appartement en attendant que quelqu'un s'y introduise. Si tel était le cas, ils étaient perdus.

— Mon implication dans cette affaire est un regrettable malentendu.

— Foutaises !

— Je vous assure que je n'ai rien à voir avec la mort de Bellamy !

— Ah non ? Alors peut-on savoir ce que vous faites ici ?

— Je cherche à prouver mon innocence. La CIA a tenté de m'abattre au Portugal et je ne sortirai vivant de cette histoire que si j'arrive à tirer au clair ce qui s'est passé à Genève. C'est pour ça que je... que nous sommes venus à Washington.

L'homme armé se tourna vers Maria Flor.

— Et vous, qui êtes-vous ?

— C'est moi qui l'ai entraînée dans cette histoire, intervint l'historien, dans l'espoir de la protéger. Elle n'a rien à voir avec ça, elle ne sait…

— Taisez-vous ! interrompit l'inconnu. (Il saisit les menottes qui pendaient de sa ceinture et les lança dans la direction de Tomás.) Attachez-vous à la grille de cette fenêtre.

L'historien obéit. L'inconnu s'approcha de lui pour vérifier qu'il était bien attaché. Puis il se tourna vers Maria Flor et lui montra une porte discrète à côté du bureau.

— Venez par là, ordonna-t-il. J'ai des questions à vous poser.

Maria Flor s'avança et ouvrit la porte. De l'autre côté se trouvait une sorte de débarras à l'odeur de renfermé. Elle sentit le canon du M16 se coller dans son dos et la pousser vers l'intérieur.

Terrorisée, Maria Flor parvenait à peine à regarder son ravisseur. Elle répondait aux questions par de courtes phrases sans réfléchir. Elle avait l'impression de vivre un cauchemar, que sa conscience s'était détachée de son corps et l'observait en train de parler, comme l'avait raconté la mère de Tomás quelques jours auparavant.

— C'est tout, entendit-elle, comme si elle venait de se réveiller. Il ne me reste plus qu'à vérifier tout cela.

« C'est tout ? », s'étonna-t-elle. L'homme semblait satisfait des réponses qu'il avait entendues ; peut-être la CIA l'avait-il formé pour jauger les gens et discerner les mensonges de la vérité ?

— Et maintenant ? demanda-t-elle, paralysée par l'angoisse. Que va-t-il nous arriver ?

L'homme de la CIA saisit la deuxième paire de menottes.

— Vous allez rester bien sage.

Il referma l'un des bracelets sur son poignet et chercha un endroit sûr pour y attacher l'autre. Il ne trouva que la poignée de la porte qui menait au bureau.

— Bye-bye.

Il n'y avait pas de chaise sur laquelle Marie Flor pouvait s'asseoir et, avec sa main à la hauteur de la poignée, elle n'avait d'autre choix que de s'agenouiller devant la porte. À bout de nerfs, elle éclata en sanglots.

Très vite elle reprit le contrôle d'elle-même. Ses quelques larmes l'avaient étrangement soulagée. Elle regarda autour d'elle et réalisa qu'elle ne pouvait rien faire, à part coller son oreille à la serrure pour essayer d'entendre ce qui se passait dans le bureau.

Tomás avait eu tout le temps de l'interrogatoire de Maria Flor pour se rendre compte de la folie qu'il avait commise en embarquant son amie dans ce traquenard. Et puis, il avait fait preuve d'une extrême naïveté en pensant qu'il parviendrait à dénouer l'affaire à Washington. Qu'avait-il en tête lorsqu'il l'avait laissée l'accompagner ?

Quand l'homme armé revint dans le bureau, Tomás essaya de lire dans ses yeux ce qui s'était passé. Mais le regard de l'inconnu demeurait impénétrable. Il allait certainement chercher à savoir quels étaient ses liens avec Maria Flor pour le rendre encore plus vulnérable.

Dans ces conditions, il ne voyait qu'une solution : feindre que Maria Flor n'était rien pour lui.

— Alors, lança-t-il. Comment avez-vous trouvé la petite ? Pas mal, hein ?

L'homme de la CIA le scruta.

— Quelle est votre relation avec elle ?

Tomás haussa les épaules, simulant le manque d'intérêt.

— C'est une jolie femme, rien de plus. Mais elle n'a rien dans le crâne, la pauvre. Une bimbo, comme vous dites ici. Belle et stupide.

— Il m'a pourtant semblé qu'elle vous aimait bien…

— Ça doit être à cause de mes yeux verts, répondit-il avec une pointe de dédain. Moi aussi, j'aime bien ses seins. (Il se fendit d'un rire obscène.) Et toutes ces choses merveilleuses qu'elle sait faire !

L'homme de la CIA le dévisagea un moment, sans parler. Puis, il s'approcha et lui lança :

— Maintenant, tu vas me raconter toute l'histoire depuis le début. J'ai vu le dossier et je veux savoir ce que tu faisais au CERN, et pourquoi ton nom figure sur le papier que Bellamy tenait à la main. Tu vas tout m'expliquer calmement.

Le fait de ne pas connaître l'identité de son geôlier, ni son rôle ni ses motivations, obligeait Tomás à être prudent. L'homme faisait visiblement partie de la CIA, connaissait parfaitement les détails de la mort de Bellamy et, selon toutes probabilités, il devait faire partie de l'équipe chargée de le retrouver. Pourtant, il ne lui avait pas encore mis une balle dans la tête. Vu les circonstances, c'était un signe encourageant.

L'historien raconta donc tout ce qui s'était passé

depuis le début. Son voyage à Genève, l'antiquaire, la visite au CERN, le retour au Portugal, le grand pentacle qu'un inconnu lui avait envoyé de Genève, l'interpellation à Coimbra par l'agent de la CIA, les coups de feu et la poursuite, ce qu'il avait découvert au sujet de l'énigme laissée par Bellamy, le lien entre le fait qu'il y soit désigné comme étant « la clé » et le manuscrit *La Clé de Salomon*, le nom de l'expéditeur du grand pentacle et les messages cachés sur l'une des faces de cette mystérieuse amulette.

— Le grand pentacle est dans ma poche, indiqua-t-il. Tout y est.

L'homme de la CIA prit l'amulette et l'examina. Il lui posa des questions sur le sceau de Salomon et Tomás attira son attention sur les coordonnées géographiques qui figuraient sur les branches de l'objet.

À la fin de la conversation, l'homme parut satisfait. Après une courte pause pour analyser ce qu'il venait d'entendre, il sortit une petite clé, s'approcha de Tomás et lui retira ses menottes.

Il lui souriait.

— Je m'appelle Peter.

— Enchanté, répondit Tomás, en frottant son poignet endolori. Mais qui êtes-vous exactement ?

— Je suis le fils de Frank Bellamy, répondit-il en lui tendant la main.

LIV

Étalée sur le bureau du major Fuentes, la carte de Washington était si détaillée qu'elle indiquait même l'emplacement des arbres. Le major s'enorgueillissait d'être un homme méthodique et efficace.

— Premier point de contact, murmura-t-il en prenant une punaise verte. L'aéroport de Dulles.

Il enfonça la punaise à l'endroit où était représenté l'aéroport international de Washington, pas très loin de Langley, sur la rive sud du Potomac. Il prit une deuxième punaise, jaune cette fois-ci, et parcourut le compte rendu qui figurait dans le dossier.

— Second point de contact. Le distributeur à côté de Georgetown.

Il recula de deux pas et tenta de déchiffrer ce que pouvait bien révéler l'emplacement des punaises. La verte n'indiquait rien de particulier, hormis l'endroit par lequel sa cible était arrivée à Washington. La punaise jaune, en revanche, était beaucoup plus intéressante. Rien n'obligeait Tomás Noronha à se rendre spécifiquement dans cette boutique de Georgetown.

— Si tu es allé à ce moment-là au Walmart, observa-t-il, c'est que tu dois être quelque part dans le quartier...

Mais où ? Il vérifia la liste des hôtels, pensions et auberges des alentours. Ils avaient tous été inspectés. Ils avaient peut-être utilisé des faux noms, songea-t-il, mais dans ce cas ils auraient fait la même chose avec les services des douanes et de l'immigration. En outre, falsifier des passeports exigeait des connaissances et des moyens ; ce qui lui paraissait peu probable vu le profil des intéressés. Il avait affaire à des amateurs. Pour les dénicher, il devait se mettre dans leur peau et penser comme eux.

Il leva les sourcils en scrutant la carte.

— Vous devez sûrement être à Georgetown...

Il prit un compas et traça un cercle autour de la boutique. Il fit à nouveau deux pas en arrière et considéra les principaux points qui se trouvaient dans la zone qu'il venait de délimiter.

— Red Square... Centre interculturel... Harbin Field... Université de Georgetown...

Il se tut, fixant ce dernier point. L'université de Georgetown. Il s'empara du dossier et consulta le CV de Tomás Noronha. Sa cible avait été professeur à l'université nouvelle de Lisbonne.

Il leva les yeux et les posa à nouveau sur la carte. Il laissa mûrir son idée pendant quelques secondes. D'un geste décidé, il prit une punaise rouge qu'il fixa sur l'université.

— C'est là que tu te caches, *cabrón* !

LV

Encore sous le choc, Tomás restait méfiant. Si l'homme qui l'avait interrogé était bien le fils de Bellamy, ses motivations étaient évidentes : il voulait savoir qui avait tué son père. Mais s'agissait-il vraiment de son fils ? Comment être sûr qu'il ne se faisait pas manipuler ? L'historien était conscient qu'il pouvait être pris dans un jeu de miroirs dans lequel rien ni personne n'était ce qu'il paraissait ou disait être. Il lui sembla donc préférable de rester prudent. Le tout était de le faire sans éveiller les soupçons. C'est pourquoi, lorsque Peter l'invita à s'asseoir et lui dit qu'il allait libérer Maria Flor, Tomás secoua la tête.

— Laissez-la où elle est, suggéra-t-il, fidèle à sa stratégie. Elle ne sait rien de cette histoire et, comme je vous l'ai déjà dit, elle n'a aucun intérêt à part son physique.

Peter hésita, puis se dirigea vers le fauteuil matelassé derrière le bureau.

— Comme vous voudrez... accepta-t-il en s'installant. Vous savez, je crois que vous n'avez rien à voir avec la mort de mon père. J'ai lu le rapport de l'Agence et il m'a toujours semblé curieux qu'un simple universitaire ait pu s'introduire dans la zone où se situe l'un des détecteurs de particules du CERN et libérer de l'hélium liquide pour asphyxier quelqu'un de si expérimenté que lui. Non. C'est du travail de professionnel. Et puis, pourquoi diable auriez-vous tué mon père ?

— Vous avez dit avoir lu le rapport de l'Agence, dit Tomás. Vous faites bien allusion à la CIA ?

— En effet.

— Comment y avez-vous eu accès ?

Peter mit la main dans la poche de sa veste.

— Je travaille pour l'Agence, mon cher, répondit Peter en lui montrant sa carte. Je suis analyste politique au bureau de la stratégie et de l'analyse de la Direction du renseignement, l'une des quatre directions qui se trouvent à Langley.

— Ah, vraiment ? (Il fit un geste en désignant l'appartement.) Et vous vivez ici ?

— Non, j'ai un petit appartement à Foggy Bottom, en face de l'immeuble du Watergate ; ce n'est pas très loin d'ici.

— Mais comment êtes-vous entré ? On ne vous a pas entendu arriver...

— J'étais déjà à l'intérieur. Par mesure de sécurité, les logements des responsables de l'Agence sont équipés d'une pièce de survie, un compartiment blindé pourvu de moyens de communication directe avec l'extérieur, d'un dispositif de vidéosurveillance, de nourriture, de boissons et d'un véritable arsenal. C'est là que je me suis réfugié et c'est de là que je vous ai observés.

Tomás pâlit.

— Vous voulez dire que vous avez vu et entendu tout ce que nous avons fait et raconté ?

— Tout. (Il éclata de rire.) Mais rassurez-vous, je n'ai rien compris. Mon portugais est un peu rouillé. Tout ce que je sais dire c'est *caipirinha* et *tudo legal*.

— Mais nous avons téléphoné ici avant de venir et personne n'a répondu…

— J'ai entendu le téléphone sonner, reconnut-il en regardant le combiné posé sur le bureau. Mais j'avais de bonnes raisons de ne pas répondre.

— Que voulez-vous dire par là ?

— C'est une tactique fréquemment utilisée par les cambrioleurs. Ils appellent avant de venir pour voir s'il y a quelqu'un.

— OK, mais pourquoi pensiez-vous que c'étaient des cambrioleurs ? Après tout, des gens pouvaient très bien appeler pour prendre des nouvelles de votre père, non ?

— En fait, vous n'êtes pas les premiers à vous introduire ici, vous savez ? Lorsque je suis passé ce matin pour prendre le courrier, je me suis rendu compte que quelqu'un était entré pendant la nuit. J'ai voulu vérifier les enregistrements vidéo et j'ai constaté que le système avait été désactivé. Vous savez ce que cela signifie ?

— Non, je n'en ai pas la moindre idée.

— Eh bien, que les cambrioleurs connaissaient l'existence de la pièce de survie et, plus important encore, qu'ils savaient comment désactiver le système de vidéosurveillance. C'est fort pour un vulgaire cambrioleur, vous ne croyez pas ?

L'historien fronça les sourcils.

— Vous insinuez que… ce sont des gens de la CIA qui sont entrés ici ?

— Je n'insinue pas, j'affirme. Les circonstances du cambriolage d'hier m'ont paru suspectes et, ce matin, lorsque je suis arrivé au bureau, j'ai laissé entendre que j'avais découvert de nouveaux éléments au sujet de mon père et que j'allais me rendre à l'appartement. C'est pour ça que j'ai décidé de passer la nuit ici, pour voir s'il y aurait de la visite. Connaissant le *modus operandi* de l'Agence, je pensais que le cambriolage aurait lieu un peu plus tard, à l'aube. J'ai donc été surpris d'entendre le téléphone sonner à l'heure du dîner et de vous voir apparaître quelques instants plus tard. Et quelle ne fut pas ma surprise de vous entendre parler une langue qui n'était pas l'anglais.

Tomás était perplexe.

— La CIA a cambriolé l'appartement de votre père ? Mais pour quelle raison ?

— Ce n'est pas l'Agence, corrigea Peter. C'est quelqu'un de l'Agence, nuance.

— Mais qui ?

Le jeune homme fit une pause, comme s'il se demandait s'il devait répondre à cette question.

— La personne qui a fait tuer mon père.

L'historien resta bouche bée.

— Frank Bellamy aurait été assassiné par la CIA ? Qu'est-ce qui vous permet d'affirmer une chose pareille ?

— Un événement étrange s'est produit avant qu'il parte pour Genève, révéla Peter. Je le sentais très ému, ce qui n'était pas fréquent chez lui. Je sais que des individus puissants cherchaient à l'écarter au sein de l'Agence, contre son gré. Mais mon père était de ceux qui considèrent leur travail comme un devoir à l'égard de la nation et il ne cessait de répéter que seule la mort l'arrêterait. J'ai des raisons de croire qu'on s'est chargé de réaliser son vœu.

— Vous pensez à quelqu'un en particulier ?

Peter ouvrit le deuxième tiroir du bureau, d'où il sortit une photographie.

— Regardez ça, dit-il en présentant le cliché à Tomás. C'est la photo des cinq directeurs et de leurs cinq adjoints. Mon père est le dernier sur la gauche, comme vous pouvez le voir.

Tomás avait déjà vu cette photo lorsqu'il inspectait les tiroirs du bureau.

— Elle a été prise à Langley ?

— Absolument.

— Et vous les soupçonnez tous ?

— Je n'en soupçonne que deux, indiqua-t-il. L'un d'eux est celui-ci. Il s'appelle Walter Halderman, c'était l'adjoint de mon père. Un type exécrable, capable de tout. Il vient du monde du pétrole et a été nommé par Nixon. Sans doute grâce aux relations qu'il entretient avec les grandes compagnies pétrolières qui financent les campagnes présidentielles, il a toujours été protégé sous toutes les administrations.

— Pour quelle raison aurait-il voulu la mort de votre père ?

— Pour prendre sa place, bien sûr ! Halderman est le carriériste par excellence, un cadre intrigant et manipulateur, qui ne recule devant rien pour gravir les échelons. Mon père mort, il a toutes les chances de lui succéder. Mais je le soupçonne même de vouloir diriger la CIA.

— Et qui est le second suspect ?

Peter fit glisser son doigt jusqu'au visage d'un homme renfrogné, sur la gauche de la photo.

— Harry Fuchs, précisa-t-il. Également surnommé « l'enfoiré » ou « l'ordure ». C'est le directeur du service chargé de mener les opérations clandestines de l'Agence. C'est lui qui dirige les hommes sur le terrain, ce qui fait de lui le personnage le plus puissant de l'organisation après le directeur. C'est un type caractériel et implacable. Les hommes qui sont entrés ici la nuit dernière ont sans aucun doute été envoyés par lui. Tout comme les types qui ont essayé de vous tuer au Portugal.

— Pourquoi le soupçonnez-vous ?

— Comme je vous l'ai déjà expliqué, mon père a très certainement été assassiné par un professionnel. Or, s'il a été tué par un agent de la CIA, l'ordre ne peut avoir été donné que par Harry Fuchs ou tout du moins avec son assentiment.

— Oui, mais pour quel motif Fuchs aurait-il fait assassiner votre père ?

Les doigts du jeune homme tambourinèrent sur la surface du bureau en acajou.

— À cause du projet baptisé *Œil quantique*.

LVI

Le major Fuentes savait qu'en se connectant au système de la CIA, il accéderait sans aucune difficulté au site de l'université de Georgetown pour se procurer la liste des professeurs et des étudiants étrangers. En moins de dix minutes il dénicha leurs noms et adresses et les imprima. Puis, il examina la liste en recherchant les patronymes à consonance portugaise. Il trouva deux Silva, un Ferreira, un Coutinho, deux Sousa, un Marques, un Aguiar et encore une dizaine de noms similaires. En tout, dix-huit personnes étaient indubitablement portugaises. Il y avait aussi certains noms ambigus comme Santos ou Torres.

Toujours méthodique, Fuentes retourna sur le site de l'université et vérifia les noms un par un. Il commença par ceux qui n'étaient pas clairs et en conclut que seulement deux étaient portugais. Au total, il y avait donc vingt patronymes lusitaniens. Il les vérifia tous et découvrit rapidement que quatorze étaient brésiliens, un cap-verdien, un mozambicain et un autre angolais. Il les élimina.

Il regardait les trois noms restants.

— L'un de vous a hébergé mon client…

Il consulta le profil des trois Portugais qui fréquentaient l'université de Georgetown. Deux d'entre eux étaient étudiants, l'un de Porto, l'autre d'Aveiro. Le troisième était un professeur de mathématiques qui était en troisième cycle. Il s'appelait Jorge de Sousa Marques et préparait un doctorat sur les systèmes informatiques avancés.

— Tiens tiens… un pirate en puissance, dit le major en souriant. Ou je me trompe, ou c'est toi qui es venu fourrer ton nez dans notre système…

Il cliqua sur le C.V. de Jorge de Sousa Marques. D'après la notice biographique, le suspect était né à Vila Nova de Gaia et enseignait les mathématiques à l'université nouvelle de Lisbonne. L'agent vérifia à nouveau le dossier que Fuchs lui avait remis. Noronha avait enseigné dans la même université.

— Bingo !

Il imprima le C.V. de Jorge et souligna l'adresse. Le professeur de mathématiques vivait sur le campus de l'université de Georgetown. Il glissa la feuille dans le dossier et se dirigea vers une armoire. Divers types d'armes se trouvaient sur les étagères, chacune correspondant à un genre de mission. En l'occurrence, il fallait être discret, c'est pourquoi il opta pour un Sig Pro semi-automatique. Après avoir vérifié les munitions et le silencieux, il mit le pistolet dans son *holster* et enfila sa veste. Il saisit une mallette et prit son pardessus.

LVII

— L'*Œil quantique*, voilà qui est intéressant…

L'évocation du projet avait aiguisé l'intérêt de Tomás. L'universitaire portugais savait que la théorie quantique avait de multiples applications dans la vie quotidienne, du laser au transistor, en passant par la résonance magnétique et une infinité d'autres techniques de pointe fondées sur les « bizarreries » quantiques. On pouvait aisément comprendre que la CIA s'y intéresse.

— Ne me dites pas que vous avez déjà entendu parler de ce projet…

— Non, mais je connais bien les potentialités de la physique quantique, précisa l'historien. J'imagine l'utilité que l'étrange monde des particules peut présenter en matière d'espionnage. Je peux vous assurer que c'est tout un univers.

— C'était justement là-dessus que mon père travaillait, confirma Peter. En tant que chef de la Direction de la science et de la technologie, il était chargé de mettre au point de nouveaux instruments et des techniques innovantes pour les activités d'espionnage de l'Agence. L'*Œil quantique* était le plus ambitieux de ces projets. C'est pour cette raison que mon père s'est efforcé de le garder secret et, malgré les progrès accomplis, il a préféré ne le partager avec personne. « Seulement lorsque ce sera prêt », avait-il coutume de dire. Il considérait l'*Œil quantique* comme un projet presque personnel et ça mettait Fuchs hors de lui.

— Mais pourquoi ? Pour quelle raison Fuchs était-il si pressé ?

— Parce que le Service national clandestin est sous pression à cause des revers successifs qu'il a subis ces temps-ci. Les agents que Fuchs commande ont été incapables de prévoir les derniers attentats commis contre des intérêts américains. Hier encore, une bombe a explosé devant une ambassade américaine, une aile du bâtiment a été entièrement détruite et des cadavres sont encore sous les décombres. Or, l'Agence n'a pas eu le moindre indice préalable. C'est assez embarrassant.

— Vous faites allusion à l'attentat de Tripoli ? demanda Tomás. Il fait la Une de tous les journaux.

— Tripoli n'est que le dernier des échecs de l'Agence, la liste est longue. Le fait est que, depuis que nous avons cessé d'utiliser des méthodes musclées pour interroger les prisonniers, nous sommes incapables d'obtenir des informations fiables. Le Président exerce une énorme pression sur l'Agence et en particulier sur Fuchs. Il l'accuse de mal gérer ses agents. Fuchs est affolé, car il sait que s'il n'obtient pas de résultats, il finira par être remercié. C'est pour ça qu'il pense que seul l'*Œil quantique* peut encore le sauver. Mon père, qui savait que le projet était déjà très avancé, refusait

402

catégoriquement de le partager tant qu'il ne serait pas finalisé.

— Vous croyez qu'il a tué votre père pour mettre la main sur le projet ?

— Je pense que c'est tout à fait possible, et que Fuchs est l'un des principaux suspects, confirma-t-il. Ma seule chance réside dans le fait que les choses ne se sont pas tout à fait passées comme il l'avait prévu. Mon père est mort et personne ne sait où il a bien pu cacher le projet. Tous les efforts pour le localiser ont été vains. C'est pour ça que des hommes sont venus ici l'autre nuit, vous comprenez ? Fuchs a absolument besoin du projet s'il veut sauver sa tête et rien ni personne ne l'arrêtera.

— Savez-vous exactement ce qu'est L'*Œil quantique* ? demanda l'historien, intrigué. Votre père vous en a-t-il parlé ?

— Il n'y a fait qu'une brève allusion avant de partir pour Genève. Je l'ai trouvé très tendu, il m'a serré dans ses bras et… enfin, j'avoue que je n'ai pas fait très attention à ce qu'il me disait. Du reste, ma spécialité est la géostratégie et non la physique.

— Faites un effort, le pria Tomás. Que vous a dit votre père lorsqu'il a mentionné l'*Œil quantique* ?

Peter se concentra, essayant de reconstituer ce qu'il avait entendu la semaine précédente.

— Il a parlé du boson de Higgs et des nouveaux tests que le CERN effectuait pour reproduire l'expérience.

— Oui, c'est vrai, le CERN a annoncé en 2012 avoir découvert le boson de Higgs, qu'on appelle aussi la particule de Dieu. J'ai lu dans la presse que de nouvelles expériences allaient être menées pour le produire à nouveau dans le grand collisionneur de hadrons afin de mieux étudier son comportement. D'ailleurs, il me semble que ces expériences étaient en cours lorsque je me trouvais à Genève...

— C'est justement pour les suivre que mon père était allé au CERN. Mais, pour tout vous dire, je n'ai pas encore très bien compris l'importance de ce boson. (Il rit timidement.) En fait, je ne sais même pas ce qu'est un boson...

— Les particules qui transportent les forces fondamentales sont des bosons, précisa l'universitaire. Les photons, par exemple, sont des bosons qui transportent l'énergie électromagnétique, comme celle du Soleil. (Il tapota sur le bureau.) Les particules qui constituent la matière, comme celle de cette table, s'appellent des fermions. Cela signifie que les électrons, les protons et les neutrons sont des fermions.

— Je vois. Le Higgs est un boson. Mais en quoi est-ce si important ?

Tomás respira profondément. Il n'était guère aisé d'expliquer le boson de Higgs à un profane.

— Eh bien, je suppose que vous savez que l'univers est né à partir d'une brusque concentration d'énergie, qui est apparue soudainement et a créé l'espace, l'énergie et la matière.

— Vous faites allusion au Big Bang ?

— En effet, confirma l'historien, soulagé de ne pas avoir à tout expliquer depuis le début. L'univers a commencé avec le Big Bang, il y a un peu moins de quatorze milliards d'années. Au début, la température était extrêmement élevée, car une très grande quantité d'énergie était contenue dans un tout petit espace. La seule force qui existait dans l'univers était la super-force. Lorsque l'univers est né, il était symétrique, c'est-à-dire qu'il était exactement le même dans toutes les directions, son modèle géométrique se répétant à l'infini, comme dans un kaléidoscope, sans la moindre variation. Au bout d'un certain temps cependant, à mesure que l'espace grandissait et que la température diminuait, la symétrie a été rompue. Si vous sortez et que vous regardez le ciel, vous verrez que les constellations ne sont pas identiques et que les choses sont toutes différentes les unes des autres.

— D'accord. Mais je ne comprends toujours pas ce qu'est le boson de Higgs et surtout quel est son intérêt…

— On y vient, soyez patient, répondit Tomás. L'important, c'est que vous compreniez que quelque chose a brisé la symétrie de l'univers et obligé la superforce à céder la place à plusieurs forces différentes, d'abord la force gravitationnelle, ensuite la force nucléaire forte, puis la force électrofaible, laquelle a donné lieu plus tard à la force nucléaire faible et à la force électro-magnétique. Les premières particules sont également apparues, puis les premiers atomes, surtout les plus simples comme ceux d'hydrogène et d'hélium. Quelque chose a créé toute cette complexité et cette apparente diversité qui semblent caractériser le monde qui nous entoure et occulter le fait que l'univers est un.

— Et quelle est cette chose ?

— La réponse a été donnée par le physicien écossais Peter Higgs et lui a valu le prix Nobel de physique. Higgs a prédit l'existence d'un champ spécial, qu'on a ensuite appelé « champ de Higgs », qui aurait provoqué la brisure de symétrie dans l'univers. Il a prévu que, lorsqu'un niveau d'énergie suffisamment élevé est atteint, ce champ est agité et libère une particule, appelée « boson de Higgs » ou « particule de Dieu ». Les expériences effectuées au CERN ont consisté à agiter le champ de Higgs afin de faire apparaître ce boson. En provoquant de violentes collisions de particules, on a créé des conditions proches de celles qui existaient lors du Big Bang. Ces efforts ont été couronnés de succès en 2012, avec l'annonce de la découverte du boson de Higgs.

Peter semblait déconcerté.

— C'est tout ? Tant de bruit pour quelque chose de si insignifiant ?

— L'univers est un et le champ de Higgs a créé l'illusion de la diversité, répéta Tomás. Cela ne me semble pas insignifiant.

— Mais comment cette illusion a-t-elle été créée ? En quoi consiste ce champ exactement ?

— Il donne leur masse aux particules. Tout l'espace baigne dans le champ de Higgs et les particules le traversent en permanence. L'univers était d'une symétrie monotone, car il se répandait dans toutes les directions à la vitesse de la lumière. Eh bien, lorsque la force de Higgs a conféré une masse à un grand nombre de particules, celles-ci ont perdu automatiquement de la vitesse. C'est ce qui a brisé la symétrie et créé l'illusion de la diversité. Les particules ont cessé de se répandre toutes à la même vitesse parce qu'elles ont soudainement acquis une masse.

L'analyste de la CIA avait l'air sceptique.

— Tout l'espace baigne dans ce champ ? Mais où est-il ? (Il se tourna successivement dans plusieurs directions, de manière théâtrale.) Je regarde autour de moi et je ne vois ni ne sens aucun champ.

— Nous ne sentons pas le champ de Higgs, pas plus d'ailleurs que le champ électromagnétique ou le champ gravitationnel, mais nous ressentons leurs effets. Par exemple, lorsque nous regardons autour de nous, nous distinguons les objets parce que la lumière existe ; or, la lumière n'est rien d'autre que l'oscillation du champ électromagnétique. Quand nous marchons, nous sommes tenus au sol parce que le champ gravitationnel nous attire vers le centre de la Terre. (Avec les doigts, il frappa sur le bureau.) De la même manière, nous constatons que ce meuble a une masse parce que le champ de Higgs en a conféré une aux particules qui le composent. Plus les particules interagissent avec le champ de Higgs, plus leur masse est élevée ; et, inversement, moins elles sont en interaction avec lui, moins leur masse est élevée. Les photons, par exemple, qui n'interagissent absolument pas avec le champ de Higgs, n'ont pas de masse. N'oubliez pas que chaque fois que vous voyez un objet solide, y compris votre propre corps, vous observez un effet du champ de Higgs. C'est pour ça que nous savons que ce champ imprègne tout l'espace, alors même que nous ne le voyons pas ni ne le sentons.

Peter s'adossa à sa chaise.

— Je crois que je saisis. Mais cela n'explique pas pour quelle raison les expériences menées au CERN pour découvrir la particule de Dieu intéressaient tant mon père.

— Tout dépend du type de projet sur lequel il travaillait. Vous souvenez-vous de ce qu'il aurait pu vous dire d'autre au sujet de l'*Œil quantique* ?

Son interlocuteur fouilla à nouveau dans sa mémoire.

— Je me souviens qu'il a indiqué qu'il était sur le point de découvrir le plus grand ordinateur quantique que l'on puisse imaginer, quelque chose de macroscopique, mais, voyant que je n'avais pas les connaissances pour comprendre, il s'est tu.

— De découvrir ? s'étonna Tomás. Vous voulez dire d'inventer…

— Il me semble qu'il a bien dit « découvrir »…

— Ce n'est pas possible. Un ordinateur est une machine qui n'existait pas et que l'on a fabriquée, et non quelque chose qui existait déjà et que l'on a découvert.

— En effet, vous avez raison, concéda l'Américain. J'ai probablement mal entendu, il a dû dire « inventer ».

— Votre père a dit qu'il était sur le point d'inventer le plus grand ordinateur quantique que l'on puisse imaginer ? Quelque chose de macroscopique ? Ce sont bien ses mots ?

— C'en était le sens, oui.

L'historien se frotta le menton tout en réfléchissant.

— Eh bien ! s'exclama-t-il. Je commence à présent à comprendre ce qu'est l'*Œil quantique* et son importance. Pas étonnant que votre Fuchs ait hâte de mettre la main dessus.

— Vous avez compris ce qu'est l'*Œil quantique* ?

— Bien sûr. C'est vous-même qui l'avez dit en citant votre père : c'est un ordinateur quantique macroscopique.

— Oui, et après ? Qu'y a-t-il de si spécial ?

Tomás rit.

— Vous n'avez pas la moindre idée de ce que peut être un ordinateur quantique, n'est-ce pas ?

— Non, pas la moindre, mais je suis sûr que vous allez m'éclairer…

— Il s'agit d'un ordinateur capable de décrypter n'importe quel code, même le plus complexe. Par exemple, les clés cryptographiques publiques, qui sont à la base de la majorité des systèmes de codage existant sur Internet, sont des compositions unidirectionnelles, car elles sont faciles à créer et difficiles à décrypter. En effet, un ordinateur classique peut facilement multiplier deux nombres, quels qu'ils soient, mais il lui est beaucoup plus difficile de décomposer les nombres complexes en facteurs. Pour y arriver, il mettrait des milliers d'années, alors que quelques minutes suffiraient avec un ordinateur quantique. Vous comprenez l'importance d'un tel instrument pour une agence d'espionnage telle que la CIA ? Votre père cherchait à inventer le Saint-Graal de l'espionnage ! Ni plus ni moins. Lorsque la CIA disposera d'un ordinateur quantique macroscopique, elle sera en mesure d'intercepter et de décrypter tout message codé qu'Al-Qaïda ou n'importe quelle autre organisation terroriste pourrait ou non échanger. Avec l'*Œil quantique*, les attentats deviennent tout simplement impossibles. D'ailleurs, c'est sans doute pour cela que ce nom a été donné au projet. Il s'agirait en quelque sorte d'un œil qui, grâce à des moyens quantiques, pourrait tout voir.

Peter siffla d'admiration.

— Merde alors ! s'exclama-t-il. Mon père était sur

le point d'inventer *Big Brother* ! Je comprends maintenant pourquoi Fuchs est si pressé…

— Mais, ajouta Tomás, laissez-moi vous dire que, si votre père a effectivement inventé une telle machine, le Comité Nobel va devoir faire une exception à la règle selon laquelle seule une personne vivante peut être primée. Avec une telle invention, il mérite le prix Nobel de physique, même à titre posthume !

— Pourquoi dites-vous cela ?

— Eh bien, précisément parce qu'il s'agit d'un ordinateur quantique macroscopique.

— Et alors ? Qu'ont-ils de si spécial ces ordinateurs quantiques ? Après tout, les ordinateurs ont été inventés il y a des dizaines d'années, non ?

Tomás regarda les trois livres qu'il avait déjà vus une heure auparavant sur le bureau. Il choisit celui de Claude Shannon, intitulé *The Mathematical Theory of Communication*.

— Voyez-vous, nous parlons d'un ordinateur d'un type différent, souligna-t-il, en montrant la couverture du livre à son interlocuteur. Dans cet ouvrage, que votre père a laissé sur son bureau, Shannon énonce les principes selon lesquels fonctionne un ordinateur classique, à savoir que l'information est une entité qui a une existence physique réelle, au même titre que l'énergie ou la masse. Certaines lois fondamentales de la nature, telles que la deuxième loi de la thermodynamique, sont en réalité des lois de l'information. Ces lois régissent la matière et l'énergie, elles établissent les règles selon lesquelles les atomes interagissent et les étoiles se comportent, elles s'appliquent même à nous en tant qu'êtres vivants, parce que nos gènes contiennent des informations que nos corps reproduisent, et en tant qu'êtres humains dans la mesure où notre cerveau contient des informations qui sont gérées par notre conscience. Lorsque l'on dit que les théories de la relativité établissent que rien ne peut se déplacer plus vite que la lumière, en réalité ce n'est pas tout à fait exact. Il y a des choses plus rapides que la lumière, comme l'expansion de l'espace. Ce qui ne peut se déplacer plus vite que la lumière c'est, au sens strict, l'information. La nature s'exprime à travers le langage de l'information.

— Attendez, n'est-ce pas le bit qui est l'unité minimale d'information ?

— Exactement. On parle de bit ou de chiffre binaire.

— Pardon, mais le terme « binaire » implique l'existence de deux éléments. Comment une unité minimale peut-elle être composée de deux éléments ?

— Qui dit binaire dit effectivement deux parties. Cela n'implique pas pour autant que le bit soit deux choses, mais plutôt qu'il représente une alternative : oui ou non, droite ou gauche, en haut ou en bas, ou encore zéro ou un. Vous me suivez ? Un ordinateur est une machine de traitement de l'information, autrement dit de traitement de bits. Vous n'avez jamais remarqué qu'un programme informatique consistait en une série interminable de zéros et de uns ?

— Maintenant que vous le dites, oui, admit Peter.

— Un ordinateur classique procède toujours par alternatives. Par exemple, pour déterminer le code d'un coffre ayant seize combinaisons possibles, l'ordinateur classique doit analyser quatre questions binaires. Imaginons que le code secret soit le neuf. La première ques-

tion qu'analyse l'ordinateur classique est la suivante :
la bonne combinaison est-elle un chiffre impair ? Si la
réponse est oui, on aura zéro, si c'est non, on aura un.
En l'occurrence la réponse est zéro. On passe ensuite à
la deuxième question : en divisant le chiffre par deux
et en arrondissant à la valeur inférieure pour obtenir
un nombre entier, s'agit-il d'un chiffre impair ? La
réponse est un, ce qui signifie non. On répète cette
deuxième question encore deux fois. Au bout de quatre
questions intégrant l'alternative zéro ou un, l'ordinateur
classique finit par trouver la bonne réponse. Comme
vous pouvez le constater, le processus est assez lent,
car une telle machine met du temps pour trouver un
chiffre aussi simple que le neuf. Il en va tout autrement
avec un ordinateur quantique.

— Comment cela, il ne fonctionne pas avec un système binaire ?

— Bien sûr que si, mais il les traite différemment.
Alors qu'un ordinateur classique traite le oui ou le non,
la gauche ou la droite, le zéro ou le un, un ordinateur
quantique calcule le oui et le non, la gauche et la droite,
le zéro et le un.

— Pardon ?

— Un ordinateur quantique ne procède pas à un
calcul entre deux options, il calcule toutes les options
en même temps. Ainsi, pour découvrir la combinaison secrète du coffre, un ordinateur classique devra
traiter successivement quatre questions ayant chacune
une réponse binaire, alors qu'un ordinateur quantique
traitera les quatre questions à la fois.

Les yeux écarquillés, Peter ébaucha une moue dubitative.

— C'est possible ?

— Bien sûr. Voyez-vous, Peter, l'ordinateur quantique fonctionne selon les règles du monde quantique. Vous ne le savez peut-être pas, mais en physique quantique un électron ne traverse pas la fente gauche ou la fente droite qui ont été ouvertes dans un obstacle, il traverse les deux simultanément. À l'échelle quantique, les électrons, la lumière, les atomes et les molécules parcourent tous les lieux en même temps et ils sont partout à la fois. Grâce à cette étrange propriété de la physique quantique, un ordinateur quantique peut effectuer un nombre très élevé de calculs en même temps, alors qu'un ordinateur classique ne procède qu'à un calcul à la fois. C'est pour cette raison qu'un ordinateur quantique traite l'information beaucoup plus rapidement qu'un ordinateur classique et peut donc déchiffrer bien plus vite le code le plus complexe.

L'analyste de la CIA paraissait halluciné.

— Ça alors ! Si l'Agence a vraiment pour projet de mettre au point un de ces ordinateurs, elle disposera sans doute d'une arme d'une puissance inégalée !

— C'est vrai. Le problème c'est que, pour fabriquer un ordinateur quantique macroscopique, il faudra d'abord résoudre le plus complexe de tous les problèmes, à savoir concilier la physique quantique, non déterministe et probabiliste, et la physique classique, déterministe et causale. Autrement dit, on devra auparavant élaborer une théorie du tout. Cela fait un moment que les physiciens courent en vain après cette chimère. J'imagine que votre père a dû surmonter cet obstacle.

— Vous voulez dire que sans la théorie du tout il est impossible de construire un ordinateur quantique ?

— Non, les ordinateurs quantiques ont déjà été inventés. L'obstacle que l'on ne parvient pas encore à surmonter, c'est de les rendre opérationnels à un niveau de complexité suffisant et au plan macroscopique. Pour déchiffrer les codes les plus complexes, l'ordinateur quantique doit être en mesure de procéder à des calculs impliquant plusieurs centaines de bits quantiques, appelés « qubits », or, jusqu'à présent les scientifiques n'ont réussi à le faire qu'avec dix qubits. Ce n'est pas suffisant.

— Mais, alors, en quoi consistait exactement le projet *Œil quantique* ? Mon père mettait-il au point un ordinateur quantique capable de traiter des centaines de qubits ?

— Je ne vois pas d'autre explication. Seulement, pour faire des calculs avec des centaines de qubits, il faut pouvoir relier ces informations à travers le processus d'intrication quantique à une échelle macroscopique. Or, c'est là toute la difficulté. Les effets quantiques se produisent au plan microscopique, mais pas à notre échelle, vous me suivez ? Alors que dans le microcosme l'observation crée partiellement la réalité et que les atomes sont en plusieurs endroits à la fois et empruntent tous les chemins en même temps, il n'en va pas de même dans le macrocosme. Pourquoi, puisque nous sommes tous faits d'atomes ? Étant nous aussi constitués de particules quantiques, ne devrions-nous pas voir également ces effets « bizarres » se produire en nous et autour de nous ? Il devrait en être ainsi, en effet, mais il n'en est rien. Pour produire un ordinateur quantique macroscopique suffisamment puissant pour déchiffrer facilement les codes les plus complexes, votre père aurait dû d'abord résoudre cette grande énigme, un mystère si profond que personne n'a encore été capable de l'expliquer.

— Je crois que je comprends. C'est pour cela que vous disiez tout à l'heure que, si le projet *Œil quantique* visait vraiment à fabriquer un ordinateur quantique macroscopique, mon père aurait mérité de recevoir le prix Nobel de physique.

— Au minimum !

Avec une expression qui semblait mêler orgueil et tristesse, Peter passa un long moment à contempler l'image de son père sur la photographie prise devant les marches du bâtiment à Langley. Il soupira lourdement et fixa ses yeux sur son interlocuteur, l'air inquisiteur.

— Qu'allons-nous faire à présent ?

— Si je veux échapper à vos amis de la CIA et survivre à cet imbroglio, je dois tout d'abord résoudre le mystère de la mort de votre père, dit Tomás sur un ton résolu. Et pour que j'y parvienne il faut que vous répondiez à une question.

Le Portugais fit une pause pour accentuer l'importance de sa question.

— Bien sûr. Que voulez-vous savoir ?

Il regarda Peter intensément, comme s'il voulait lire dans ses yeux.

— Qui est Daniel Dare ?

— Qui ?

Tomás tendit le bras et saisit l'un des dossiers qu'il avait déjà examiné.

— Je suppose que vous avez déjà lu ceci, dit-il en feuilletant les documents. Il s'agit d'un rapport médical établi par une clinique de Boston au sujet d'un certain

Daniel Dare. Apparemment, celui-ci aurait un cancer du pancréas et il ne lui resterait que quelques mois à vivre. Qui est Dare ?

Peter haussa les épaules.

— J'ai lu ce rapport, en effet, mais j'avoue ne pas savoir de qui il s'agit.

— Est-il arrivé à votre père de le mentionner ?

— Jamais.

— Et vous n'avez jamais entendu ce nom dans un autre contexte ?

— Non.

L'historien semblait intrigué par ces réponses. Songeur, il regarda les livres sur les étagères, et finit par s'adosser à sa chaise.

— Mais bien sûr, murmura-t-il après quelques instants de réflexion. Je ne vois que ça…

— Ça quoi ?

Comme s'il avait reçu une décharge, il se redressa tout à coup et fixa peter avec le regard victorieux de celui qui a trouvé la solution au problème.

— Je sais qui a tué votre père.

LVIII

En fin de soirée, la cour du campus de l'université de Georgetown était presque déserte. Une brise froide soulevait quelques feuilles sèches qui gisaient par terre. Quelques couples d'amoureux passaient, main dans la main, mais on était bien loin de l'animation habituelle.

Protégé par son pardessus, Fuentes traversa la cour et franchit le seuil du bâtiment principal. Il monta tranquillement l'escalier, avec l'aisance d'un habitué, et prit le couloir du premier étage. Il vérifia les numéros inscrits sur les portes jusqu'à s'arrêter devant la chambre qu'il cherchait.

Il frappa et, quelques secondes plus tard, un homme aux cheveux épars et ébouriffés lui ouvrit la porte.

— Jorge de Sousa Marques ?

L'homme toisa l'inconnu avec méfiance.

— En personne, dit-il d'une voix peu assurée. Je peux vous aider ?

— Je suis du bureau de l'hygiène, répondit Fuentes, adoptant l'attitude du fonctionnaire zélé. Nous avons reçu une plainte à propos de votre chambre et je vais devoir vérifier si tout est en ordre.

— Une plainte ? De qui ?

— L'identité du plaignant est confidentielle, monsieur. Mais il semblerait qu'il y ait des rongeurs dans votre chambre.

— N'importe quoi ! (Outré, Jorge ouvrit la porte et invita l'inspecteur à entrer.) Veuillez vérifier par vous-même. Il n'y a ici ni rats ni autres rongeurs, comme vous pourrez le constater. À moins que le plaignant ne fasse allusion à moi, il m'arrive parfois de ronger quelques chips !

Il rit de sa propre plaisanterie et referma la porte. Le major balaya la chambre du regard et s'arrêta sur un ordinateur portable posé sur le bureau. Il s'en approcha et le saisit.

— Ça alors, vous avez le dernier modèle ! s'exclamat-il, en le retournant pour examiner le numéro de série. Et tout neuf en plus.

En voyant l'homme prendre en main l'un des ordinateurs avec lesquels il s'était introduit dans le système de la CIA, Jorge sentit son cœur s'emballer.

— C'est… à un ami.

Fuentes ne répondit pas. Il sortit son bloc-notes et vérifia le numéro de série du portable. Il avait frappé à la bonne porte. L'agent de la CIA se retourna et dévisagea le mathématicien avec une expression radicalement différente.

— Où est votre ami ?

Jorge ne comprenait pas comment il avait pu être découvert.

— Il… il n'est pas là.

— Où est-il allé ?

— Je ne sais pas, mentit le mathématicien. Il ne m'a rien dit.

Fuentes sortit sa carte de la CIA.

— Je vais répéter encore une fois ma question, prévint-il sur un ton sibyllin. Où est Tomás Noroña ?

Des gouttes de sueur perlèrent sur le front du Portugais.

— Je l'ignore, gémit-il. Je vous le jure. Mais… je vous en prie, ne le prenez pas mal, nous n'avons fait ça que pour rigoler, nous ne voulions pas…

D'un geste fulgurant, Fuentes lui décocha un coup violent dans le ventre puis le frappa à la nuque. Jorge s'étala de tout son long, à moitié inconscient. L'agent de la CIA le souleva et le jeta sur le lit. Puis, avec une corde, il l'attacha aux montants dans une position qui n'était pas sans rappeler l'*Homme de Vitruve* de Léonard de Vinci.

Fuentes alla dans la salle de bains et remplit un verre d'eau. Il revint dans la chambre et le jeta au visage de Jorge.

— Quoi… balbutia ce dernier, recouvrant ses esprits. Que s'est-il passé ?

Le major Fuentes prit la chaise qui était près du bureau, la traîna jusqu'à la tête du lit et s'assit.

— À nous deux, *cabrón*, lui souffla-t-il de sa voix rocailleuse. Je veux savoir où est ton ami Tomás Noroña. Sois certain que tu parleras, de gré ou de force. À toi de choisir. Tu veux qu'on fasse ça gentiment ou tu préfères la version hardcore ?

Contre toute attente, le mathématicien dévisagea son agresseur, un éclair de défi dans le regard.

— Vous ne pouvez pas faire ça ! protesta-t-il.

Détachez-moi immédiatement ! J'ai des droits et j'exige que vous les respectiez. Je ne parlerai qu'en présence d'un avocat, vous entendez ?

— Tu regardes trop de films, grommela le major en sortant un mouchoir blanc de sa mallette.

D'un mouvement rapide, il enfonça le mouchoir dans la bouche de Jorge et y colla un ruban adhésif. Le mathématicien tenta de se débattre, mais en vain.

Après s'être assuré que le prisonnier ne pouvait pas crier, l'agent de la CIA sortit une petite trousse marron de sa mallette. Il l'ouvrit, laissant apparaître plusieurs instruments métalliques. Il choisit une pince coupante qu'il mit sous les yeux de Jorge pour lui montrer ce qui l'attendait.

— La séance peut commencer.

Il immobilisa la main gauche du Portugais, prit son auriculaire, qu'il posa entre les mâchoires affûtées de la pince, et serra.

— Hmm ! cria Jorge. Hmm !… Hmm !…

Du sang gicla, pendant que le prisonnier se contorsionnait désespérément sur le lit, le visage écarlate et en sueur, les yeux hallucinés par l'effroi et la souffrance. Indifférent, le bourreau continuait. Après avoir cisaillé les derniers bouts de chair, il prit le doigt amputé et le montra à sa victime.

— Tu vois où t'a mené ton obstination ? demanda-t-il d'un air innocent. Si tu continues à faire l'imbécile, je vais tous te les couper, tu saisis ? Et si ça ne suffit pas, je te tranche les poignets, les chevilles, les coudes et les genoux. Tu as compris l'idée, non ? Je vais te faire très mal. Alors, rends-toi service. Raconte-moi tout. Tu t'épargneras bien des souffrances, crois-moi.

(Il laissa son regard posé sur le prisonnier, comme s'il attendait une réaction.) Gémis deux fois si tu es d'accord.

— Hmm… hmm.

D'un geste sec, l'agent de la CIA lui retira le bâillon.

— Alors, où est-il ?

Jorge respirait péniblement, mais parvint malgré tout à recouvrer une partie de ses esprits.

— Il… il est allé chez le type de la CIA.

— Chez qui ?

— Chez celui… qui est mort à Genève.

— Frank Bellamy ?

— Oui, je crois que c'est ça. Je n'ai pas retenu son nom.

— Et où habite-t-il ?

— Je ne me souviens pas de l'adresse exacte… je vous le jure !

— C'est à Washington ?

— Oui, quelque part vers Dupont Circle.

Fuentes remit le mouchoir dans la bouche du prisonnier et recolla le morceau de ruban adhésif. Puis, il prit son téléphone.

— J'espère que tu as de bonnes nouvelles, répondit immédiatement Fuchs. Tu l'as trouvé ?

— Il semblerait que le type soit allé à l'appartement de Bellamy.

— Bon Dieu ! Cet enfoiré est rapide.

— Il faudrait que vous me confirmiez l'adresse.

— C'est sur Dupont Circle. Je te l'envoie tout de suite.

Fuchs raccrocha. Satisfait, Fuentes regarda son prisonnier. Celui-ci ne lui était plus d'aucun intérêt. Il sortit son arme, puis il prit le silencieux et le vissa consciencieusement sur le canon.

— Hmm !… Hmm !

Malgré la douleur, Jorge ne rata pas une miette des préparatifs. Il tenta de se débattre, mais n'arriva à rien, si ce n'est à arracher un léger sourire à son bourreau. Ce dernier se leva et alla chercher un oreiller dans le placard. Il revint vers le lit, le posa sur le visage de Jorge et y enfonça le canon de son pistolet.

Il tira.

LIX

Sans savoir comment interpréter les affirmations de Tomás, Peter resta muet un long moment.

— Vous savez qui a tué mon père, reprit-il, incrédule. Comment est-ce possible ?

— Les pistes sont toutes ici.

Les yeux de Peter parcoururent l'espace autour de lui, se posant alternativement sur les photos encadrées, les objets qui se trouvaient sur le bureau, les tiroirs et les livres. Mais rien de ce qu'il voyait ne lui donnait le moindre indice sur ce qui s'était passé à Genève.

— Je suppose que vous plaisantez…

— Au contraire, je suis on ne peut plus sérieux. Je suis convaincu de savoir qui a tué votre père, comment et pourquoi.

— Qui est-ce ?

— Avant de vous le dire, poursuivit l'historien, il faut que je prenne connaissance du projet *Œil quantique*. J'ai besoin de confirmer mon intuition.

Le visage de Peter s'éclaira.

— Mais encore faudrait-il savoir où se trouve ce foutu projet, observa-t-il. Et ça je crois que ça n'est pas gagné.

— Vous faites erreur, je sais où votre père l'a caché.

À ces mots, Peter esquissa une moue dubitative.

— Pardon ? Vous savez où se trouve l'*Œil quantique* ?

Tomás se leva de sa chaise.

— Je le crois, répondit-il. Mais chaque chose en son temps. (Il fit un geste en direction de la porte qui conduisait au débarras.) Il serait peut-être temps de libérer cette malheureuse, la pauvre ! Elle est enfermée depuis un bon moment...

— Vous avez raison.

Peter abandonna sa place derrière le bureau, sortit la clé des menottes et ouvrit la porte du débarras.

— Comment ça va ? lui demanda l'historien en anglais pour éviter de susciter la méfiance de Peter.

— Ça va, répondit-elle sèchement.

Peter ouvrit les menottes.

— Toutes mes excuses, s'empressa de dire l'Américain. Ne m'en veuillez pas, mais vous êtes entrés dans l'appartement de mon père sans y être invités. Il fallait que je sache qui vous étiez et quelles étaient vos intentions. Il n'y avait là rien de personnel et j'espère que vous allez bien.

— Ne vous en faites pas, je comprends parfaitement, répondit Maria Flor en frottant son poignet endolori. C'est moi qui ai été stupide de me laisser entraîner dans cette affaire qui ne me concerne pas. Je crois que je ferais mieux de partir.

Tomás ne put contenir un soupir de soulagement en voyant que son amie allait bien. Il avait envie de la serrer dans ses bras, de l'embrasser, de lui dire qu'il l'admirait et tant d'autres choses encore, mais il se retint. Il avait confiance en Peter, mais il n'oubliait pas qu'il avait affaire à un professionnel de l'espionnage et que pour ces gens-là l'illusion et la manipulation faisaient partie de la routine. Dans ces conditions, il devait continuer de faire croire que Maria Flor n'avait que peu d'intérêt pour lui. Il continuait de penser que c'était la meilleure manière de la protéger.

— Oui, on va partir d'ici, dit-il. Mais d'abord j'aimerais aller à l'endroit où se trouve le...

— Je veux m'en aller tout de suite ! coupa la jeune femme en élevant la voix. Immédiatement !

Le ton de Maria Flor surprit Tomás.

— D'accord, on va faire un détour par l'université de Georgetown et t'y déposer. Jorge acceptera certainement de...

— Je veux rentrer au Portugal, rétorqua-t-elle sur le même ton. Ce soir.

L'historien ne s'attendait pas à cette réaction. Maria Flor était encore plus ébranlée qu'il ne le pensait, elle demandait l'impossible. Il pensa d'abord à l'en dissuader, mais, à la réflexion, il comprit qu'il valait mieux qu'elle quitte les États-Unis le plus vite possible.

Il consulta sa montre.

— Il est 22 heures. (Il jeta un regard interrogateur à Peter.) Vous pensez qu'il y a encore un vol pour Lisbonne ?

Le jeune homme retourna au bureau et démarra l'ordinateur.

— Il n'y a qu'une façon de le savoir, dit-il pendant que l'écran s'allumait.

Peter se connecta et, au bout de quelques secondes,

une liste de liaisons aériennes entre les deux capitales s'afficha à l'écran.

— Il n'y a plus de vol direct au départ de Washington, constata Tomás. Il faudrait que tu transites par New York pour avoir une correspondance, mais tu arriverais tard. Ah, il y aurait ce vol, à minuit, pour Londres. (Ils cliquèrent sur le lien et les détails du vol apparurent.) Tu atterris à Heathrow demain matin et tu peux prendre la correspondance de 10 heures pour Lisbonne. (Il se tourna vers son amie.) Ça te va ?

— Oui.

Tomás régla le vol. Quelques instants plus tard, un message de la compagnie aérienne leur signalait que le billet avait été envoyé par mail.

— Quel idiot ! pesta l'Américain. J'avais oublié que l'imprimante était en panne ! Mais ce n'est pas grave. Voici les références de la réservation, ils les vérifieront au comptoir d'enregistrement. Il n'y aura aucun problème.

Il arracha du bloc la feuille où figuraient les renseignements et la tendit à Maria Flor. La jeune femme lut les annotations et, sans un sourire, leva les yeux vers la porte.

— Qu'attendons-nous pour partir ?

LX

Très lentement, la Chevrolet noire contourna Dupont Circle et alla se garer le long du trottoir. Le conducteur scruta des yeux le quartier désert et sortit de la voiture. Il avança à grandes enjambées et entra dans l'immeuble.

Derrière son comptoir, le concierge lisait le journal. Il leva les yeux vers l'inconnu.

— Bonsoir. Puis-je vous aider ?

Fuentes lui présenta sa carte de la CIA.

— Je viens pour une réunion de locataires.

Le concierge s'assura de l'authenticité de la carte.

— Vous êtes très actifs ces temps-ci, observa-t-il avec ironie. Pas plus tôt que ce matin, des gars de chez vous sont venus pour une de vos réunions de locataires…

Le major Fuentes montra les dents, comme un chien montre ses crocs.

— Vous aussi vous m'avez l'air très actif, rétorqua-t-il en montrant le col de chemise de son interlocuteur. Vous avez du rouge à lèvres ici.

Gêné, le concierge lui fit signe de passer. Fuentes

avança jusqu'aux ascenseurs, situés juste après le hall. Il appuya sur un bouton et attendit. Certains locataires de l'immeuble travaillaient pour la CIA et l'Agence avait loué un petit appartement au dernier étage pour y tenir des réunions. Après la mort de Frank Bellamy, cela s'était révélé très utile pour accéder à l'immeuble sans attirer l'attention.

Lorsque la porte se referma et que l'ascenseur commença à monter, Fuentes sortit son pistolet et, comme il l'avait fait une demi-heure plus tôt sur le campus de l'université, il fixa le silencieux.

L'ascenseur s'arrêta. Il ouvrit la porte et sortit, remontant prudemment jusqu'à l'appartement dont Fuchs lui avait indiqué le numéro. Il s'agenouilla devant la serrure et l'inspecta. Alors que tout le monde voyait la CIA comme une organisation high-tech, ce qu'elle était à bien des égards, il s'étonna de constater que le directeur de la science et de la technologie avait à sa porte une serrure particulièrement rudimentaire. Le major retira de sa poche son matériel de crochetage. Après quelques manipulations, il sentit le mécanisme tourner ; la porte s'ouvrit.

LXI

On entendit un bourdonnement alors que la porte du garage s'élevait doucement jusqu'au plafond. Peter Bellamy appuya sur l'accélérateur et sa Jeep gravit la rampe. À cette heure-là, les rues étaient désertes. Le véhicule contourna sans difficulté le rond-point de Dupont Circle et emprunta la New Hampshire Avenue en direction de Foggy Bottom et du Potomac, au-delà duquel se trouvait l'aéroport.

— Nous avons une demi-heure pour arriver à Dulles, dit l'Américain en regardant l'horloge de la Jeep. Il n'y a pas de circulation, on y sera à temps.

Assis sur le siège passager, Tomás se retourna et regarda Maria Flor avec un sourire confiant.

— C'est bien que tu rentres à la maison, dit-il. C'est vraiment la solution la plus sage. Ici, tu n'es pas en sécurité.

— Hmm, hmm.

Elle ne le regardait même pas, fixant le paysage qui défilait sous ses yeux à travers la vitre, comme si elle était ailleurs. Quelque chose échappait à Tomás.

— Ça ne va pas ?

— Si, si !

Qu'avait-il bien pu se passer ? Peter avait-il été violent avec elle ? Il l'examina discrètement, mais ne distingua nulle trace d'agression.

— Dites-moi, Peter. Que s'est-il passé pendant l'interrogatoire de Maria Flor ?

Le conducteur haussa les épaules.

— Rien de spécial. Je lui ai posé des questions auxquelles elle a répondu. Ensuite, je suis allé parler avec vous pour voir si vos réponses et les siennes concordaient. C'est tout.

— Vous ne l'avez pas agressée, d'une manière ou d'une autre ?

L'agent regarda le Portugais, étonné.

— Vous êtes sérieux ?

— Malheureusement oui, rétorqua Tomás avec gravité. Avez-vous été violent ?

L'Américain soupira.

— Je n'ai recouru qu'à la violence psychologique nécessaire pour l'obliger à répondre sincèrement à mes questions, précisa-t-il. Je l'ai menacée avec mon arme. Mais je n'ai pas eu à en faire trop, elle était suffisamment terrorisée. Elle m'a raconté toute l'histoire, que vous avez ensuite confirmée.

— Pas de violence physique ? Vous êtes sûr ?

— Je suppose que le fait de la menotter peut constituer, d'une certaine manière, un acte de violence physique. Si vous faites allusion à des coups ou d'autres actes de ce genre, je peux vous assurer que rien de tel ne s'est produit.

Un lourd silence s'ensuivit. La Jeep traversa le Potomac par le pont Theodore Roosevelt Island et poursuivit sur Custis Memorial Parkway pendant une dizaine de minutes. Enfin, les lumières de l'aéroport apparurent sur la gauche, au moment même où un bruit assourdissant envahit l'habitacle. Surpris, les passagers levèrent les yeux vers le ciel : c'était un avion qui s'apprêtait à atterrir sur la piste de Dulles.

— Nous sommes presque arrivés, murmura Peter. Que faisons-nous ensuite ?

— Nous allons chercher l'*Œil quantique*.

— Halderman et Fuchs ont passé ces derniers jours à fouiller partout pour essayer de le trouver, rappela-t-il. Qu'est-ce qui vous fait croire que vous réussirez là où ils ont échoué ?

— Contrairement à eux, je dispose, moi, d'un informateur privilégié.

— Qui ?

— Votre père.

L'Américain se tourna vers lui et le dévisagea, interloqué.

— Qu'est-ce que vous dites ?

Tomás mit la main dans sa poche et en retira le grand pentacle.

— Vous avez oublié ce que votre père m'a envoyé ? Comme je vous l'ai déjà montré, sur l'une des faces de cette amulette, se trouve un dessin complexe avec une référence directe en hébreu au *Mafteah Shelomoh*, ou *La Clé de Salomon*.

— En effet, je m'en souviens. D'ailleurs, je peux vous dire que c'est justement la référence à *La Clé de Salomon* qui m'a convaincu que, en associant votre nom à ce qu'il a désigné comme « la clé », mon père

431

faisait allusion à cet objet, et non au fait que vous soyez mêlé d'une façon ou d'une autre à sa mort.

— Je suis heureux de vous l'entendre dire, acquiesça Tomás. En analysant minutieusement les signes répartis entre les sept branches de l'heptagramme dessiné sur le grand pentacle, nous avons découvert que certains d'entre eux représentaient en réalité des coordonnées géographiques. Et maintenant, devinez à quel endroit renvoient ces coordonnées ?

— Vous insinuez que mon père vous a révélé le lieu où se trouve l'*Œil quantique* ?

— Vous voyez bien que vous êtes aussi un sacré génie !

En entendant cette expression, Peter sourit.

— Vous vous mettez à parler comme mon père. Je suppose que vous avez vérifié à quel endroit de la planète correspondaient ces coordonnées ?

La Jeep s'arrêta devant le hall des départs, à côté d'une rangée de chariots. Tomás alluma le plafonnier du véhicule pour éclairer le dessin sculpté sur le grand pentacle.

— Bien sûr, confirma-t-il. Pourriez-vous saisir les données dans le GPS de la voiture ? Nous allons voir où cela nous mène.

— Bonne idée.

Peter alluma le GPS et attendit les informations. Tomás se concentra sur les nombres et les signes indiqués sur l'heptagramme.

— 38°, 57', 6,5'' N, et 77°, 8', 44'' W.

Une carte de Washington apparut sur l'écran. Peter zooma sur l'image, qui s'immobilisa sur un secteur de la rive sud du Potomac. Il zooma à nouveau et les contours d'un immeuble apparurent.

— Ça alors ! s'étonna-t-il. Langley.

— C'est là qu'est caché l'*Œil quantique*.

Le Portugais ouvrit la portière, mais Peter lui fit signe d'attendre.

— Attendez un instant. Je vais zoomer un peu plus pour voir à quelle partie du bâtiment correspondent ces coordonnées.

Il appuya et l'image s'agrandit. Il appuya encore une fois, puis encore une autre jusqu'à ce que le complexe qui abritait l'Agence occupe la totalité de l'écran et que l'image se fige enfin sur…

— Quelle partie du bâtiment est-ce là ?

L'Américain écarquillait les yeux, stupéfait. Il se tourna lentement vers Tomás.

— C'est le bureau de mon père.

LXII

Une arme à la main, Fuentes inspecta l'appartement et comprit rapidement que la place avait été désertée. Sur le bureau, des papiers et des livres avaient été déplacés. Dans le débarras, un léger parfum de femme planait encore.

— *Señor* Noroña et sa *chica*, murmura-t-il. Nous nous sommes ratés de peu…

Il s'assit sur le fauteuil et réfléchit quelques instants. Tout semblait indiquer qu'ils venaient de quitter les lieux. L'étau se resserrait, mais il avait toujours un temps de retard sur l'historien. Il devait être plus rapide et anticiper les actes du Portugais. Que ferait-il après ? Tout dépendait de ce que ce Noronha avait trouvé dans l'appartement de Bellamy. Une chose était sûre : il faudrait bien qu'il aille dormir quelque part.

— Merde alors ! jura le major. J'en viens !

Il aurait sans doute été plus sensé d'attendre Tomás dans le quartier résidentiel de l'université de George-town plutôt que d'essayer de le coincer dans l'appartement de Dupont Circle, mais c'était facile à dire après coup. Il devait retourner sur le campus, car lorsque l'historien retrouverait le corps de son ami, il disparaîtrait à nouveau.

Il se leva, s'apprêtant à quitter l'appartement, lorsqu'il remarqua le bloc-notes posé sur le bureau. Il passa son index sur la surface de la première page et s'aperçut qu'il y avait des marques.

— Qu'est-ce que c'est ?

Il ouvrit les tiroirs du bureau et prit un crayon à papier. Il noircit délicatement la feuille jusqu'à ce qu'apparaisse en négatif le texte qui avait été inscrit sur celle de dessus. Fuentes identifia un mot qui semblait être Lisbonne, un horaire, minuit, et un autre mot qu'il parvint, malgré quelques lettres illisibles, à déchiffrer : Heathrow.

— L'aéroport ! s'exclama-t-il. Le salopard est allé à l'aéroport !

LXIII

Tomás, Maria Flor et Peter quittèrent le parking en silence et traversèrent la rue pour entrer dans le terminal international de Dulles. Ils cherchèrent le comptoir d'enregistrement sur l'écran des départs.

Maria Flor s'approcha et tendit son passeport. Puis elle consulta le papier sur lequel Peter avait noté les détails du vol.

— Je vais à Lisbonne avec une correspondance à Heathrow, dit-elle. La référence de ma réservation est YQBCD8.

L'hôtesse vérifia les informations sur son écran.

— Maria Sequeira ? confirma l'employée de la compagnie aérienne, ne mentionnant que les prénom et nom usuels de la passagère. Votre vol décolle à minuit pour Heathrow. L'embarquement a lieu jusqu'à 23 h 30, porte 43. (Elle lui rendit son passeport et lui tendit deux cartes d'embarquement, l'une pour Londres, l'autre pour Lisbonne. Elle afficha un sourire professionnel.) Je vous souhaite un bon voyage !

Après avoir rangé les documents, Maria Flor se tourna vers Peter et se força à sourire.

— Je crois que le moment est venu de nous dire au revoir, dit-elle en lui tendant la main. Merci beaucoup de m'avoir amenée jusqu'ici…

— Nous t'accompagnons jusqu'à la zone d'embarquement, interrompit Tomás, perturbé son indifférence manifeste.

Maria Flor le dévisagea avec froideur.

— Ça va, vous pouvez vous en aller, insista-t-elle. Je vais aller faire la queue au contrôle de sécurité et à la douane. (Elle fit un signe de la main.) Au revoir.

— Attends, dit l'historien. On t'accompagne jusque-là.

— Au revoir.

Faisant mine de ne pas l'avoir entendu, ni même vu, Maria Flor commença à marcher. Ahuri, Tomás la regarda s'éloigner pendant quelques instants. Il réagit enfin et se précipita derrière elle.

— Comment ça, au revoir ? dit-il à bout de patience. Que se passe-t-il ? Je t'ai fait quelque chose ?

Maria Flor s'arrêta et le dévisagea, furieuse.

— Non, Tomás Noronha, non, tu ne m'as rien fait ! cria-t-elle. C'est moi qui ne veux plus être la bimbo de service. Si je n'ai rien dans le crâne et si mon seul intérêt à tes yeux ce sont mes seins, eh bien, tu n'as pas besoin de moi !

L'historien ne s'attendait absolument pas à cela.

— Tu… tu as entendu notre conversation ?

La fureur se lisait sur le visage de son amie.

— Qu'est-ce que tu crois, monsieur je-sais-tout ?

Elle recommença à marcher droit devant elle, sans se préoccuper des autres voyageurs qui les regardaient, amusés.

— Attends ! dit-il, courant à nouveau derrière elle. C'est un malentendu !

Sans s'arrêter, Maria Flor lui lança un regard méprisant.

— Le malentendu, c'est toi !

— Tu ne comprends pas, insista l'historien. Tout ce que j'ai dit à Peter, c'était pour te protéger ! Je ne voulais pas qu'il devine combien je…

— Je n'ai pas besoin de ta protection ! s'exclamat-elle.

Tomás la prit par l'épaule.

— Attends, tu dois me…

Elle repoussa sa main d'un geste brusque.

— Laisse-moi !

— S'il te plaît, écoute-moi, implora l'historien. Ce que j'ai dit n'était qu'un stratagème pour qu'il ne se serve pas de toi. Je ne voulais pas que Peter pense que j'ai…

— Va-t'en ! cria Maria Flor. Je ne veux plus te voir, tu entends ?

— Mais…

Un homme en uniforme s'interposa soudain entre eux.

— Ce monsieur vous importune ?

— Oui, monsieur l'agent. Pourriez-vous lui dire de me laisser tranquille ?

Le policier acquiesça et regarda le Portugais avec fermeté, une main sur la crosse de son arme.

— Vos papiers, s'il vous plaît.

Tomás le dévisagea, puis se tourna vers Maria Flor qui s'éloignait vers la douane. Résigné, il sortit son passeport de sa poche.

— Les voici.

Après avoir examiné le document, le policier le regarda à nouveau.

— Sachez que dans ce pays le harcèlement est un crime fédéral. Veuillez me suivre.

Peter apparut alors et tendit sa carte au policier.

— Ça ne va pas être nécessaire, monsieur l'agent. M. Noronha est avec moi, je dois l'accompagner à l'Agence. Il nous apporte son concours dans une affaire de terrorisme de la plus haute importance. J'espère que vous comprenez, il s'agit d'une question d'intérêt national.

En voyant la carte de la CIA, le policier fut tenté de s'obstiner, mais les termes « affaire de terrorisme » et « intérêt national » l'incitèrent à lâcher prise.

— Entendu. Mais qu'il ne recommence plus.

— Ne vous en faites pas. Bonsoir.

Peter poussa Tomás par le bras et le fit sortir du terminal. Le Portugais se laissa faire, mais il continuait à regarder derrière lui, ne quittant pas des yeux la silhouette de Maria Flor qui s'éloignait vers la zone d'embarquement de l'aéroport. Il l'avait perdue.

LXIV

Engagé dans une course contre la montre, Fuentes s'arrêta devant la porte d'accès au terminal de l'aéroport sans prêter la moindre attention au panneau d'interdiction de stationner. Il bondit hors du véhicule et courut vers les comptoirs d'enregistrement. Tomás Noronha n'y était pas.

— *Coño !* jura-t-il à voix basse, craignant que sa cible ne se trouve déjà dans le secteur réservé aux voyageurs. Et maintenant ?

Il savait qu'il pouvait faire intervenir Harry Fuchs, mais il ne voulait pas le déranger. Il se présenta donc au bureau de la sécurité de l'aéroport et s'adressa à l'agent en faction.

— Major Manuel Fuentes, de la CIA, dit-il en lui montrant sa carte. Il faut que j'accède immédiatement au secteur réservé aux passagers. Je dois intercepter un suspect qui doit prendre le vol pour Londres, à minuit. (Il jeta un regard sur l'écran des départs.) L'embarquement a lieu porte 43.

Le lieutenant Brown, comme on pouvait le lire sur le badge accroché à sa chemise, vérifia la carte qui lui

441

était présentée et, après en avoir validé l'authenticité, se leva de son siège.

— Bon sang, la CIA se bouscule aujourd'hui à Dulles, on dirait ! plaisanta-t-il en lui faisant signe de le suivre.

— Que voulez-vous dire par « la CIA se bouscule aujourd'hui à Dulles » ?

— Un de vos collègues était ici il y a une dizaine de minutes. Un petit incident s'est produit dans le terminal et, quand la police est intervenue pour arrêter l'auteur du trouble, votre collègue est arrivé et l'a emmené avec lui. Il paraît que c'était un type important dans la lutte contre le terrorisme.

Cette affaire ne semblait pas concerner Fuentes. Au bout du couloir, ils montèrent quelques marches et sortirent par une porte discrète entre deux boutiques de duty free. Ils tournèrent en direction du hall d'embarquement et, quelques minutes plus tard, arrivèrent à la porte 43.

Plus de deux cents passagers attendaient là. L'agent de sécurité à ses côtés, l'homme de la CIA parcourut la salle à la recherche de Tomás, dont les traits étaient gravés dans sa mémoire.

Après avoir fait deux fois le tour, il s'arrêta, se rendant à l'évidence.

— Il n'est pas ici.

Le lieutenant Brown indiqua l'hôtesse installée derrière le guichet d'embarquement, qui se préparait à faire une annonce.

— Vous ne voulez pas vérifier la liste des passagers ?

— Bonne idée.

Les deux hommes s'approchèrent du guichet et

l'agent de sécurité expliqua à l'employée qu'il y avait un problème et qu'ils devaient vérifier si une certaine personne n'était pas sur ce vol. Celle-ci leur montra aussitôt la liste. Fuentes s'approcha de l'écran. Il examina les noms, il n'y trouva pas celui de Tomás, mais son attention fut attirée par celui d'une femme à consonance portugaise.

Maria Sequeira.

Intrigué, il consulta le dossier qu'il avait avec lui et trouva le nom et la photo de la femme qui voyageait avec Noronha ; il s'agissait d'une certaine Maria Flor Sequeira, dont la photo, envoyée à Langley par l'homme de la CIA à Lisbonne, figurait en annexe.

— J'ai déjà vu ce visage, constata le major en levant la tête. Un visage comme celui-ci ne passe pas inaperçu…

L'image de Maria Flor à l'esprit, Fuentes entreprit de faire à nouveau le tour de la salle d'embarquement. Il l'aperçut enfin, assise sur une chaise dans un coin, tournant le dos à une jardinière. Maria Flor était courbée, et semblait pleurer.

Il fit un signe de la tête au lieutenant Brown, qui s'approcha de la passagère.

— Voulez-vous m'accompagner, madame ?

La Portugaise leva la tête et le dévisagea, les yeux écarquillés, surprise d'être interpellée.

— Pardon ?

— Lieutenant Brown. Je suis chargé de la sécurité de l'aéroport. Je vais vous demander de bien vouloir me suivre, s'il vous plaît.

Un éclair de panique illumina le regard de Maria Flor.

— Pourquoi ? Il y a un problème ?

Le policier fit un geste insistant en direction de la sortie.

— Venez avec moi.

— Mais je dois prendre le vol pour Londres…

— Il s'agit d'un simple contrôle de routine, rassurez-vous. Ça prendra cinq minutes à peine.

Craignant le pire, la jeune femme obéit et le suivit. Elle s'aperçut qu'un individu venait de se placer derrière elle sans rien dire, comme s'il voulait l'empêcher de fuir. L'homme qui la guidait la conduisit jusqu'au bureau de la sécurité de l'aéroport.

Le lieutenant s'écarta de la porte et, dans un élan de courtoisie, laissa les deux personnes qui l'accompagnaient entrer dans une petite pièce chichement meublée.

— Le major Fuentes a des questions à vous poser, annonça-t-il en présentant l'agent. Il fait partie de la CIA.

Maria Flor pâlit.

— La… CIA ?

— Oui, madame, confirma Fuentes. Je mène une enquête au sujet d'une introduction clandestine dans le système informatique de l'Agence, tôt ce matin. Avant que je vous pose deux ou trois questions, souhaitez-vous faire une déclaration à ce sujet ?

La jeune femme hésita.

— Je… balbutia-t-elle. J'exige la présence d'un avocat.

L'agent de la CIA ricana et échangea avec le lieutenant Brown un regard complice qui suggérait qu'une

444

telle affirmation équivalait à une reconnaissance implicite de culpabilité.

— Vous aurez droit à un avocat le moment venu. D'ailleurs, ce ne sera peut-être pas nécessaire... si vous coopérez, bien entendu. Nous avons besoin d'une simple information. Si vous me la donnez, vous pourrez prendre votre avion et rentrer chez vous sans aucun problème.

— Que voulez-vous savoir ?

L'Américain la fixa des yeux.

— Où est « Tomás Noroña » ?

Maria Flor hésita, tourna les yeux vers le lieutenant Brown, recherchant vainement un réconfort et, comprenant qu'elle était livrée à elle-même, regarda le major Fuentes et rassembla son courage.

— Je ne sais pas.

— Vous ne le savez pas ou vous ne voulez pas le dire ?

— Il m'a laissée ici, à l'aéroport, et il est parti.

— Où est-il allé ?

— Je n'en ai pas la moindre idée.

L'homme de la CIA soutint son regard, pesant ses paroles.

— Dans ce cas, je suis désolé de vous informer que vous allez devoir m'accompagner à Langley. Vous y serez soumise à un détecteur de mensonges. Si vous passez le test, l'Agence vous paiera un billet d'avion pour rentrer chez vous. En revanche, si vous échouez, vous serez arrêtée et officiellement accusée d'atteinte à la sécurité des États-Unis d'Amérique. Suis-je clair ?

La jeune femme acquiesça d'un léger mouvement de la tête.

— Parfaitement.

— Continuez-vous à soutenir que vous ne savez pas où se trouve « Tomás Noroña » ?

— Absolument.

Le major posa sa mallette sur la table et en retira une paire de menottes.

— Dans ces conditions, je vous informe que, conformément à la législation américaine relative à la lutte contre le terrorisme, vous êtes en état d'arrestation, annonça-t-il avant de déclamer le fameux avertissement Miranda. Vous avez le droit de garder le silence. Dans le cas contraire, tout ce que vous direz pourra et sera utilisé contre vous devant un tribunal. Vous avez le droit de consulter un avocat qui pourra être présent lors de l'interrogatoire. Si vous n'en avez pas les moyens, un avocat vous sera désigné d'office, et il ne vous en coûtera rien. Durant chaque interrogatoire, vous pourrez décider à n'importe quel moment d'exercer ces droits, de ne répondre à aucune question ou de ne faire aucune déposition.

La déclaration fut surtout faite pour que le lieutenant Brown constate que l'arrestation avait eu lieu en bonne et due forme. La CIA ne s'embarrassait généralement pas de ce genre de formalité. Le major Fuentes se leva, contourna la table et menotta la prisonnière. Puis, il la fit sortir du bureau et l'entraîna à travers le terminal de Dulles, indifférent aux larmes qui coulaient le long de son visage.

LXV

Stoppé devant la barrière de sécurité qui contrôlait l'accès des véhicules au complexe de Langley, Peter Bellamy attendait le gardien avec une certaine appréhension. Lorsque celui-ci s'approcha, il baissa la vitre électrique et lui présenta sa carte.

— Bonsoir, salua-t-il. J'ai un visiteur avec moi.

— Vous avez des papiers, monsieur ?

Tomás avait déjà sorti son passeport et le tendit au garde, qui retourna dans sa guérite pour procéder aux vérifications d'usage. Au bout d'un certain temps, il remit un badge de visiteur au Portugais.

— Comme le prévoit le protocole, vous ne pouvez accéder qu'aux secteurs autorisés, l'informa-t-il. (Puis il se dirigea vers Peter pour lui faire signer une décharge.) Comme vous le savez, monsieur, à aucun moment vous ne pourrez laisser votre invité circuler librement dans le bâtiment. Conformément au règlement intérieur, il est sous votre responsabilité. Bonsoir.

Le garde fit un signe à ses hommes, qui passèrent la Jeep au détecteur d'explosifs. Le portail s'ouvrit et la voiture entra sur le parking, presque vide à cette heure-là. Peter stationna à la place qui lui était réservée. Les deux hommes sortirent du véhicule et se dirigèrent vers le bâtiment principal.

Tomás fit un geste en direction du ciel.

— Que faites-vous ?

— J'imagine que des satellites russes et chinois surveillent en permanence ce site, dit-il en plaisantant. Alors, je leur fais un petit signe amical.

Ils entrèrent dans le bâtiment en riant. Dans le hall, des portiques de sécurité surveillés par des gardes armés contrôlaient l'accès aux installations ; le dispositif était impressionnant. Sous le regard vigilant des agents de sécurité, ils passèrent leur badge devant le détecteur et la barrière s'ouvrit.

— Et maintenant ? Où allons-nous ? demanda Peter.

L'historien était un peu intimidé de se retrouver au siège de la CIA. Il se sentait perdu, ne sachant ce qu'il était réellement autorisé à faire.

— Je peux circuler librement ?

— Bien sûr que non, répondit Peter. En revanche, moi je peux aller presque partout. Étant donné les circonstances, je vais devoir violer quelques règles pour vous emmener dans des lieux où, normalement, vous ne seriez pas admis. (Il baissa la voix et lui parla sur un ton confidentiel.) Si nous sommes pris, je serai renvoyé et, tout comme vous, arrêté et poursuivi pour avoir porté atteinte à la sécurité nationale. C'est pourquoi je vous demanderai d'être discret. Où devons-nous aller ?

— Au bureau de votre père, dit Tomás. Vous pensez que c'est possible ?

L'Américain se retourna et se dirigea vers le couloir.

— On n'a pas le choix. C'est par ici.

Ils parcoururent le couloir en silence. Le visiteur était surpris de ce qu'il voyait ; il s'attendait à ce que le siège de la CIA fût un lieu froid et fermé, rempli de dispositifs de sécurité de la dernière technologie, mais il découvrait à la place des bureaux en enfilade aux murs percés de vastes baies vitrées au-delà desquelles on devinait, malgré la nuit, la végétation qui entourait le bâtiment.

Ils parvinrent à une porte métallique commandée par un clavier encastré dans le mur. Peter introduisit sa carte dans le lecteur magnétique, saisit un numéro et appuya son index pour que son empreinte digitale soit scannée.

La porte s'ouvrit.

— À partir d'ici, nous entrons dans une zone réservée, indiqua-t-il en vérifiant discrètement la position de la caméra de vidéosurveillance fixée au plafond. Faites semblant de faire la même chose que moi.

Tomás obéit et posa son badge sur le capteur du clavier, feignit de saisir un numéro et plaça son doigt, sans le poser, sur le scanner. Ils entrèrent dans le secteur réservé au personnel habilité. À première vue, rien ne le différenciait de l'espace précédent. La majeure partie des bureaux étaient déserts, sans doute en raison de l'heure tardive, mais on s'activait encore dans ceux où étaient gérées les opérations en Asie où la journée était déjà bien avancée.

Après avoir contourné une cour intérieure, Peter parvint à une porte où il répéta la même procédure de sécurité. Celle-ci s'ouvrit et, avec un geste de courtoisie, le jeune homme fit signe à Tomás d'entrer.

— Dans des circonstances normales, je n'aurais pas accès à ce bureau avec ma carte, expliqua-t-il. Mais, grâce à mon père, j'ai obtenu l'autorisation. Visiblement, ils ne l'ont pas encore annulée.

— Alors comme ça, un fils de directeur a des passe-droits ?

Ils entrèrent dans une sorte de salle d'attente, au fond de laquelle se trouvait une seconde porte, elle aussi dotée d'un système de sécurité. Peter la débloqua.

— Oui, lorsqu'il s'agit du bureau de son propre père.

Tomás Noronha pénétra enfin dans l'antre de Frank Bellamy.

LXVI

Terrassée par le coup porté à la nuque au moment où elle entrait dans la Chevrolet, Maria Flor perdit connaissance. Sans perdre un instant, Fuentes mit le contact et démarra, quittant l'aéroport par l'autoroute qui conduisait à Washington.

Lorsqu'il atteignit la première sortie, il abandonna la route principale et emprunta une voie secondaire, puis un chemin qui traversait une forêt de pins. Après un virage serré, il bifurqua vers un sentier discret en terre battue qu'il connaissait bien et qui le conduisit à une clairière isolée. Il s'arrêta près d'un arbuste et, saisissant le corps de sa prisonnière, il lui attacha les poignets aux fixations des ceintures de sécurité et lui ligota les pieds. Lorsqu'il eut terminé, il contempla son travail. Les conditions n'étaient pas idéales, un lit était toujours mieux, mais compte tenu des circonstances ce n'était pas si mal. Il se souvenait d'avoir interrogé une fois un taliban dans une voiture et, somme toute, cela s'était passé de manière acceptable.

Il ouvrit une bouteille d'eau gazeuse, en dévissa le bouchon et aspergea le visage de sa victime.

— Quoi… Où suis-je ? bredouilla-t-elle en portugais. Que se passe-t-il ?

— *Señorita* Sequeira, lui répondit l'agent de la CIA. *Señorita* Sequeira, vous m'entendez ?

Les yeux mi-clos, la Portugaise posa son regard sur l'homme qui venait de lui parler.

— Que s'est-il passé ? (Elle tenta de bouger, mais s'aperçut qu'elle avait les mains et les pieds liés.) Qu'est-ce que c'est que ça ? Pourquoi m'avez-vous attachée ? Libérez-moi !

Visiblement, elle avait repris ses esprits.

— *Señorita* Sequeira, j'ai une question à vous poser. Il y a deux manières de procéder : soit vous collaborez de votre plein gré, soit j'utilise la manière forte. Laquelle choisissez-vous ?

Maria Flor fit un effort pour tenter de se libérer, mais en vain.

— Enlevez-moi ça ! cria-t-elle. Vous ne pouvez pas me traiter comme ça ! J'ai des droits !

L'agent de la CIA roula les yeux ; chaque fois qu'il interrogeait un Américain ou un Européen, la question des droits revenait sur le tapis. Pourquoi ces gens-là mettaient-ils tant de temps à comprendre ?

— Vous n'avez pas répondu à ma question, reprit-il. Vous acceptez de répondre de votre plein gré, ou bien vous préférez souffrir. C'est à vous de choisir.

— Libérez-moi !

Le major connaissait le scénario par cœur. Les prisonniers commençaient toujours par refuser de coopérer, mais, après une expérience très douloureuse, ils devenaient incroyablement loquaces.

Il avait pris soin de préparer son matériel alors

qu'elle était encore inconsciente. Il enfonça le mouchoir dans la bouche de Maria Flor et posa du ruban adhésif.

— Hmm ! Hmm !

Habitué aux grognements étouffés qui accompagnaient ce type d'interrogatoire, il n'y prêta aucune attention particulière. Maria Flor n'était pas la première, et ne serait sans doute pas la dernière à vivre cette expérience.

Il prit la pince qu'il balança devant ses yeux.

— Vous voyez ça ? C'est d'une efficacité redoutable. Vous voulez voir comment ça fonctionne ?

Il s'installa sur la banquette afin d'agripper plus facilement la main droite de sa victime. Il la saisit fermement et plaça le petit doigt entre les machoires affûtées de la pince. La position de la prisonnière ne lui facilitait pas la tâche, mais cela n'allait pas l'empêcher de mener à bien son interrogatoire ; en général, une seule amputation suffisait pour amener les moins bavards à dénoncer père et mère, rares étaient ceux auxquels il fallait couper plusieurs doigts, voire le poignet.

La sonnerie du portable l'arrêta au moment précis où il allait refermer les lames de la pince sur le doigt de sa victime. Il jura, énervé d'être dérangé à un tel moment et décrocha.

— Qui est à l'appareil ?

— L'enfoiré est à l'Agence ! aboya Fuchs.

— Pardon ?

— Qu'est-ce que tu es en train de faire ?

Fuentes regarda Maria Flor. Son chef utilisait sans aucun doute une ligne sécurisée, il devait néanmoins faire attention à ce qu'il disait.

— Eh bien… je m'apprête à recueillir des informations sur la planque de notre suspect. J'ai mis la main sur sa nana ; elle est ici avec moi, pour une séance de… enfin, pour une petite conversation.

— Le fils de pute est à l'Agence, coupa le directeur du Service national clandestin. On vient de m'appeler de Langley. Le serveur qui contrôle l'ensemble du trafic informatique a détecté l'enregistrement d'un Portugais du nom de *Thomas Noroña*. Il est entré à l'Agence il y a une vingtaine de minutes.

Fuentes écarquilla les yeux, incrédule.

— Quoi ?

— C'est le fils du vieux, ce petit merdeux, qui l'a fait entrer.

— Mais… c'est génial !

— Pas du tout !

— Mais si ! Notre suspect est à Langley, on n'a même pas eu à l'attraper, c'est lui qui est venu à nous. Que demander de plus ? Que Noroña vienne nous lécher le cul ?

— Ce n'est pas si simple, rétorqua Fuchs. Si le type est entré dans l'Agence avec le fils de Bellamy, c'est qu'ils sont de mèche. Et ça c'est plutôt gênant, parce que ça veut dire qu'il a un allié à Langley. Dans ces circonstances, c'est très risqué de le coincer, Bellamy junior peut poser de gros problèmes et ce n'est pas quelqu'un qu'on élimine facilement.

— Je ne comprends pas. Le fils de Bellamy est allié avec l'homme qui a tué son père ? Mais ça n'a aucun sens…

— Comme je te l'ai dit, les choses ne sont pas si simples. Ce Noroña est rusé et il a dû trouver un moyen pour se mettre le fils du vieux dans la poche. Peu importe comment il l'a fait, ce qu'il faut c'est agir rapidement, mais avec des procédés moins orthodoxes.

— Vous pensez à quelque chose ?

Fuchs marqua une pause, comme s'il envisageait le problème sous un autre angle.

— Dis donc, j'ai rêvé ou sa poule est avec toi ?

— C'est exact. Comme je vous le disais, j'allais justement commencer un petit interrogatoire pour savoir où se planque son type, mais apparemment ça ne va pas être nécessaire. Que dois-je faire d'elle à présent ? Je la liquide ?

— Tu n'y songes pas. Cette fille est notre dernier atout.

— Comment ça ?

— Nous allons l'utiliser comme appât. Je rentre immédiatement au bureau. Il faut absolument trouver un moyen pour le faire sortir de l'Agence de son propre chef.

— Mais comment va-t-on procéder ?

— Écoute-moi bien. Dans les heures qui viennent, tu vas cesser d'être un agent de la CIA et devenir un délinquant qui a enlevé la fille. Emmène-la quelque part et menace de l'exécuter. D'après ce que je sais de Noroña, lorsqu'il en sera informé, il va vouloir la sauver à tout prix.

— Et après ? Je fais quoi ?

— Une fois qu'il sera sorti de l'Agence, on aura les mains libres. Tu l'attrapes et tu lui fais subir un de tes interrogatoires. Quand il nous aura dit où est l'*Œil quantique*, tu pourras le liquider. Ensuite, tu disparais de la circulation. La police ne saura pas ce qui s'est passé et pensera qu'il s'agit d'un délit de droit commun. Quant à nous, non seulement on aura mis la main sur l'*Œil quantique*, mais en plus on aura vengé Bellamy.

— Et je fais quoi de la *chica* après avoir buté Noroña ?

— Tu la liquides, bien sûr.

LXVII

Peter alluma la lumière du bureau de son père, la vaste pièce était très classique. Le plancher en séquoia était recouvert d'un tapis orné du symbole de la CIA, tandis qu'une grande table en acajou trônait devant un drapeau américain et un portrait du Président. Face à la fenêtre se trouvaient une gigantesque bibliothèque et une mappemonde truffée de petits points rouges indiquant les principales capitales mondiales.

— C'est la première fois que j'entre ici depuis que… bredouilla Peter.

— Où est le coffre ? demanda Tomás qui n'avait qu'une seule idée en tête.

Peter désigna le portrait du locataire de la Maison Blanche accroché au mur derrière le bureau.

— Là, derrière, indiqua-t-il. Je sais que Halderman et Fuchs l'ont déjà ouvert. Ils y auraient trouvé des rapports confidentiels, des projets en cours d'élaboration et une certaine somme d'argent. Mais pour ce qui est de l'*Œil quantique*… rien.

— Ils n'ont aucune piste ?

— Non, aucune.

Le Portugais parcourut le bureau, attentif aux détails. Il regarda les livres posés sur les étagères et constata qu'ils traitaient de questions scientifiques ou géostratégiques ; il y avait des œuvres de John von Neumann, de Richard Feynman, Stephen Hawking, et des classiques, Lao Tseu, Clausewitz, Hobbes, Machiavel et T. E. Lawrence, ou encore Kissinger et Churchill.

La mappemonde placée entre les étagères semblait n'être qu'un simple élément de décoration. Elle paraissait ancienne, probablement une relique de la guerre froide. Tomás identifia Washington, Londres, Paris, Rome, Berlin, Moscou, Pékin et Tokyo, avant de s'en désintéresser et de traverser le bureau.

Sur le mur opposé, une fenêtre donnait sur la cour qu'ils avaient contournée quelques minutes plus tôt. Tomás regarda dehors et constata que celle-ci était dominée par une sculpture abstraite, une forme ondulante percée de lettres, telle une ancienne plaque typographique. Puis il se retourna et examina le lieu où Frank Bellamy avait passé les dernières décennies à concevoir les inventions qui, au fil des années, avaient donné à la CIA l'avantage technologique qui avait fait sa réputation.

— Dans ce bureau, il doit y avoir un indice qui nous conduira à l'*Œil quantique* et nous permettra d'élucider le mystère de la mort de votre père, murmura Tomás. Reste à savoir quoi.

Il s'approcha du bureau et inspecta les documents qui s'y empilaient. Ne trouvant rien d'intéressant, il passa aux tiroirs. Il les fouilla, sans succès.

— Halderman et Fuchs ont déjà passé le bureau au peigne fin pendant des heures, insista Peter. Ils n'ont rien découvert. (Il secoua la tête, sceptique.) Pour être franc, je ne vois pas comment nous pourrions découvrir quoi que ce soit si eux ont échoué.

Tomás regarda autour de lui, déconcerté, attendant qu'une piste s'impose à lui. Son attention finit par se fixer sur la photographie du Président américain.

— Comment ouvre-t-on le coffre ?

— Il ne contient rien d'intéressant, répéta Peter. Je vous ai déjà dit que Halderman et Fuchs l'avaient fouillé et qu'ils…

— Je ne suis pas certain qu'ils aient su interpréter ce qu'ils y ont trouvé. J'aimerais voir ce qu'il y a dedans afin d'en tirer mes propres conclusions, vous comprenez ? Il se peut que je discerne quelque chose qui leur aurait échappé.

— J'en doute fort, dit l'Américain. De toute façon, ça ne sert à rien, car je ne connais pas la combinaison du coffre.

Ils étaient dans une impasse. Pendant qu'il réfléchissait à la manière de contourner la difficulté, Tomás mit distraitement la main dans sa poche.

— Le grand pentacle ! s'exclama-t-il. La solution doit s'y trouver !

— La solution ?

— L'objet que votre père m'a envoyé contient bien plus de choses que les coordonnées qui nous ont conduits jusqu'ici, rétorqua Tomás. (Il plaça le grand pentacle afin qu'ils puissent tous deux observer le dessin sculpté sur l'une de ses faces.) Regardez.

— Les coordonnées géographiques sont réparties entre les sept branches de l'étoile, constata Peter. Et puis il y a l'étoile elle-même. Vous croyez qu'elle peut signifier quelque chose ?

— L'étoile à sept branches est un heptagramme. C'est un symbole utilisé en alchimie pour représenter les quatre éléments fondamentaux de la culture occidentale, la terre, l'air, l'eau et le feu, et les trois éléments essentiels de la culture orientale, le sel, le mercure et le soufre. À mon avis, l'heptagramme n'est pas ici par hasard, mais parce qu'il représente tout ce qui existe dans l'univers.

— Cela concorde avec les recherches scientifiques de mon père. (Il indiqua les caractères hébraïques situés au sommet du cercle qui entourait l'heptagramme.) Enfin, il y a ces mots en hébreu qui, d'après ce que vous m'avez dit, constituent une référence à *La Clé de Salomon*.

— Mais il y a beaucoup plus que cela, n'est-ce pas ? Les yeux de l'Américain scrutèrent le dessin.

— Eh bien, on voit aussi l'étoile de David au milieu et… ces lettres dans le cercle qui entoure l'heptagramme.

— Vous savez ce qu'elles signifient ?

— Rien… enfin, je crois.

— Rien de ce qui figure sur ce dessin n'est dû au hasard. Si votre père a introduit ici ces lettres, c'est qu'elles ont une fonction. Et nous devons les découvrir si nous voulons saisir le message.

L'historien s'assit au bureau, prit un stylo et une feuille de papier. Il regarda les lettres figurant dans le cercle extérieur de l'heptagramme et les recopia.

TTVPYN4SOTPYRK

— Vous voyez, ça ne veut rien dire.

Les yeux de Tomás parcoururent le cercle et il lui fallut à peine plus de deux secondes pour déchiffrer le message ; la solution lui semblait si simple que c'en était déconcertant.

— Vous ne trouvez pas ? interrogea-t-il, en désignant les caractères מפתח שלמה. Ces mots signifient *Mafteah Shelomoh*. Or, l'hébreu se lit de droite à gauche. La question est la suivante : et si les lettres en caractères latins qui se trouvent dans le même cercle se lisaient elles aussi de droite à gauche ? Voyons ce que ça donnerait…

Il griffonna à nouveau les lettres, mais cette fois-ci en sens inverse.

KRYPTOS4NYPVTT

— Ça ne veut toujours rien dire ! s'écria Peter.

Tomás réécrivit le texte en insérant deux espaces.

KRYPTOS 4 NYPVTT

— Est-ce un peu plus clair à présent ?

L'Américain ouvrit la bouche, stupéfait.

— *Kryptos* ! s'exclama-t-il. Vous avez vu ce qui est écrit ? *Kryptos* !

Il courut à la fenêtre du bureau et désigna l'œuvre d'art qui se trouvait dans la cour.

— C'est cette sculpture, acheva l'historien.

Les deux hommes restèrent à la fenêtre à contempler, fascinés, la structure ondulée qui s'élevait devant eux.

C'était là que Frank Bellamy avait dissimulé son secret.

LXVIII

Une des questions qui perturbaient Harry Fuchs lorsqu'il pénétra dans l'enceinte de Langley concernait le comportement de Tomás Noronha. Que diable pouvait-il bien avoir en tête pour se précipiter ici, dans la gueule du loup ? Que cherchait-il ?

— L'*Œil quantique* ! marmonna-t-il entre ses dents en se dirigeant vers le bâtiment. Ce petit salaud pense qu'il va trouver l'*Œil quantique* ! Il se prend pour qui ?

L'idée lui paraissait vraiment risible. Lui-même et ses hommes avaient déjà retourné le bâtiment de fond en comble sans aucun résultat. Néanmoins, quelques détails le préoccupaient. Pourquoi, dans son dernier message, le vieux avait-il mentionné Tomás comme étant « la clé ». De toute évidence, il ne pouvait s'agir que de la clé conduisant à l'*Œil quantique*. Jusque-là, tout lui semblait clair. Ce qui l'était moins, en revanche, était le comportement de ce Noronha. Malgré tous les risques qu'il courait, l'historien était venu ici, jusqu'à Langley. Il détenait forcément une information capitale. C'était la seule explication possible.

Il entra dans le bâtiment et vit que Sam Dunn,

l'homme qui dirigeait l'équipe de nuit, l'attendait dans le hall. C'était lui qui l'avait averti de la présence du Portugais. Il n'avait pas excessivement confiance en Dunn, mais il le savait efficace et il allait devoir lui donner quelques indications sur l'opération en cours pour découvrir l'*Œil quantique*.

— Où est ce salopard ?

— Dans le bureau de Bellamy, monsieur.

Ils passèrent rapidement les portiques de sécurité, glissèrent leurs badges dans les détecteurs et empruntèrent le couloir qui menait à la Direction de la science et de la technologie.

— Personne n'est intervenu, j'espère.

— Non, monsieur. J'ai suivi vos ordres et je les ai laissés tranquilles. Je me suis contenté de surveiller leurs déplacements, comme vous me l'avez ordonné.

Le bureau n'était pas très loin, mais les deux hommes devaient encore franchir une porte pour accéder au niveau de sécurité supérieur. Fuchs en profita pour expliquer à son subordonné qu'il avait fait enlever la compagne du Portugais pour faire pression sur lui.

— Ne vous en faites pas, dit Fuchs. Ce n'est qu'une mise en scène pour obliger ce salaud de Noroña à coopérer.

Le directeur omettait juste de préciser que la jeune femme allait être exécutée. Bien que discrète, la surveillance était resserrée dans tout le périmètre ; il était évident que sans l'aide de Peter Bellamy et la complaisance de Sam Dunn, qui avait contrôlé tous les faits et gestes des intrus sans intervenir, le Portugais n'aurait pas pu aller si loin. Il était également évident qu'il n'irait pas plus loin.

Arrivés dans le secteur de la Direction de la science et de la technologie, les deux hommes se dirigèrent directement vers le bureau du directeur adjoint. Walter Halderman, que Fuchs avait averti, les attendait avec impatience.

— Le type est dans le bureau du vieux, dit Halderman, qui se rongeait distraitement l'ongle du pouce. Qu'allons-nous faire ?

— L'arrêter.

Ils entrèrent dans la pièce où travaillait habituellement la secrétaire de Frank Bellamy, mais personne ne s'y trouvait. Seule la porte entrouverte et la lumière trahissaient une activité. Halderman plaça son badge sur l'écran de sécurité, saisit son code et s'identifia. La porte se déverrouilla. Les trois hommes avancèrent, l'arme au poing.

— Merde alors !

Le bureau était vide. Contrarié d'avoir été pris en défaut alors qu'il avait assuré son chef qu'il contrôlait les événements, Dunn se dirigea vers les toilettes privées de Bellamy.

Fuchs et Halderman, eux, parcouraient le bureau à la recherche d'une piste éventuelle. En passant près de la fenêtre, Fuchs remarqua deux silhouettes dans la cour intérieure. Il observa les deux hommes qui se tenaient près de la sculpture et reconnut Peter Bellamy. Il n'avait jamais vu l'autre, mais il l'identifia aussitôt. C'était Tomás Noronha.

LXIX

Regarder la structure ondulée qui ornait l'angle nord-ouest de la cour de la Direction de la science et de la technologie provoquait chez Tomás un sentiment étrange. L'historien savait que *Kryptos*, composée de quatre grandes plaques de cuivre et d'éléments en quartz blanc et en granit vert et rouge, contenait des secrets aussi insondables que son nom le laissait deviner.

De la paume de la main, Tomás caressa la texture irrégulière des plaques de cuivre, comme s'il pouvait, par le simple toucher, saisir les secrets de la sculpture, dont l'armature formait une ondulation horizontale en forme de S, semblable à un manuscrit percé d'une infinité de lettres.

— Cette œuvre a toujours été mystérieuse, observa Peter. On dit qu'elle contient plusieurs messages et que, malgré les multiples tentatives de cryptologues successifs, aucun d'eux n'a été déchiffré. Impressionnant, vous ne trouvez pas ?

— J'ignore si vous le savez, je suis non seulement historien, mais aussi cryptologue, révéla Tomás, fasciné par ce qui se trouvait devant lui. Je connais donc très bien cette pièce. *Kryptos* demeure l'une des plus grandes énigmes de la cryptologie. Cette sculpture a été conçue par un artiste et contient quatre messages cryptés, dont trois – désolé de vous contredire – ont déjà été déchiffrés. Le quatrième, en revanche, reste mystérieux.

— Ah bon ! Mais alors, qu'ont révélé les trois messages qui ont été déchiffrés ? Un secret mystique ?

Tomás sourit.

— Oh, rien de transcendant, rassurez-vous. (Il indiqua l'une des plaques de la sculpture.) Le premier message est ici. Cette suite de lettres, codée selon un système de substitution polyalphabétique avec recours à la table de Vigenère, peut être déchiffrée avec le mot clé « palimpseste ». On obtient quelque chose comme : « Entre l'ombre subtile et l'absence de lumière réside la nuance de l'illusion. »

— Ma foi, c'est poétique…

Tomás passa à la deuxième plaque.

— Le deuxième message… c'est drôle, vous savez ce qu'il contient ? (Il prit un air songeur, comme si, en voyant la plaque, une idée venait de surgir.) Des coordonnées géographiques.

— Comme celles du grand pentacle ?

— Exactement. 38°, 57', 6,5'' N, 77°, 8', 44'' W. J'ai déjà vérifié sur le GPS. (Il tourna le bras vers le sud-est.) C'est un point situé à 45 m dans cette direction.

L'Américain regarda dans la direction indiquée, pour voir quel lieu désignait la deuxième énigme de *Kryptos*.

— Mais c'est… le bureau de mon père !

— Ce qui confirme que lui et l'artiste qui a créé cette œuvre partageaient les mystères du *Kryptos*. N'oubliez pas que votre père était le plus ancien membre de la CIA encore en activité. Il est entré dans l'Agence lorsqu'elle a été fondée. Il devait en connaître tous les secrets.

— En effet, vous avez raison.

— Ce deuxième message confirme que le secret que Frank voulait nous transmettre y est caché et que c'est ici, dans le *Kryptos*, que nous trouverons la clé.

Les deux hommes continuèrent de contempler la sculpture, à la recherche d'un élément qui pourrait les mettre sur la voie.

— Vous pensez que le troisième message pourrait cacher cette clé ? s'interrogea Peter en se frottant le menton.

Tous deux portèrent leur attention sur la troisième plaque.

— Peut-être, hésita Tomás, qui ne semblait guère séduit par cette idée. Mais vous savez, ce message a été chiffré en recourant à un système de transposition. Il a déjà été cassé et il a révélé une citation de Howard Carter, extraite du livre qu'il a écrit sur la découverte du tombeau de Toutankhamon. Pour être plus précis, il s'agit du moment où Carter a ouvert la crypte.

— Précisément. Pour ouvrir la crypte, il faut avoir une clé.

— Mais Howard Carter n'a utilisé aucune clé pour arriver au tombeau de Toutankhamon. C'est pourquoi je ne pense pas que ce message contienne la clé de notre problème.

Peter s'impatienta.

— Si la solution n'est pas dans le premier message du *Kryptos*, ni dans le deuxième, ni dans le troisième, où diable peut-elle bien se cacher ? Il ne peut évidemment pas s'agir du quatrième message de la sculpture puisqu'il n'a pas encore été déchiffré. Mon père n'a donc pas pu l'utiliser.

— Peut-être pas.

— Que voulez-vous dire par là ?

Tomás ne répondit pas tout de suite. Il s'approcha de la quatrième plaque de la sculpture et l'examina avec intensité, comme s'il tentait de lui arracher son secret.

— La réponse se trouve bien dans ce quatrième message.

LXX

Entravée à l'arrière de la voiture, Maria Flor vivait un véritable cauchemar.

— Que se passe-t-il ? demanda le conducteur qui s'aperçut que sa victime s'agitait. On reste tranquille, OK ? Dans un petit moment, nous serons arrivés. Je t'administrerai le traitement dont tu as besoin, ma jolie.

Le coup de fil qu'il avait reçu ne l'avait pas « sauvée », mais simplement laissée en sursis. Maria Flor n'avait pas tout saisi de l'échange téléphonique, mais elle en avait assez entendu pour comprendre qu'elle allait servir d'appât pour attirer Tomás dans un piège. Jamais celui-ci ne prendrait le moindre risque pour tenter de libérer une femme qu'il considérait comme un accessoire. Et, même s'il essayait, à quoi cela servirait-il ? Un simple historien n'avait aucune chance face à un professionnel de la CIA.

Ses poignets attachés lui faisaient mal et ses mains étaient engourdies. Si seulement son ravisseur les desserrait un peu, ça la soulagerait. Elle gémit en espérant que l'homme comprendrait.

En entendant les plaintes assourdies de la jeune

femme, Fuentes détourna un instant les yeux de la route. Il esquissa un sourire malicieux et, cédant à la tentation, tendit le bras pour lui caresser les seins.

— Dommage que je ne puisse pas en profiter. Tu aurais sûrement apprécié, mais tu sais ce que c'est, je suis un professionnel et je ne mélange pas le travail et le plaisir. Tant pis pour toi.

La Portugaise se débattit, cherchant à échapper aux mains de l'homme.

— Hmm ! Hmm !

— Rebelle, hein ? J'aime ça chez une femme. C'est plus excitant, si tu vois ce que je veux dire. Malheureusement, tout ça va mal finir pour toi.

Après lui avoir jeté un dernier regard, le conducteur se concentra à nouveau sur la route. Les phares des voitures qui venaient en face éclairaient son visage de manière sporadique. À cette heure-là, il n'y avait guère de circulation.

— Tu vas voir ce que je t'ai préparé…

LXXI

Étudiant attentivement la quatrième plaque du *Kryptos*, Tomás s'efforçait d'entrevoir une solution au problème. La piste, conclut-il, devait se trouver dans le message que Frank Bellamy lui avait fait parvenir de Genève.

Il tendit la main vers Peter.

— Pourriez-vous me remontrer le message que votre père a inséré dans le grand pentacle ?

L'analyste de la CIA sortit la feuille de sa poche.

KRYPTOS 4 NYPVTT

— Le sens de *Kryptos* est évident, constata Peter. Le problème, c'est ce « *4 NYPVTT* ».

— La signification de ce chiffre et de ces six lettres ne vous semble pas évidente ? Regardez bien.

L'analyste de la CIA examina la dernière séquence de caractères, *NYPVTT*. Les deux premiers lui étaient familiers.

— NY, ce sont les initiales de New York, bien sûr.

Peut-être… que le chiffre *4* fait référence au quatrième district de New York, le Bronx.

Le Portugais sourit.

— Vous autres, aux services de renseignement, vous aimez compliquer ce qui est simple. (Il fit un geste en direction de la feuille.) Vous ne voyez pas que « *Kryptos 4* » renvoie au quatrième message dissimulé dans le *Kryptos* ?

L'Américain afficha un air sceptique.

— Vous pensez vraiment que c'est possible ? Vous avez dit vous-même, il y a un instant, que le quatrième message du *Kryptos* n'avait pas encore été déchiffré. Comment mon père aurait-il pu inscrire le secret de sa mort dans un message dont lui-même ne connaissait pas le sens ?

— Qui sait s'il ne le connaissait pas ? N'oubliez pas que tout indique que l'artiste qui a créé cette sculpture a partagé avec lui les mystères du *Kryptos*.

— Y compris le secret de la quatrième plaque ?

Tomás ne répondit pas tout de suite. Il s'approcha à nouveau de la quatrième plaque et examina la suite de lettres, entremêlées de façon apparemment aléatoire. Le mot *kryptos* apparaissait à chaque ligne, mais le reste était incompréhensible.

— Alors ? Vous avez une piste ?

Le cryptologue lut les lettres une par une à voix basse et s'arrêta entre la soixante-quatrième et la soixante-neuvième.

— Et voilà ! dit-il en appelant Peter d'un geste de la main. Venez voir.

L'analyste de la CIA s'approcha et regarda les lettres

indiquées. Il s'agissait des six caractères qui leur étaient devenus familiers.

NYPVTT

— Bon sang ! s'exclama-t-il avec surprise. Exactement les mêmes lettres que celles qui figurent sur le grand pentacle. Que diable cela signifie-t-il ?

Tomás recula de quelques pas pour avoir à nouveau une vision d'ensemble.

— Face aux difficultés insurmontables que l'on rencontre pour déchiffrer cette quatrième plaque, l'artiste qui a créé le *Kryptos* a donné deux pistes. Tout d'abord, il a indiqué que les réponses des premières plaques contenaient les solutions de la dernière. (Tomás désigna la séquence NYPVTT.) Ensuite, il a révélé que ces six lettres, insérées entre les soixante-quatrième et soixante-neuvième lettres, signifient Berlin.

— Berlin ?

— C'est ce que le sculpteur a indiqué. (Il regarda de nouveau le message *KRYPTOS 4 NYPVTT*.) Ainsi, en insérant cette ligne dans le grand pentacle, votre père nous invitait à aller voir la quatrième plaque du *Kryptos* pour découvrir la signification de *NYPVTT*. La réponse, comme l'a indiqué l'auteur de l'œuvre lui-même, est Berlin.

Le fils de Bellamy était stupéfié par cette nouvelle révélation et ce qu'elle impliquait.

— Le secret de la mort de mon père se trouverait

à Berlin ? interrogea-t-il, perturbé. Mais… mais quelle fantaisie…

— Les mains en l'air !

Surpris, Tomás et Peter se retournèrent.

Harry Fuchs les tenait en joue.

LXXII

Véritablement épuisée, incapable de savoir où on l'emmenait, Maria Flor savait pertinemment qu'elle était en sursis. Son destin était tracé : elle allait servir d'appât pour capturer Tomás et, que celui-ci morde ou non, elle finirait par être éliminée.

— On approche, ma jolie, murmura Fuentes, absorbé par la conduite. Il n'y a plus qu'à s'assurer que tout est tranquille. On va le savoir tout de suite.

Après un virage, la voiture ralentit puis s'arrêta. Le ravisseur serra le frein à main et regarda dans toutes les directions. Son souhait semblait ne pas devoir être exaucé, car il ébaucha une grimace contrariée.

— Il est 2 heures du matin et il y a encore des abrutis qui se promènent par ici, observa-t-il en coupant le moteur. Ils n'ont rien d'autre à foutre ?

Fuentes s'inclina sur son siège et attendit que les promeneurs s'en aillent. Il jeta un œil sur sa prisonnière, s'intéressant de nouveau à elle. Il tendit le bras et glissa la main sous son chemisier.

— Je vois que tu es nerveuse, dit-il. Très bien, pour le moment je ne t'embête plus. J'ai quelque chose de plus important à faire et, d'ailleurs, le moment est venu.

Il prit son portable et composa un numéro.

— Je veux parler à Tomás Noroña.

LXXIII

À la vue du directeur du Service national clandestin braquant une arme sur eux, Peter eut soudain un mauvais pressentiment.

— Que faites-vous, Harry ? Pourquoi pointez-vous votre arme sur nous ?

Fuchs fixa son regard sur le Portugais.

— Je ne la pointe pas sur vous, mais sur lui, nuance.

Peter fit deux pas pour s'interposer.

— J'espère que vous n'allez pas me dire que le professeur Noronha est l'assassin de mon père ?

— Je n'affirme rien de tel. C'est votre père qui l'a fait. Auriez-vous déjà oublié le message qu'il nous a laissé à sa mort ?

— Voyons, vous savez bien que c'est faux. Il n'a jamais dit que le professeur Noronha l'avait assassiné...

— C'est tout comme. Votre père a écrit qu'il était « la clé ». Pour moi, l'accusation est très claire.

— Ne dites pas de conneries.

— Je ne fais que constater. Le message ne laisse aucun doute.

Peter respira profondément.

— Vous savez pourquoi c'est une connerie ? objecta-t-il sur un ton de défi. Tout simplement parce que l'homme qui l'a fait tuer, c'est vous.

Le directeur du Service national clandestin se força à rire.

— Vous êtes devenu fou ! Pourquoi aurais-je fait une chose pareille ? Frank Bellamy était mon ami.

— Vous ? Amis ? Ne soyez pas ridicule, Fuchs. Vous pensez que mon père et moi nous n'avions pas compris votre petit jeu ? (Il tendit un doigt accusateur.) Vous vouliez qu'il parte, par la force si nécessaire, pour mettre la main sur l'*Œil quantique* et ainsi sauver votre poste. Vous avez besoin de l'*Œil quantique* pour dissimuler votre incompétence et mettre un terme aux revers successifs que connaît l'Agence et dont vous êtes responsable. (Il secoua à nouveau la tête.) Non, pour vous mon père n'était certainement pas un ami, mais un obstacle.

Harry Fuchs recula d'un pas, indigné.

— Je ne vous permets pas de dire une chose pareille, protesta-t-il. Seul le respect que m'inspire la mémoire de votre père m'empêche de…

Visiblement peu impressionné, Peter croisa les bras et le dévisagea avec mépris.

— Finissons-en avec ces simagrées ! s'exclama-t-il. (D'un geste, il indiqua le pistolet de Fuchs.) Que voulez-vous exactement ?

Celui-ci désigna Tomás.

— Je veux interroger votre ami.

— À quel sujet ?

— Au sujet de la mort de votre père… entre autres.

— C'est-à-dire ?

Fuchs ne répondit pas.

— De… l'*Œil quantique*, par exemple.

Le fils de Frank Bellamy le regarda d'un air narquois.

— Bien sûr que vous voulez le questionner sur l'*Œil quantique* ! Ce projet est la seule chose qui vous intéresse dans toute cette histoire.

— Peu importe ce que vous pensez. Je dois interroger votre ami.

— Il ne vous dira rien. Il n'a pas confiance en vous. Il sait bien que vous voulez vous servir de lui et que vous l'écarterez à la première occasion. Il sait aussi que si le directeur du Service national clandestin est venu ici, en personne, à 2 heures du matin, pour l'arrêter, c'est qu'il est bien plus important qu'on ne pourrait le croire.

Harry Fuchs hésita.

— Ce ne sont que des conjectures. Dans toute cette histoire, certaines choses doivent être éclairées.

Plus il se demandait ce qu'était venu faire Fuchs au siège de l'Agence, plus Peter se persuadait que quelque chose dans son comportement lui échappait.

— Vous savez qu'ici, à Langley, vous n'avez pas les moyens de le faire parler et que le fait que je sois son allié vous empêche de commettre la moindre illégalité, fit-il observer. Dans ces conditions, je me demande à quel jeu vous jouez. Quel coup tordu avez-vous bien pu imaginer…

Deux hommes apparurent dans la cour. Peter Bellamy tourna la tête et reconnut Walter Halderman, l'adjoint de son père, et Sam Dunn, le chef de l'équipe

481

de nuit du Service national clandestin, qui marchaient dans leur direction, le second avec un portable à la main.

— Un appel pour Tomás Noronha, annonça Dunn. Quelqu'un a appelé le standard de l'Agence et a demandé à lui parler. (Il regarda Tomás.) La personne a dit qu'il s'agissait de l'ami de Peter Bellamy. Je suppose que c'est vous.

Le Portugais regarda à son tour le nouveau venu, surpris de l'évolution de la situation.

— Un appel pour moi ? s'étonna-t-il. Ça doit être une erreur…

Dunn lui tendit le téléphone.

— Répondez.

L'historien prit l'appareil avec appréhension.

— Allô ?

— Le vol pour Londres a décollé à minuit avec une passagère en moins, lui annonça la voix au téléphone. Elle est avec moi et son temps est compté. Il ne lui reste plus qu'une heure à vivre.

— Maria Flor ? murmura Tomás, abasourdi. Qui est à l'appareil ?

— Je suis le cauchemar que vous allez faire cette nuit. Votre amie est à côté de moi, elle va vous dire un mot.

Tomás entendit un gémissement puis une voix féminine qu'il reconnut immédiatement.

— Fais attention Tomás, ce type veut…

Un bruit sourd l'interrompit, suivi d'un nouveau gémissement.

— Flor ! cria Tomás, affolé. Flor !

482

— Ton amie est allée piquer un petit somme, reprit la voix masculine. Comme je te l'ai dit, elle n'a...

— Ne touchez pas à un seul de ses cheveux ! interrompit le Portugais, hors de lui. Si vous lui faites quoi que ce soit, je...

L'inconnu ricana.

— Tu quoi, pauvre idiot ? Écoute-moi bien, sinon tu risques de ne plus jamais revoir ta petite amie. Elle sera exécutée à 3 heures du matin précises, au tribunal de la Maison du Temple de Salomon, treize au-dessus de la base du pentagramme, sur le tombeau de Mausole. Si tu veux éviter ce dénouement, le seul moyen est de venir ici et de me convaincre que tes réponses aux questions que j'ai à te poser valent bien sa vie.

La communication fut coupée avant que l'historien ait eu le temps de répondre. Il demeura un long moment immobile à regarder le téléphone, désemparé, oubliant ceux qui l'observaient.

— Qu'y a-t-il ? s'enquit Peter Bellamy, inquiet.

Presque comme un automate, Tomás répondit.

— Elle a été enlevée.

— Quoi ?

— Elle sera exécutée à 3 heures si je ne vais pas la rejoindre et répondre à une série de questions.

Le pistolet toujours à la main, Harry Fuchs semblait de plus en plus surpris.

— Qu'est-ce que c'est que cette histoire ? Si c'est vrai, vous feriez mieux d'aller tout de suite libérer votre amie. N'importe qui peut avoir une arme en Amérique. Des malades peuvent entrer dans une armurerie et acheter un fusil d'assaut, ils font deux, trois cartons histoire de s'entraîner un peu et puis… ils entrent dans une école et ouvrent le feu. Des fous furieux !

Comme s'il voulait aider Tomás, Fuchs rangea son arme et lui fit signe de le suivre. Encore sidéré par la tournure que prenaient les événements, l'historien obéit, mais Peter l'arrêta.

— Attendez, dit-il. Cette histoire ne sent pas bon.

Tomás le dévisagea, encore sous le choc.

— Pourquoi ?

— Réfléchissez un peu, dit Peter. Quelles informations ce type veut-il exactement ? Comment va-t-il les obtenir ? Et, surtout, que fera-t-il de vous et de votre amie quand il les aura obtenues ?

Résigné, Tomás fit un geste d'impuissance.

— Bien sûr que c'est un piège. Mais que puis-je faire d'autre ?

— Ne faites rien. Vous ne voyez pas qu'ils se servent d'elle pour vous appâter ?

— Je sais, mais je ne peux pas la laisser mourir…

— Plutôt elle que vous, argumenta Peter. Cette fille n'est qu'une bimbo. Pourquoi risquer votre vie pour la sauver ?

L'historien soupira.

— Quand nous étions dans l'appartement et que vous m'interrogiez, j'ai dit ça pour vous dissuader de l'utiliser pour faire pression sur moi. Alors vous comprenez, je ne peux pas la laisser mourir. (Il désigna Harry Fuchs.) Et puis, j'ai de l'aide, n'est-ce pas ?

— Certainement, confirma le directeur du Service national clandestin. D'ailleurs, je vais dire à un de mes hommes de vous accompagner pour…

— Fuchs n'est pas votre allié, coupa Peter. Croyez-moi, je travaille à l'Agence et je connais toutes les tactiques, les coups tordus et les rapports de force qui ont cours ici. Réfléchissez, Tomás. Comment le type qui a kidnappé votre amie savait-il que vous étiez ici, à Langley ? Qui l'en a informé ? (Il posa un regard accusateur sur Fuchs.) La réponse est évidente, vous ne trouvez pas ?

— Qu'insinuez-vous ? demanda celui-ci sur un ton indigné. Que j'ai quelque chose à voir avec… cet enlèvement ? Comment osez-vous ? Le fait d'être le fils de mon vieil ami Frank ne vous donne pas le droit de dire tout ce qui vous passe par la tête. N'oubliez pas que je suis votre supérieur hiérarchique, vous me devez le respect !

Peter Bellamy répliqua avec dédain.

— Arrêtez votre cinéma ! Vous ne m'aurez pas, Fuchs, avec vos combines minables. (Il se tourna de nouveau vers Tomás.) Je répète ma question : comment le ravisseur savait-il que vous étiez à Langley ? Ce n'est qu'après avoir répondu à cette question que vous pourrez prendre une décision.

— Il est clair qu'ils tentent de me faire sortir d'ici pour m'interroger sans témoin, finit par dire Tomás. Mais ça ne va pas se passer comme ils le pensent. Le ravisseur a dit qu'il exécuterait Maria Flor à 3 heures. J'ai donc une heure pour trouver l'*Œil quantique*. (Il regarda Peter et désigna Sam Dunn.) On peut lui faire confiance ?

Peter hésita.

— C'est un subordonné de Fuchs, rappela-t-il. Mais il ne fait pas partie de sa clique. C'est pour ça qu'il a été relégué au poste de chef de l'équipe de nuit. Alors oui, je crois qu'on peut lui faire confiance.

Tomás dévisagea Dunn.

— Écoutez-moi, lorsque je vous remettrai ce projet et que je révélerai qui a tué Frank Bellamy, vous me rendrez Maria Flor saine et sauve. Je peux compter sur vous ?

Sam Dunn esquissa une moue d'étonnement.

— Mais… je n'ai rien à voir avec l'enlèvement de votre amie !

— Bien sûr que si, rétorqua le Portugais sur un ton qui ne supportait aucun démenti. Son enlèvement est une de vos opérations. Ce que je veux savoir, c'est si nous pouvons conclure un marché ou pas.

Dunn regarda Fuchs, comme s'il lui demandait des instructions.

— Je…

— N'attendez pas d'ordres de votre chef, il est peut-être responsable de la mort de Frank Bellamy, coupa Tomás. Il doit être le dernier à souhaiter que la vérité éclate. Et Walter Halderman est également soupçonné, bien entendu. (Il dévisagea Dunn.) C'est pour ça que je m'adresse à vous. Donnez-moi votre parole que, si je réussis à éclaircir tout ce mystère, mon amie sera saine et sauve ?

— Vous parlez comme si vous étiez en position de force…

— Je le suis. Avec ce que je sais, je peux régler toute cette affaire en une heure, mais je ne le ferai que si mon amie est épargnée. En somme, je vous livre le secret de Frank Bellamy, essentiel pour la sécurité de votre pays, en échange de la vie de mon amie. (Il fronça les sourcils.) C'est un excellent marché, vous ne trouvez pas ?

Conscient de l'enjeu, Dunn respira profondément et tendit le bras pour lui serrer la main.

— Marché conclu.

LXXIV

N'en ayant plus l'utilité, l'homme remit son téléphone dans sa poche et regarda sa passagère encore
étourdie. Maria Flor commençait à se remettre du coup
qu'elle avait reçu sur la nuque. Il lui adressa un sourire
sinistre.

— Les jeux sont faits, ma jolie. Ton prince char-
mant va arriver au galop. (Il regarda dehors et, satisfait,
ouvrit la porte de la voiture.) Nous voilà enfin seuls,
ma chérie. Encore un petit instant et je t'emmène dans
notre nid.

Fuentes sortit et ouvrit la portière arrière. Maria Flor
sentit les mains de son agresseur dans son dos. Elle
gémit en se débattant. Indifférent, l'inconnu la souleva
presque sans effort.

— Et voilà ! lâcha-t-il en la sortant du véhicule.
Allez, ma belle ! Allons dans le saint des saints. Salomon t'attend avec impatience dans son temple…

La jeune femme se sentait complètement impuis-
sante. Elle tourna la tête à plusieurs reprises pour tenter
de voir où il l'emmenait.

— Hmm…

Elle comprit, en jetant un coup d'œil sur les immeubles et les lumières alentour, qu'ils étaient en ville. Il était 2 heures du matin et les rues étaient désertes. Soudain, l'homme monta des escaliers. Elle dirigea sa tête vers le haut et parvint à entrevoir une étrange statue, une espèce de sphinx égyptien, puis elle distingua les lignes classiques et anachroniques de l'architecture grecque, transposées dans un bâtiment contemporain de la capitale américaine.

Une fois à l'intérieur, l'inconnu l'emmena dans une grande salle et la posa par terre. C'était un lieu étrange, au sol en marbre poli, dur et glacé. Bien qu'elle soit ligotée, elle parvint à se redresser et à s'asseoir. Elle regarda autour d'elle. Elle se trouvait dans une grande salle déserte de forme rectangulaire, avec de hauts murs et un plafond en chêne massif soutenu par des colonnes doriques de granit vert d'où pendaient des lampes ovales en albâtre. Au centre était disposée une table en marbre blanc. La décoration rappelait un temple de l'ancienne Égypte, avec de hautes fenêtres ornées de hiéroglyphes et des statues de pharaons assis à l'entrée. Elle n'avait pas la moindre idée de l'endroit où elle se trouvait.

S'apercevant de la détresse de sa prisonnière, l'homme de la CIA indiqua d'un grand geste l'espace autour d'eux.

— Bienvenue au tombeau.

LXXV

Envahi par l'angoisse, Tomás jeta un coup d'œil sur l'horloge accrochée au-dessus du bureau de Bellamy.

Cinquante-huit minutes.

Le temps était compté et rien ne garantissait qu'il réussisse.

— Que faisons-nous ici ? demanda Peter, qui ne comprenait pas pourquoi le Portugais les avait ramenés au bureau de son père.

Tomás répondit en indiquant la sculpture qui se trouvait de l'autre côté de la fenêtre.

— Vous avez déjà oublié ce que le *Kryptos* nous a révélé ?

— C'est justement parce que je ne l'ai pas oublié que je m'étonne que vous nous ayez fait revenir ici. Je vous rappelle que le grand pentacle fait référence au *Kryptos*, lequel renvoie à Berlin. En d'autres termes, mon père a voulu nous dire que l'*Œil quantique* se trouve à Berlin. (Il hésita, se demandant si quelque chose lui avait échappé.) Vous pensez qu'il n'y est pas ?

L'historien traversa le bureau, les trois Américains derrière lui.

— Bien sûr qu'il est à Berlin.

— Qu'est-ce que c'est que cette histoire ? interrogea Fuchs.

Sans répondre directement, Tomás se planta devant la grande mappemonde et croisa les bras.

— Vous ne remarquez rien d'anormal sur cette carte ?

Les Américains se concentrèrent sur la mappemonde qui datait des années cinquante ou soixante, sur laquelle on pouvait voir un certain nombre de frontières obsolètes, comme celles du Vietnam, du Yémen et de l'Allemagne.

— Non, qu'y a-t-il d'étrange ?

Il indiqua les petites boules rouges qui signalaient les villes.

— Washington, Londres, Paris, Berlin, Moscou, Pékin, Tokyo... Vous constaterez que les principales capitales mondiales figurent sur la carte.

— Et alors ?

L'historien se retourna et dévisagea les hommes de la CIA.

— N'avez-vous pas remarqué que toutes ces villes sont de grandes capitales ?

— Bien sûr que si, dit Peter. Mais je ne vois toujours pas ce qu'il y a là de si étonnant...

— Cette carte date du temps de la guerre froide. Or, à cette époque, l'une de ces villes n'était pas une capitale.

Les regards des hommes qui étaient dans le bureau convergèrent vers la même petite boule rouge en plein cœur de l'Europe.

— Bon sang ! s'exclama Harry Fuchs. Comment

cela a-t-il pu nous échapper ? À l'époque, la capitale de la République Fédérale d'Allemagne était Bonn !

— C'est la première chose qui m'a étonné quand j'ai vu cette mappemonde. Ce détail est devenu encore plus important lorsque, après avoir déchiffré le *Kryptos*, j'ai compris que le message du grand pentacle était justement Berlin. Frank Bellamy m'informait donc que la solution du mystère résidait sur cette carte.

D'un geste solennel, un peu comme Howard Carter lorsqu'il ouvrit la tombe de Toutankhamon, l'historien appuya sur la petite boule rouge qui indiquait Berlin. On entendit un claquement sec et la mappemonde se détacha du mur, révélant un coffre-fort.

— Ça alors ! s'écria Fuchs, stupéfié par la découverte. Cette planque ne figure sur aucun plan du bâtiment...

— N'oubliez pas que Frank Bellamy était le seul fondateur de la CIA encore en activité, rappela Tomás. Lorsque le nouveau siège de l'Agence a été déplacé ici, il a dû faire construire secrètement ce coffre-fort pour y cacher ses projets les plus sensibles.

Les cinq hommes regardèrent le coffre-fort, et plus particulièrement le système permettant de l'ouvrir. Il n'y avait ni chiffres ni lettres, simplement une étoile en creux au centre.

— Ça ne va pas être facile, conclut Halderman. Je vais devoir appeler les techniciens pour qu'ils démontent tout ça. Il faudra d'abord s'assurer qu'il n'y a pas de mécanisme d'autodestruction en cas de tentative d'effraction. Si c'est le cas, on va devoir trouver une solution pour contourner le problème.

— Combien de temps ça prendra ?

Halderman respira profondément.

— Entre une et six semaines.

Tomás regarda l'horloge accrochée au mur. Cinquante-cinq minutes.

— Nous avons moins d'une heure.

— Malheureusement, c'est impossible ! répondit l'Américain. Je suis désolé pour votre amie. On ne peut pas forcer le coffre, sinon on risque de détruire ce qu'il contient.

— Vous n'insinuez tout de même pas que vous allez la laisser mourir simplement parce que vous ne parvenez pas à ouvrir ce coffre-fort en moins d'une heure…

— Bien sûr que non, admit Fuchs. Mais j'ai le droit d'exiger que vous fassiez un effort supplémentaire.

L'historien avait une dernière carte à jouer. Il sortit de sa poche le grand pentacle et examina attentivement le motif sculpté, en particulier les deux étoiles.

— Lorsque Bellamy m'a désigné comme « la clé », je crois que l'expression qu'il a choisie avait plusieurs significations. Il voulait dire non seulement que j'étais la clé qui permettrait de résoudre le mystère de sa mort, mais aussi qu'il m'avait remis la clé du problème.

— Vous faites allusion à cet objet ?

Tomás caressa l'amulette.

— La figure du grand pentacle est apparue pour la première fois dans *La Clé de Salomon*. Le grand pentacle est composé d'une étoile à sept branches, à l'intérieur de laquelle se trouve une étoile à six branches, également appelée « sceau de Salomon », dont les contours sont dorés.

Avec les doigts, il exerça une pression sur la deuxième étoile et fit tourner le cercle dans le sens des aiguilles d'une montre. Les contours dorés de l'étoile à six branches se soulevèrent. Les yeux rivés sur l'objet, les Américains étaient totalement bluffés.

— C'est incroyable !

Tournant le grand pentacle vers les hommes de la CIA, Tomás leur montra l'étoile à six branches qui apparaissait à présent en relief.

— Selon la légende, le sceau de Salomon était en réalité l'anneau d'Aandaleeb et conférait au roi des pouvoirs sur soixante-douze démons. Voyons quels démons l'anneau stellaire va libérer.

Il plaça le grand pentacle sur le coffre-fort et l'étoile à six branches s'emboîta parfaitement dans celle sculptée en creux. D'un geste théâtral, l'historien fit tourner l'objet, déclenchant une succession de bruits secs.

— Sésame, ouvre-toi.

Tel un mendiant affamé devant un somptueux banquet, Fuchs écarta ses compagnons et plongea ses mains avides dans la caisse métallique encastrée. Il en sortit un dossier. En découvrant le titre qui était imprimé sur la couverture blanche, il écarquilla les yeux.

— L'*Œil quantique* ! s'exclama-t-il, en poussant des cris de joie. Le voilà enfin !

Il saisit le dossier et se mit à le feuilleter avec frénésie. Celui-ci comptait environ deux cents pages. Tomás jeta un coup d'œil à l'horloge. Cinquante et une minutes. Il se tourna vers Sam Dunn.

— Écoutez, j'ai fait ce que vous m'avez demandé. À vous de tenir votre parole. Téléphonez à votre homme pour qu'il libère mon amie.

Dunn se tourna vers son chef.

— Que fait-on ?

Fuchs semblait frustré.

— Je ne comprends rien à tout cela ! Il n'y a que des équations et encore des équations. C'est du charabia ! Il faut que je montre tout ça à mes hommes pour être sûr que c'est bien ce que l'on recherche.

Dunn fit un geste résigné en direction de Tomás.

— Je regrette infiniment, mais tant que nous ne serons pas sûrs, je ne pourrai rien faire.

— Le titre du dossier indique qu'il s'agit bien de l'*Œil quantique*, répondit le Portugais, exaspéré. Que voulez-vous de plus ?

— M. Fuchs ne m'a pas donné son feu vert. En outre, vous n'avez pas encore éclairci les circonstances de la mort de Frank Bellamy.

Tomás se dirigea vers le bureau. Il regarda les pages que Fuchs avait consultées et, incapable de réprimer l'impatience qui le rongeait, saisit le document.

— Montrez-moi ça !

Curieusement, le directeur du Service national clandestin ne protesta pas. Il se leva et se dirigea vers la porte, son portable à la main ; il avait un coup de fil urgent à passer. Tomás s'assit à la fenêtre et feuilleta le document. Bien qu'il fût historien, il avait suffisamment de connaissances scientifiques pour comprendre des formules et des équations mathématiques.

Il parcourut le texte, le plus souvent en diagonale, mais avec attention lorsqu'il abordait les points cruciaux. En moins de vingt minutes il avait achevé le chapitre dans lequel était résumé l'essentiel de la démonstration scientifique.

En refermant le dossier, il regarda l'horloge et compta le temps qu'il restait à Maria Flor.

Trente-cinq minutes.

— Alors, monsieur Noronha ? voulut savoir Sam Dunn. Vous avez des réponses à nous donner ?

Finissant de digérer ce qu'il venait de lire, Tomás se leva et s'adressa à Dunn et Halderman.

— Frank Bellamy a résolu la plus grande énigme de l'univers, annonça-t-il. Il a réalisé le rêve de tous les physiciens.

— Quel rêve ?

L'historien posa le dossier sur le bureau, encore ébranlé par la lecture du texte que le défunt chef de la Direction de la science et de la technologie de la CIA avait légué à la postérité.

— La théorie du tout.

LXXVI

S'apprêtant à soulever Maria Flor pour l'allonger sur la table de torture, Fuentes fut interrompu par la sonnerie de son portable. Il se redressa et sortit l'appareil de sa poche.

— Il y a du nouveau, lui annonça Fuchs. Nous avons découvert le projet que nous recherchions et le salopard essaye à présent d'en comprendre le contenu.

— Très bien, monsieur. Que dois-je faire alors ?

— Tu vas exécuter le plan que nous avions élaboré, à une petite différence près. Cet idiot de Dunn a conclu un marché avec le Portugais. Il a été convenu que si Noronha arrive à résoudre le problème avant 3 heures du matin je dois t'appeler pour stopper l'exécution de la nana. Cela étant, même si le petit prof n'arrive pas à tout faire dans les temps, on devra quand même te donner l'ordre de libérer la fille, sous peine d'avoir le Congrès et le FBI sur le dos. Je connais bien Dunn, c'est un trouillard qui suit les procédures à la lettre.

Ce changement de plan semblait perturber le major.

— Excusez-moi, monsieur, mais la femme a vu mon visage. Elle ne peut pas s'en sortir vivante.

— Je sais. Mais je vais quand même t'appeler avant 3 heures pour te donner l'ordre de la libérer.

— Mais monsieur…

— Cependant, je ne te donnerai pas cet ordre.

Fuentes fronça les sourcils ; il n'y comprenait plus rien.

— Pardon ? Mais… vous venez de dire que vous…

— Je ne te donnerai pas l'ordre, car je n'en aurai pas l'occasion, ajouta Fuchs sans le laisser finir sa phrase. La batterie de ton portable va se décharger dans… disons deux minutes.

— Vous voulez que j'éteigne mon portable ?

— Oui, je veux que tu te rendes injoignable. À 3 heures du matin, je ne pourrai pas te donner de contre-ordre puisque je n'arriverai pas à t'avoir au téléphone, le délai expirera et tu régleras son compte à la fille. Après, tu te volatilises, de préférence pour effectuer une mission quelconque en Libye. Et comme je suis le seul à savoir que tu es impliqué dans cette affaire, Dunn et Bellamy junior ne pourront rien contre toi. Ni contre moi, d'ailleurs.

— Comme ça, on ne laisse pas de traces.

Un ricanement se fit entendre.

— C'est pour ça que je t'aime bien. Adieu.

Fuchs raccrocha. Fuentes s'empressa d'appeler Langley pour qu'on lui réserve une place sur le prochain vol pour Tripoli et on l'informa qu'un avion de l'U.S. Air Force décollerait à 8 heures de la base aérienne d'Andrews. Puis, il enleva la batterie de son portable ; il était désormais injoignable.

Le sort de Maria Flor était scellé.

LXXVII

Comment convaincre en si peu de temps ? Il ne restait que trente-quatre minutes pour expliquer l'énigme de manière suffisamment claire aux hommes de la CIA et sauver Maria Flor.

Tomás regarda les quatre Américains qui lui faisaient face. Harry Fuchs venait de revenir et l'observait, les bras croisés, une expression insolente dans le regard.

— Vous êtes au courant des efforts des physiciens pour élaborer une théorie du tout ? demanda l'historien, cherchant à se faire une idée du niveau des connaissances scientifiques de ses interlocuteurs. Vous savez quelles sont les difficultés pour concilier la physique classique et la physique quantique ?

Les deux hommes du Service national clandestin et le directeur adjoint de la Direction de la science et de la technologie sourirent.

— J'en ai une vague idée, dit Dunn.

— Ces questions étaient la spécialité de Frank, indiqua Halderman. Mon domaine, c'est l'ingénierie.

— J'en ai déjà entendu parler, répondit Fuchs. Je crois que c'était à l'époque où je regardais *Star Trek*.

Seul Peter Bellamy savait de quoi il retournait, comprit Tomás. Il n'allait pas être facile de tout résumer en quelques minutes, mais il n'avait pas le choix.

— Le temps étant compté, je vais faire un certain nombre d'affirmations, mais sans les démontrer, prévint-il. Elles sont importantes pour comprendre l'*Œil quantique*. Si vous les connaissez déjà, tant mieux.

— Allons-y ! lança Fuchs.

Le Portugais s'éclaircit la gorge.

— La physique classique, qui repose notamment sur les découvertes de Newton et les théories de la relativité d'Einstein, traite du monde réel et déterministe du macrocosme. Par exemple, connaissant les lois de la physique classique et sachant quelles sont la position et la vitesse de la Lune, nous pouvons déterminer où celle-ci se trouvera dans un millier d'années ou bien où elle était il y a un million d'années. Si l'on disposait de données sur la position et la vitesse de tous les objets qui composent l'univers, on pourrait connaître toute son histoire, passée et future. Un astéroïde ne tourne pas à droite ou à gauche parce que ça lui chante, mais par nécessité, parce qu'il est régi par les lois de la physique classique. On peut dire que le comportement de l'ensemble des objets du macrocosme est déterminé.

— C'est évident, dit Fuchs, en montrant son arme. La balistique est déterministe. Si l'on connaît la vitesse à laquelle part la balle, que l'on calcule l'effet de la force de gravité et le vent qui souffle au moment du tir, on peut prévoir avec exactitude où arrivera le projectile. Dans le fond, c'est ce que font les francs-tireurs de façon quasi intuitive.

— C'est exact, confirma Tomás. Cependant, on

a découvert que le monde microscopique de la physique quantique, celui des atomes, se comportait de manière totalement différente. Les électrons, par exemple, peuvent passer d'un état à un autre, d'une orbite élevée à une orbite basse sans que rien ne les y oblige et sans passer par un état ou une orbite intermédiaires. En fait, ils sont partout en même temps et, lorsqu'ils se déplacent d'un point A à un point B, ils parcourent tous les chemins simultanément. Plus incroyable encore, certains physiciens admettent, en se fondant sur des calculs et des expériences reconnus, qu'un observateur peut influencer aujourd'hui le comportement d'un électron ou d'un photon hier, ce qui signifie qu'il existe non seulement divers futurs possibles, mais aussi divers passés possibles. Ce qui est encore plus étrange, c'est que la matière n'existe pas telle que nous la connaissons tant qu'elle n'a pas été observée ; elle n'a qu'une existence potentielle, sous forme d'onde, décrite par ce que l'on appelle la fonction d'onde, symbolisée par le *psi* dans l'équation de Schrödinger. Le comble, c'est que la réalité dépend non seulement de l'observation, mais, en dernière analyse, de la conscience elle-même. On a découvert que le fait de décider consciemment d'observer le microcosme modifie la réalité de ce microcosme. Si je décide, par exemple, d'observer un électron ou un photon de telle manière, que j'appellerai observation indirecte, la réalité est une onde qui se répand dans l'espace. Mais, si je décide de l'observer d'une autre manière, que j'appellerai observation directe, la fonction d'onde s'effondre et l'électron ou le photon deviennent des particules en un point unique de l'espace.

— En d'autres termes, intervint Peter en essayant de résumer, un électron est à la fois onde et particule.

— Faux. Lorsqu'il est onde, l'électron est uniquement onde. Lorsqu'il devient particule, il n'est que particule. La forme que prendra l'électron dépendra du type d'observation que l'on décide consciemment de faire. Vous saisissez les implications profondes de cette découverte ? Cela signifie que la décision consciente d'observer de telle ou telle manière modifie la nature intrinsèque de la réalité.

— Pardon, mais tout cela semble tout droit sorti de mon fameux *Star Trek*, ricana Fuchs. C'est de la pure science-fiction !

— Je reconnais que l'on peut avoir cette impression. Cependant, tout ce que je suis en train de vous dire a déjà été démontré des milliers de fois dans des expériences successives, en particulier celle de la double fente et ses variantes. En somme, et si étrange que cela puisse paraître, telle est la nature la plus profonde de la réalité. L'univers n'existe sous la forme que nous lui connaissons qu'à partir du moment où il est observé et l'observation, qui fait appel à la conscience, crée partiellement la réalité. Les résultats des expériences ne soulèvent aujourd'hui guère de doutes dans la communauté scientifique. Les scientifiques ne sont divisés que sur l'interprétation de ces données, certains d'entre eux refusant en effet, pour des raisons philosophiques, d'accepter l'idée que l'observation peut créer partiellement la réalité.

— Et à juste titre !

— Écoutez, je ne suis pas en mesure de faire la démonstration, maintenant, de ce que je viens d'affirmer, mais vous pourrez toujours en vérifier l'exactitude avec des physiciens en qui vous avez confiance, souligna-t-il. L'important est de comprendre que, tout comme vous, Einstein a d'abord pensé que certains aspects de la physique quantique étaient absurdes et révélaient son incohérence. Ce n'est qu'après avoir été confronté au résultat des expériences, qui confirmaient ce que je viens de dire, qu'il a cédé. Toutefois, il a persisté à croire qu'il fallait encore une découverte pour expliquer, dans une optique déterministe, ce comportement « bizarre » du microcosme, car il n'acceptait pas l'idée que l'observation puisse créer partiellement la réalité et que celle-ci soit intrinsèquement probabiliste. Il disposait, il est vrai, d'un argument de taille : l'univers ne saurait être régi par certaines lois au plan macroscopique et par d'autres au niveau microscopique. La réalité est déterministe ou probabiliste, elle existe indépendamment de l'observation ou elle est en partie créée par l'observation. Elle ne saurait être une chose dans le macrocosme et une autre, différente, dans le microcosme.

— C'est évident, reconnut Dunn, qui suivait le raisonnement sans grande difficulté. Si un atome peut être partout en même temps, et si chacun de nous est constitué d'atomes ayant cette caractéristique, comment expliquer que nous ne soyons pas partout en même temps ? Comment expliquer que nous obéissions à des lois physiques différentes de celles qui régissent les atomes dont nous sommes constitués ? Ça n'a pas de sens !

— C'est justement ce point qui laissait de nombreux scientifiques perplexes, observa Tomás. Pour résoudre ce paradoxe, il fallait élaborer une théorie du tout susceptible de concilier les « bizarreries » quantiques qui, comme le prouvent les expériences, existent dans l'univers microscopique avec le monde normal que nous voyons autour de nous à l'échelle macroscopique.

Fuchs, qui suivait la conversation avec une impatience croissante, commença à montrer des signes de lassitude.

— Tout cela est très intéressant, interrompit-il. Mais quel est le rapport avec l'*Œil quantique* ?

— Tout.

— Comment ça, tout ? Nous étions présents avec Walter à la réunion à la Maison Blanche lorsque le Président a ordonné à l'Agence, et à Bellamy en particulier, de mettre au point un ordinateur quantique macroscopique capable de casser en quelques minutes les codes les plus complexes utilisés par les terroristes. L'*Œil quantique* est un projet conçu pour élaborer cet ordinateur quantique. Je n'ai jamais entendu parler de théorie du tout ou de quoi que ce soit de ce genre...

Le directeur du Service national clandestin était un homme intelligent, mais il lui manquait de toute évidence une culture scientifique.

— Vous savez, les ordinateurs quantiques existent déjà, expliqua l'universitaire portugais. Le problème, c'est que leur puissance de calcul est limitée à dix qubits, ou bits quantiques. Pour être utiles et efficaces, il faudrait que leur puissance de calcul soit de quelques centaines de qubits au moins.

— Et alors ! s'exclama-t-il, comme si la réponse était évidente. Vous n'avez qu'à fabriquer des ordinateurs plus puissants !

L'historien se demanda comment quelqu'un d'aussi hermétique aux sciences que Fuchs avait pu accéder au poste qui était le sien à la CIA.

— Dans un ordinateur classique, l'information qui est stockée dans un bit est zéro ou un, dit-il posément. En revanche, dans un ordinateur quantique, un qubit peut valoir zéro et un. (Il baissa la voix, comme s'il faisait un aparté.) En réalité, et pour être tout à fait rigoureux, les qubits indiquent simultanément des réponses avec un, deux, trois, quatre… (Il reprit son ton normal.) De la même manière qu'au niveau quantique un électron passe par la fente A et par la fente B, se trouvant ainsi en deux endroits en même temps, un ordinateur quantique traite des informations dont la réponse est zéro et un, oui et non, gauche et droite, et tout cela simultanément. D'ailleurs, comme je l'ai déjà dit, il peut même calculer en même temps plus de deux états en superposition. Cette capacité en fait un instrument d'une efficacité redoutable, comme vous pouvez l'imaginer. Le problème est que, lorsqu'on accroît la taille d'un ordinateur quantique, sa fonction d'onde s'effondre, ce qui l'empêche de fonctionner au niveau quantique, vous saisissez ? En d'autres termes, quand on augmente sa taille, il passe du monde du microcosme à celui du macrocosme et n'est donc plus en mesure de fonctionner selon les règles quantiques du microcosme, si l'on fait exception de la supraconductivité. C'est ça qui nous empêche de fabriquer un ordinateur quantique macroscopique.

Sam Dunn comprit immédiatement le raisonnement de Tomás.

— C'est donc pour ça que Frank Bellamy avait

besoin de la théorie du tout ! conclut-il, affolé par l'ampleur du défi. Ce n'est qu'en comprenant le lien entre le microcosme et le macrocosme que l'on pourra fabriquer un ordinateur quantique macroscopique !

— Bravo ! s'exclama le Portugais, heureux de s'être fait comprendre. Ce n'est qu'après avoir élaboré la théorie du tout que l'on sera en mesure de fabriquer un ordinateur quantique qui, par-delà la supraconductivité, conserve des effets quantiques dans l'univers macroscopique, notamment la superposition et l'intrication. Ainsi, pour exécuter l'ordre qu'il avait reçu du Président, Bellamy devait d'abord résoudre un mystère scientifique sur lequel Einstein lui-même s'était cassé les dents.

L'incrédulité se lisait sur le visage du fils de Peter.

— Qu'insinuez-vous ? Que mon père a réussi à résoudre l'énigme de la théorie du tout ?

L'historien opina.

— Oui.

— Mais comment a-t-il fait ?

— En recourant à la théorie de l'information de Claude Shannon. (Il se frotta le menton, réfléchissant à la meilleure manière d'aborder la question.) Nous savons aujourd'hui que la théorie quantique est, au fond, une théorie de l'information et que l'information n'est pas une abstraction, mais une chose physique, une propriété concrète qui s'exprime dans la matière et dans l'énergie. L'ensemble de l'univers obéit aux lois de l'information et tout ce qui existe dans l'univers est régi par l'information. L'information détermine le comportement des atomes, la vie et l'univers lui-même. Chaque particule subatomique, chaque atome, chaque molécule, chaque cellule, chaque être vivant, chaque planète, chaque étoile et chaque galaxie fourmille d'informations. L'information est présente dans chaque interaction qui se produit dans l'univers, la nature s'exprime à travers le langage de l'information.

— En somme, observa Peter, tout est information.

— Les atomes sont tous identiques, en ce sens qu'un atome d'hydrogène de mon corps est exactement le même que n'importe quel atome d'hydrogène du Soleil ou d'une galaxie éloignée, la différence réside dans l'information qui organise et structure les relations entre atomes, dit le Portugais en se pinçant la peau de la main. Vous et moi pouvons échanger nos atomes de carbone. Supposons que vous me donniez les vôtres et que je vous donne les miens, eh bien, je continuerai à être moi et vous continuerez à être vous. Ce qui fait que chacun de nous est ce qu'il est se résume en fin de compte à l'information qui existe en lui. C'est comme l'une de vos équipes de basket-ball, le…

— Les Chicago Bulls, par exemple.

— C'est cela. Ce qui fait les Chicago Bulls, ce ne sont pas seulement cinq joueurs spécifiques, mais l'information constituée par l'ensemble. Remplacez les cinq joueurs habituels par cinq autres, vous aurez toujours les Chicago Bulls. (Il fit un geste ample.) Il en est de même pour l'univers. Ce n'est pas un atome particulier qui présente de l'intérêt, c'est l'information qui structure et relie les atomes entre eux. Dans le fond, la vie est elle-même une opération qui tend à préserver et à reproduire l'information. Nous sommes tous mortels, mais l'information que nous contenons nous survit. Une grande partie de l'information contenue dans nos gènes a des milliards d'années et elle survivra non seulement à notre mort, mais aussi à l'extinction de notre espèce. Le cerveau et les gènes sont pour nous ce que le matériel est pour un ordinateur. L'information n'est donc pas quelque chose d'abstrait et d'éthéré, mais une entité dotée d'une existence physique réelle. Elle est contenue dans un gène, dans un mot, dans un champ magnétique ou dans la rotation d'un atome. L'information est partout.

Fuchs bouillait d'impatience.

— C'est bon, j'ai compris, dit-il afin d'inciter Tomás à aller plus vite. L'univers est constitué d'information.

— D'une certaine manière, Einstein a eu cette intuition lorsqu'il a conçu ses théories de la relativité, qui ne sont ni plus ni moins que des théories de l'information ou, si vous préférez, du transport de l'information. Laissez-moi vous poser une question : que prouvent ces théories sur les limites de la vitesse de la lumière ?

— Facile, dit Dunn. Einstein a montré que rien ne peut se déplacer plus vite que la lumière.

— C'est en effet ce que l'on dit habituellement, mais c'est inexact, corrigea le Portugais. On sait, par exemple, que l'espace s'accroît plus vite que la lumière. En réalité, ce que prouvent les théories de la relativité, c'est qu'il est impossible de transporter de l'information à une vitesse supérieure à celle de la lumière, ce qui est bien différent. (Il scruta le bureau comme s'il cherchait quelque chose.) Vous auriez une feuille de papier ?

Sam Dunn sortit une feuille de l'imprimante et la lui tendit.

— Tenez.

Tomás dessina un schéma.

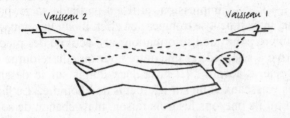

— Supposons qu'au milieu de la Galaxie, deux vaisseaux spatiaux rencontrent un homme si grand qu'il faille une année-lumière pour le parcourir de la tête aux pieds. L'un des vaisseaux s'arrête près des pieds et l'autre près de la tête. Imaginons à présent que le géant bouge les pieds et la tête en même temps, de son point de vue s'entend. Que verront les deux vaisseaux ? Celui qui se trouve près des pieds verra que le géant bouge les pieds avant la tête, n'est-ce pas ? Et pourquoi ?

— Parce que, le vaisseau étant près des pieds, répondit Peter, l'information relative au mouvement des pieds lui parviendra avant celle qui se rapporte au mouvement de la tête, qui ne lui arrivera que plus tard.

— Exactement. De la même manière, le vaisseau qui est près de la tête verra que le géant bouge d'abord la tête puis les pieds, car, étant près de la tête, cette information lui parviendra avant celle du mouvement des pieds. La question qui se pose maintenant est la suivante : qui a le mieux perçu la réalité ? Lequel des deux points de vue est correct ?

— Eh bien… je suppose que c'est celui du géant lui-même, puisque c'est lui qui bouge les pieds et la tête.

— C'est l'impression qu'il a à partir de sa propre tête, mais il peut se tromper ; en effet, il faut une année-lumière pour que l'information sur l'activité des pieds arrive à ses pieds et une autre pour qu'elle retourne à sa tête, d'accord ? (Il posa deux doigts sur le dessin des vaisseaux et un sur le croquis de l'homme.) Le fait est qu'ils ont tous les trois raison, mais chacun de son point de vue. Différents observateurs qui recueillent la même information obtiennent fréquemment des résultats différents et contradictoires, bien qu'ils soient tous corrects.

— C'est intéressant, observa Fuchs. Mais en quoi cette découverte est-elle importante ?

— Les théories de la relativité établissent que l'observation de la réalité doit tenir compte de la position relative de l'observateur, indiqua Tomás. Einstein a montré que l'information conditionne la perception que nous avons de la réalité. Pour un vaisseau spatial, ce sont les pieds qui ont bougé en premier, mais du point de vue de l'autre, c'est la tête. Et, du point de vue du géant, les pieds et la tête ont bougé en même temps. Ils ont tous raison, bien que la vérité de chacun d'entre eux contredise celle des autres. Et pourquoi cela ? Parce que l'information construit la réalité du point de vue de l'observateur. On ne peut pas séparer une chose de l'autre.

— N'est-ce pas ce que la physique quantique a

également prouvé ? s'étonna Peter. Et Einstein n'y a pas cru ?

— La différence, c'est que les théories de la relativité partent du présupposé que le réel existe indépendamment de l'observateur, alors que la mécanique quantique repose sur le postulat que l'observateur et la réalité dépendent ontologiquement l'un de l'autre. Einstein n'a pas accepté deux caractéristiques fondamentales du comportement de la matière au niveau microscopique, bien que leur existence soit aujourd'hui établie. La première concernait la nature ontologiquement indéterminée du monde quantique. Il disait que « Dieu ne joue pas aux dés ». La seconde était l'idée que la réalité n'existe pas sans l'observation. Einstein avait du mal à admettre la superposition quantique, c'est-à-dire le fait qu'une unité élémentaire de lumière, un électron ou un atome puisse se trouver en plusieurs endroits simultanément, puisse passer par la fente A et par la fente B, tourner à droite et à gauche en même temps. De même, il trouvait bizarre que cette superposition disparaisse lorsqu'un photon, un électron ou un atome est directement observé ; autrement dit, au moment où l'on extrait l'information, ce photon, cet électron ou cet atome opte pour un seul endroit et un seul état. Einstein ne pouvait accepter l'idée que l'acte par lequel on obtient l'information crée en partie la réalité. En outre, les phénomènes de superposition et d'effondrement de la fonction d'onde impliquaient l'intrication, un état quantique dans lequel deux particules jumelles séparées par l'univers semblent communiquer instantanément entre elles lorsqu'on observe l'une d'elles et qu'on en extrait de l'information, ce qui semble violer la limite de la vitesse de la lumière. Einstein a essayé de montrer qu'il y avait encore quelque chose à découvrir qui permettrait d'expliquer toutes ces « bizarreries » de manière logique et déterministe.

— Je suppose, dit Peter, que des scientifiques ont suggéré qu'avec le passage du microcosme au macrocosme il se produisait quelque chose qui transformait ces « bizarreries » quantiques en la réalité à laquelle nous sommes habitués.

— C'est vrai. Mais les expériences successives n'ont décelé aucune barrière qui modifiait les lois de la physique. La question était la suivante : pour quelle raison ne pouvons-nous être à Paris et à Washington en même temps, alors qu'un atome le peut ? Le mystère n'a toujours pas été élucidé.

— Et mon père a réussi à le résoudre ? demanda Peter. Il est vraiment parvenu à expliquer pourquoi la superposition est impossible dans la matière macroscopique que nous voyons autour de nous ?

Une lueur d'enthousiasme dans les yeux, et conscient que la réponse allait bouleverser la manière dont tous les êtres humains appréhendent l'univers, l'historien Portugais sourit.

— La réponse va vous stupéfier.

LXXVIII

Enfin libre de poursuivre son funeste projet, Fuentes termina d'installer Maria Flor sur la table en marbre. Il l'attacha comme si elle était l'agneau du sacrifice, puis il recula de deux pas pour contempler son œuvre.

— Excellent, se félicita-t-il. Tu es prête pour le grand moment.

La jeune femme n'avait pas entendu ce qui s'était dit au téléphone, mais les mots et le regard froid de son ravisseur ne lui laissaient aucun doute sur ses intentions. Elle aurait voulu parler, essayer de convaincre l'Américain de la libérer, mais le bâillon l'en empêchait.

Satisfait de sa mise en scène, le major tourna le dos et sortit une dague de sa mallette. Il s'approcha de Maria Flor, la lame cérémonielle dansant entre ses doigts.

— Que penses-tu de quitter la vie à la manière de mes ancêtres aztèques ? (Il approcha la dague du corps de la jeune femme et posa la pointe sur son abdomen.) J'inciserai par ici, je t'arracherai le *tona*, le cœur, et je l'offrirai à Huitzilopochtli, le dieu du Soleil.

— Hmm ! Hmm !

Malgré le froid, des gouttes de sueur perlèrent sur le front de la prisonnière, dont le regard effrayé passait de la dague menaçante au visage de son bourreau. Elle était à la merci d'un psychopathe.

Fuentes regarda sa montre et sourit.

— C'est pour bientôt.

LXXIX

Ne perdant pas un mot des explications de Tomás, les Américains semblaient subjugués devant les mystères dévoilés par l'universitaire portugais.

— Comment expliquer que les atomes peuvent être en deux endroits différents en même temps, alors que nous, qui sommes aussi constitués d'atomes, ne le pouvons pas ? voulut savoir Peter. Comment se fait-il que le microcosme soit régi par certaines lois et le macrocosme par d'autres ?

Tomás posa la main sur le dossier de l'*Œil quantique*.

— Votre père a découvert que la réponse se trouve dans la théorie de l'information. Le fait que l'observation crée partiellement la réalité, obligeant une onde aux multiples potentialités parallèles à devenir une particule ayant une seule réalité, montre que le transfert de l'information est au cœur du problème. Un électron dont l'existence est inconnue, c'est-à-dire au sujet duquel on ne dispose pas d'information, est un électron qui n'existe pas en tant que particule. Il est en quelque sorte virtuel et ne devient réel que lorsqu'on recueille de l'information sur son existence.

— Vous voulez dire que l'information quantique est liée aux lois qui régissent le comportement de la matière et de l'énergie ?

— Exactement. Maintenant, écoutez bien cette question : dans l'univers, qu'est-ce qui recueille de l'information sur un électron et propage cette information, brisant ainsi l'onde porteuse de toutes les potentialités parallèles et transformant l'électron en particule, laquelle ne réalisera qu'une seule de ces potentialités ?

Les trois Américains s'interrogèrent du regard.

— Eh bien… hésita Peter, les êtres humains ?

Tomás esquissa un sourire, la solution était si simple et si complexe à la fois.

— L'univers lui-même.

— Pardon ?

— Frank Bellamy a découvert que l'univers s'observe lui-même en permanence ! affirma-t-il, enthousiaste. L'univers est constamment en train de se mesurer, d'extraire des informations sur ses composants, des étoiles les plus gigantesques aux électrons les plus minuscules. (Il désigna la cour intérieure.) Lorsque nous regardons dehors et que nous voyons les pierres et les arbres, notre cerveau traite des informations que l'univers a déjà recueillies. Le Soleil a émis un photon qui s'est reflété dans la structure métallique du *Kryptos*, mesurant ainsi la sculpture. L'interaction du photon avec les molécules du métal du *Kryptos* ou avec les cellules de la feuille d'un arbre est une manière pour l'univers d'observer la matière, de la mesurer et de diffuser l'information par le biais de l'environnement qui est autour. En mesurant les molécules ou les cellules, le photon les observe et les transforme en particules. En d'autres termes, ce qui provoque l'effondrement de la fonction d'onde de la molécule, dans laquelle s'accumulent en même temps toutes les virtualités possibles, c'est l'interaction de la molécule quantique avec l'environnement. En l'occurrence, cette interaction se produit par le contact de la molécule avec la lumière.

— OK, mais comment expliquer que, la nuit, le monde continue à exister ?

— L'univers regorge de photons et l'écrasante majorité d'entre eux ne vient pas du Soleil, mais des étoiles, ou même du Big Bang qui a créé l'univers. Ces particules de lumière se répandent constamment partout et recueillent à tout moment des informations sur la matière et l'énergie.

Peter ne s'avoua pas vaincu.

— Admettons, mais si, par exemple, on arrivait à isoler totalement le *Kryptos* de toutes les particules qu'émet l'univers ? Si on plaçait la sculpture dans une caisse sous vide, conçue de telle manière qu'elle empêche les photons, les neutrinos, les électrons et toute cette infinité de particules qui existent dans le cosmos d'entrer en contact avec les molécules du *Kryptos* ? Si le *Kryptos* était totalement isolé, aurait-il une existence réelle ?

— Dans un tel cas de figure, le *Kryptos* serait en superposition quantique, il deviendrait une onde dans laquelle s'accumuleraient en parallèle toutes les potentialités. Autrement dit, le *Kryptos* n'aurait pas de particules, il serait une onde. Cependant, même à supposer qu'elle puisse être isolée dans une caisse sous vide et protégée des particules cosmiques, la sculpture finirait par se transformer en particule.

— Et pourquoi cela ? demanda Peter. S'il est possible d'isoler le *Kryptos* du reste de l'univers, comment celui-ci pourrait-il l'observer ?

L'historien indiqua le dossier.

— Le projet *Œil quantique*, que votre père a développé, montre que l'univers s'observe lui-même en permanence, même dans le vide le plus profond.

— Comment est-ce possible ?

— Eh bien, cela se produit dans le cadre d'un phénomène appelé « fluctuation quantique » ou « fluctuation du vide ». Il a été décrit dans le principe d'incertitude de Heisenberg, répondit Tomás.

Fuchs, Halderman et Dunn froncèrent les sourcils.

— Qu'est-ce que c'est que ça encore ?

— Vous savez, même dans le vide le plus profond, l'univers crée et fait disparaître en permanence des particules. Elles apparaissent du néant, recueillent des informations sur ce qui se passe dans telle ou telle région de l'espace sidéral pendant un bref instant, puis retournent aussitôt au néant. La fluctuation du vide est constituée de particules qui oscillent aléatoirement entre l'existence et la non-existence, et leur manifestation a déjà été démontrée expérimentalement avec le phénomène connu sous le nom d'effet Casimir.

— Il n'est donc pas possible d'isoler totalement un objet et de le soustraire à l'observation de l'univers...

— Pour être exact, c'est possible, mais seulement de façon temporaire. Plus un objet est petit, moins il a de chances d'être détecté par les particules cosmiques ou par les particules aléatoires qui apparaissent de la fluctuation du vide. L'un des plus grands paradoxes de la physique quantique tient justement au fait que les atomes microscopiques de mon corps peuvent être en deux endroits en même temps, mais que mon corps ne le peut pas. Comment cela s'explique-t-il puisque je suis constitué d'atomes ? La réponse donnée par Frank Bellamy est déconcertante de simplicité.

— Quelle est-elle ?

— Dans l'*Œil quantique*, il a établi que la différence entre la réalité à l'échelle microscopique et la réalité à l'échelle macroscopique est due au fait que les particules émises par l'univers pour s'observer ont plus de difficultés à rencontrer des particules minuscules que des objets plus grands. C'est pour cette raison que le microcosme quantique est constitué d'ondes où s'accumulent toutes les virtualités possibles en parallèle, alors que le macrocosme classique n'offre qu'une réalité unique. C'est l'auto-observation constante de l'univers qui transforme l'onde d'un électron – dont la fonction est calculée par l'équation de Schrödinger et qui permet à l'électron d'être en plusieurs endroits en même temps et de voyager par de multiples chemins simultanément – en particule qui n'existe qu'en un lieu unique. En réalité, le microcosme et le macrocosme sont régis par les mêmes lois. S'ils semblent différents en apparence, c'est parce que l'univers a plus de difficultés à extraire l'information à l'échelle microscopique dans la mesure où des microparticules telles que les quarks et les électrons sont infiniment petites et qu'il leur est plus facile de demeurer isolées pendant quelque temps. Telle est la différence fondamentale entre le monde quantique et le monde macroscopique. Les microparticules demeurent des virtualités parallèles, car, en raison de leur taille, l'univers a du mal à les détecter. En revanche, les grands objets sont immédiatement détectés ; ils perdent donc aussitôt la superposition et deviennent des particules.

Les quatre Américains étaient bouche bée. Même sans formation en physique quantique, ils percevaient la portée de la découverte.

— Bon sang ! s'exclama Peter. Mon père a donc résolu la plus grande énigme de la science !

— En réalité, il n'a pas résolu une seule énigme, mais plusieurs. Cette découverte nous permet aussi de mieux comprendre le phénomène de la conscience. Avec la physique classique, le monde a toujours été envisagé sous un angle mécaniste, un lieu dans lequel tous les événements ont une ou plusieurs causes et provoquent des effets qui deviennent à leur tour les causes des effets suivants, comme une gigantesque et interminable cascade de dominos déterministe. Dans cet ordre d'idées, nos cerveaux sont comparés à des machines biochimiques de traitement de l'information, dans lesquelles tous les comportements et décisions que nous adoptons, y compris lorsqu'ils semblent être la manifestation du libre arbitre, ont en réalité des causes et des effets mécanistes. Cependant, la physique quantique nous a montré qu'en profondeur l'univers n'est pas déterministe, mais aléatoire. Les particules de la fluctuation quantique apparaissent et disparaissent sans que rien ne provoque leur apparition ou leur disparition.

— Négatif, coupa Halderman, qui avait suivi en silence toute l'explication scientifique, mais qui avait sur ce point, en tant qu'ingénieur, une conviction bien arrêtée. Le fait que nous ignorions ce qui provoque l'apparition des particules dans la fluctuation quantique ne signifie pas qu'il n'y ait pas de cause. La cause existe, mais nous ne la connaissons pas.

— C'est justement ce qu'affirment de nombreux scientifiques qui ne sont pas spécialisés dans ce domaine. Mais les expériences successives et le principe d'incertitude ont démontré que la question n'est pas tant notre ignorance des causes que l'absence de causes déterministes qui provoquent la fluctuation quantique. Je sais que c'est difficile à admettre, mais c'est ce qui a été découvert. N'oubliez jamais que lorsque les mathématiques et les expériences contredisent le bon sens, comme ce fut le cas lorsque Copernic découvrit que ce n'était pas le Soleil qui tournait autour de la Terre mais l'inverse, le bon sens perd. L'idée que des choses se produisent dans l'univers sans cause déterminée peut paraître insensée, j'en conviens, mais c'est ce que les mathématiques et l'expérience ont démontré. Les particules de la fluctuation quantique apparaissent sans que rien ne les y oblige réellement, presque comme si elles étaient dotées de volonté. Ou, si vous préférez, comme si l'univers était doté de volonté. Telle est la nature la plus profonde de la réalité.

— Une telle chose est… surréaliste.

— C'est bien ce qui choque les partisans de la physique quantique. En fait, l'important est de se rendre compte de l'impact de la découverte de Frank Bellamy sur la compréhension du phénomène de la conscience. La physique classique considérait le cerveau comme une machine complexe de traitement mécaniste de l'information et, en ce sens, le libre arbitre n'existait pas, ce n'était rien de plus qu'une illusion dans la mesure où, selon la science traditionnelle, tous les comportements doivent avoir une cause, même si nous ne la connaissons pas. La physique quantique, en revanche, nous oblige à repenser le fonctionnement du cerveau. De plus en plus de scientifiques commencent à supposer que, notre cerveau étant composé d'atomes, des phénomènes quantiques se produisent probablement dans notre esprit.

— Et qu'est-ce que cela implique ?

— Que nous sommes à l'aube d'une véritable révolution. La superposition quantique implique que toutes les réalités sont possibles et qu'aucune d'elles n'est nécessaire. Lorsqu'une observation est faite, l'état de superposition d'un électron est rompu et celui-ci devient une particule et réalise ainsi l'une des potentialités. De la même manière, le cerveau doit constamment faire face à de multiples idées et hypothèses, qui coexistent comme si elles étaient en superposition, et au moment de la décision il finit par choisir l'une d'elles. Si des processus quantiques se produisent effectivement dans le cerveau, les décisions que prend notre conscience ne sont pas nécessairement déterminées, ni ne sont la conséquence d'un processus mécaniste de cause à effet, mais le résultat de choix effectifs. Face à plusieurs possibilités, la conscience opte pour l'une d'elles, un peu comme le fait l'électron lorsqu'il est observé et que l'état de superposition est rompu. Les effets quantiques dans le cerveau, qui commencent à être étudiés, expliqueront peut-être certaines caractéristiques de la conscience que les neurosciences, qui obéissent aux règles de la physique classique et déterministe, n'admettent pas. De nombreux neuroscientifiques considèrent que le cerveau n'est rien de plus qu'un ordinateur biochimique et que la conscience n'est donc qu'une illusion, mais les découvertes de la physique quantique tendent à montrer que, si des processus quantiques se produisent effectivement dans le cerveau, alors la conscience n'est pas une illusion résultant d'une simple opération biochimique.

— Je ne vous suis pas, dit Peter. Comment des effets quantiques pourraient-ils se produire dans le cerveau ?

Tomás feuilleta le dossier et retrouva un passage du texte.

— Votre père a abordé cette question et il a avancé l'hypothèse que des sauts quantiques pourraient se produire dans une des structures du cerveau : les synapses. Ce sont de petites fentes entre les terminaisons nerveuses du cerveau où l'information est traitée et où les décisions et les pensées sont générées. C'est au niveau de la fente synaptique que l'impulsion d'un neurone active le neurone suivant. Or, si la possibilité d'activer ou non l'impulsion est envisagée comme une fonction d'onde, l'existence de processus quantiques de nature probabiliste n'est plus exclue.

— D'accord, mais quel serait le mécanisme ?

— Ce serait des sauts quantiques liés à l'effet tunnel, en vertu duquel un électron disparaît à un endroit pour réapparaître ailleurs. En général, ces sauts quantiques ne sont possibles que dans des espaces d'une largeur équivalant à sept atomes, mais, dans des cas très rares, ils peuvent se produire dans des largeurs pouvant aller jusqu'à cent quatre-vingts atomes au maximum. Eh bien, il se trouve, par coïncidence, ou peut-être pas, que la largeur de la fente synaptique est justement de cent quatre-vingts atomes. Or, comme les électrons sont constamment en mouvement, ils peuvent tenter des milliards de fois de traverser la membrane synaptique pendant le millième de seconde que met une synapse électriquement polarisée à s'activer, ce qui porte à 50 % leur taux de réussite dans le tunnel quantique pour cette largeur. En étudiant attentivement la structure d'une synapse, on s'est aperçu que son architecture, encore une fois par une étrange coïncidence, est parfaite pour exploiter un effet de tunnel quantique. Lorsqu'une impulsion arrive à la synapse, la fente devient électriquement polarisée et c'est ce puissant champ électrique qui permet l'effet de tunnel quantique. C'est pourquoi on peut supposer que la fonction d'onde s'effondre dans les synapses lorsqu'une pensée se produit, et c'est de ce phénomène qu'émerge la conscience.

Tous comprirent enfin les implications de ces découvertes.

— Ça alors ! lâcha Peter. Notre cerveau n'est donc pas une espèce de billard purement mécaniste, où un événement en provoque un autre, et notre comportement n'est donc pas le résultat d'une succession complexe de réactions pavloviennes. Cela signifie que le libre arbitre existe réellement.

Tomás prit le stylo et griffonna un symbole sur la feuille que Dunn lui avait donnée.

Ψ

— Le *psi* est le symbole le plus puissant jamais créé, affirma-t-il. Dans l'équation de Schrödinger, il décrit la fonction d'onde, dans laquelle coexistent toutes les possibilités du réel. Mais, à la lumière des dernières découvertes, ce symbole représente aussi deux autres choses qui semblent différentes, mais qui en réalité sont la même chose. La première, c'est la conscience. Grâce au projet *Œil quantique*, il est raisonnable de penser que la conscience peut, d'une certaine façon, être décrite par une fonction d'onde où toutes les hypothèses coexistent en parallèle. Tout comme l'atome, qui est une pluralité de possibles à la fois, mais n'en devient qu'un seul lorsqu'il est observé, l'esprit produit de multiples possibilités virtuelles d'où jaillit, subitement, une idée ou une décision concrète, comme si le cerveau était un ordinateur et la conscience son onde. Comme il fonctionne essentiellement dans le macrocosme déterministe, nous devons accepter que le cerveau est de fait un ordinateur biochimique mécaniste ; mais la conscience, qui émerge de la superposition existant dans le microcosme quantique indéterministe, permet des choix effectifs. Cela étant, la seconde chose représentée par le *psi* est plus importante encore.

— Qu'est-ce qui peut être plus important que la conscience ?

L'universitaire portugais fit un geste ample avec les mains.

— L'univers.

Les Américains échangèrent des regards incrédules.

— Quoi ?

Cette nouvelle affirmation n'allait pas être facile à avaler, Tomás le savait. Mais elle était essentielle pour comprendre le tour de force scientifique que représentait le projet de Frank Bellamy.

— Comme vous le savez, l'*Œil quantique* a commencé par être un projet visant à concevoir un ordinateur quantique macroscopique. Et qu'est-ce qu'un ordinateur quantique sinon une machine universelle de traitement des données ? La différence, c'est qu'un ordinateur quantique macroscopique est capable d'utiliser les « bizarreries » de la fonction d'onde et de traiter des millions de bits simultanément, pouvant ainsi simuler n'importe quel système qui obéisse aux lois de la physique. Or, le temps que met un ordinateur quantique à exécuter la simulation est égal à celui qu'il faut au système simulé pour évoluer, et la mémoire nécessaire pour effectuer cette simulation est proportionnelle au nombre de sous-systèmes du système simulé. Est-ce que vous comprenez ce que cela signifie ?

— C'est comme dans ce conte de Jorge Luis Borges[1], observa Peter, se rappelant ses lectures de jeunesse. La carte la plus fidèle est celle qui est à l'échelle de un sur un, c'est-à-dire à la même échelle que la réalité. La meilleure carte d'une route de 10 km est une carte de 10 km qui reproduit exactement, et à la même échelle, tout ce qui se trouve sur la route originale.

— C'est exactement ça. Les ordinateurs quantiques sont si puissants qu'il est impossible de distinguer la

---

1. *De la rigueur de la science.*

simulation du système simulé. Toutes les opérations effectuées par l'ordinateur quantique présenteraient les mêmes résultats que les opérations faites par le système réel.

— Mais, l'univers, qu'a-t-il à voir avec ça ?

— C'est pourtant évident. L'univers a lui-même une superfonction d'onde et il peut être décrit comme un système physique dans lequel chaque microparticule, chaque atome, chaque molécule, chaque chose qu'il contient interagit avec les autres choses, ce qui signifie que l'univers traite de l'information. Or, comme vous le savez, le traitement de l'information s'appelle le calcul. En d'autres termes, l'univers calcule. Et, comme il traite de l'information quantique dont le comportement est régi par la fonction d'onde, son mode de calcul est quantique. L'univers ne traite pas des bits, mais des qubits, ou bits quantiques. Vous voyez ce que cela implique ?

Peter hésitait.

— Vous insinuez que l'univers est…

— L'univers est un ordinateur quantique macroscopique.

— C'est impossible !

— C'est pourtant ce que Frank Bellamy a découvert. L'univers est un système physique qui gère de l'information de plus en plus complexe et qui peut être simulé par un ordinateur quantique universel de la même taille que lui. Cela signifie qu'on ne peut distinguer l'univers d'un ordinateur quantique. Aux États-Unis, vous avez coutume de dire que si l'on voit un animal qui ressemble à un canard, qui marche comme un canard et qui fait « coin-coin », c'est qu'il doit s'agir d'un canard. De la même manière, si l'univers calcule des qubits, si sa capacité de traitement de l'information est égale à celle d'un ordinateur quantique et si ses opérations ne se distinguent pas de celles d'un ordinateur quantique de la même taille, alors c'est parce que l'univers est un ordinateur quantique.

L'explication laissa les hommes de la CIA sans voix. Fuchs, qui avait hâte de mettre la main sur l'*Œil quantique*, fut le premier à réagir.

— Et l'ordinateur quantique macroscopique sur lequel le vieux travaillait ? demanda-t-il en montrant le dossier. Où sont les plans pour le construire ?

— Frank Bellamy n'a pas inventé d'ordinateur quantique macroscopique, précisa Tomás, conscient que Fuchs n'apprécierait pas la réponse. Il a découvert le plus grand de tous. L'univers lui-même.

Le directeur du Service national clandestin hocha la tête.

— Je ne comprends pas…

— Frank Bellamy a compris que l'univers est un ordinateur quantique macroscopique. L'*Œil quantique* est le projet dans lequel il en a fait la démonstration.

Le visage de Fuchs pâlit à mesure qu'il prenait conscience que le projet dans lequel il avait placé tant d'espoirs n'allait pas lui permettre de sauver sa place.

— Mais alors, et mon… ordinateur quantique macroscopique ? Où est-il ?

— Il est partout.

Furieux, Fuchs se leva d'un bond.

— Bordel de merde ! s'écria-t-il, incapable de contenir sa frustration. Cet enfoiré de Bellamy m'a entubé ! Qu'il brûle en enfer !

N'oubliant pas ses priorités, Tomás regarda l'horloge avec inquiétude ; les aiguilles indiquaient 02 h 40.

Il ne restait plus beaucoup de temps à Maria Flor. Il fallait conclure.

— Écoutez, j'ai rempli ma part du marché. Je vous ai expliqué ce qu'était l'*Œil quantique*. Je comprends qu'il ne corresponde pas à vos attentes, mais je n'y suis pour rien. À présent, appelez tout de suite votre homme et…

— N'y songez même pas ! coupa Fuchs, encore sous le choc. Et nous attendons toujours la vérité au sujet de la mort du vieux.

— Vous ne voyez pas combien de temps il reste ? demanda Tomás, désespéré.

— C'est amplement suffisant.

L'historien implora du regard les trois autres hommes de la CIA, mais aucun d'eux ne vint à son secours.

— Il a raison, reconnut Dunn. On était convenus que vous dévoileriez le nom de l'assassin de Bellamy.

— Mais elle va se faire tuer…

— Vingt minutes, c'est plus qu'il n'en faut (il fit un geste en direction de Fuchs), il suffit qu'il passe un coup de fil et tout sera réglé, rassurez-vous.

Vaincu, Tomás inspira profondément.

— Très bien, se résigna-t-il. Comme vous l'avez vu, Frank Bellamy a révélé le plus grand mystère scientifique de notre temps et démontré que la fonction d'onde de l'équation de Schrödinger ne se limite pas à décrire des potentialités avant qu'elles deviennent réalité. Elle exprime aussi la nature de la conscience et de l'univers lui-même. Il se trouve que, au moment où il a fait cette découverte d'une extrême importance, un examen médical a révélé que Daniel Dare avait un cancer du pancréas et qu'il ne lui restait que six mois à vivre. Bellamy a fait une crise de paranoïa.

— Pourquoi ? s'étonna Peter. Qui est ce Daniel Dare ?

Le Portugais plongea ses yeux dans les siens, certain que la nouvelle allait l'ébranler.

— L'assassin de votre père.

LXXX

Consciencieusement, Fuentes examina son arme. Il mit l'index dans le tube du silencieux et constata que son doigt était rempli de poudre. Il le nettoya avec soin puis le vissa au canon de son Sig Pro semi-automatique. Il était prêt. Il consulta sa montre.

Dix-neuf minutes.

L'heure approchait, trop lentement à son goût. Il leva les yeux et regarda la femme qu'il avait attachée sur la table. Pourquoi attendre jusqu'à 3 heures ? Elle était condamnée, à quoi bon perdre son temps à attendre l'expiration du délai ? À quoi cela rimait-il ? Après tout, personne ne pouvait le joindre.

Il saisit le chargeur et en retira les balles une à une. Les pointes brillaient d'un éclat doré. Il les lustra pour qu'elles brillent davantage. Puis il les replaça dans le chargeur.

Il se leva avec une certaine indolence. Il semblait en transe. Il traversa la salle à pas lents, touché par le symbolisme du lieu, et s'approcha de la table sacrificielle. Maria Flor plongea ses yeux terrorisés dans ceux de son bourreau, puis regarda l'arme qu'il avait à la main.

— Hmm ! Hmm !

Fuentes consulta à nouveau sa montre.

Dix-sept minutes.

— C'est l'heure, ma jolie, murmura-t-il avec le regard lubrique des psychopathes au moment de la mise à mort. N'aie pas peur.

Il posa le silencieux sur la tempe droite de sa victime. Comprenant que sa dernière heure était venue, Maria Flor secoua la tête dans un effort désespéré pour éloigner le canon, mais en vain.

— Hmm ! Hm...

Le bourreau appuya sur la détente.

LXXXI

Étrangement, un mauvais pressentiment s'empara de Tomás, comme si quelque chose de grave venait de se produire, mais il fit un effort pour se dominer. La révélation de l'identité de l'assassin de Frank Bellamy avait provoqué un certain émoi.

Non sans peine, il parvint à se concentrer. Le nom qu'il avait indiqué comme étant celui de l'assassin de Frank Bellamy arracha une moue inexpressive à Sam Dunn. Il semblait évident qu'il n'en avait jamais entendu parler. On ne pouvait pas en dire autant de Peter, qui avait rougi, ni de Halderman et de Fuchs, qui pâlirent de concert. Tomás remarqua leurs réactions.

— Je vois, Peter, que ce nom ne vous est pas étranger...

Le fils de Bellamy acquiesça.

— N'est-ce pas le nom que...

— Si, exactement, coupa l'historien, pour l'empêcher de gâcher son effet. (Il se tourna vers Fuchs et Halderman.) À vous non plus, messieurs, ce nom ne semble pas inconnu. Allons, avouez. Vous avez déjà croisé Daniel Dare.

Formés à l'art de la dissimulation, le directeur du Service national clandestin et le directeur adjoint de la Direction de la science et de la technologie avaient déjà retrouvé leur sang-froid. Halderman se tut, Fuchs contourna la question.

— Expliquez-nous plutôt comment vous êtes parvenu à la conclusion que ce type est l'assassin du vieux.

Pendant un long moment, Tomás scruta les visages de Fuchs et de Halderman. Ils avaient beau se dissimuler derrière leur masque, il devina la cause de leur embarras. Pour le moment, il les laisserait tranquilles, décida-t-il.

— Frank Bellamy a résolu la plus grande énigme de la science, mais il lui manquait la preuve finale. Le champ de Higgs. Il s'agit d'un champ que notre perception ne peut appréhender et qui confère leur masse aux particules lorsqu'il interagit avec elles. En d'autres termes, c'est le champ de Higgs qui donne sa consistance à la matière. Pour de nombreux physiciens qui défendent l'idée que c'est la conscience qui, par l'observation, crée partiellement la réalité, cette question est importante. Or, Frank Bellamy avait compris que, si le champ de Higgs crée la matière, c'est donc qu'il peut faire partie de l'intrication quantique de l'univers.

— Qu'est-ce que cela veut dire ?

Tomás se passa la main dans les cheveux, ayant à l'esprit que ces découvertes ouvraient des perspectives inattendues et tellement incroyables qu'il était difficile de les accepter.

— Que l'univers est conscient.

Un profond silence envahit le bureau. Il fallut quelques

secondes aux Américains pour digérer ce qu'ils venaient d'entendre.

— Vous n'avez pas encore compris que, en fin de compte, c'est ça la grande découverte de Frank Bellamy ? Les expériences quantiques successives, en particulier celle de la double fente, montrent que la réalité est en partie créée par l'observation. Si nous décidons d'observer un électron d'une certaine manière, que j'appellerai observation indirecte, celui-ci est une onde disséminée dans l'espace. Mais si, consciemment, nous choisissons de l'observer d'une autre manière, que j'appellerai observation directe, l'électron devient une particule localisée en un point unique de l'espace. En d'autres termes, la réalité se construit de telle ou telle manière selon la façon dont nous décidons de l'observer. C'est notre conscience qui prend cette décision, ce qui signifie que c'est la conscience qui crée partiellement la réalité.

— C'est ce que suggère l'expérience de la double fente, admit Peter, encore abasourdi par ce qu'il avait entendu. Mais comment en arrive-t-on à cette idée extraordinaire que l'univers est conscient ?

— En reconnaissant, comme votre père l'avait conclu, que l'univers s'observe constamment lui-même. Il le fait à travers les fluctuations du vide, mais aussi, selon votre père, par le biais du champ de Higgs. En s'observant lui-même, l'univers provoque l'effondrement de la fonction d'onde et crée la réalité telle que nous la connaissons. Mais, comme il faut, en dernière analyse, que l'observation soit faite par une entité consciente pour que la fonction d'onde s'effondre, il en découle nécessairement que l'univers est conscient.

— L'observation qui crée la réalité ne doit pas forcément être consciente, rétorqua le fils de Frank Bellamy. Lorsque, par exemple, un compteur Geiger mesure la matière atomique, il brise l'onde dans laquelle se concentrent toutes les virtualités parallèles et crée les particules. Vous n'allez quand même pas me dire que le compteur Geiger est conscient ?

— Vous faites erreur, Peter. Lorsque le compteur Geiger fait une mesure, il ne brise pas l'onde et ne crée pas la réalité. En fait, il établit une intrication quantique avec l'onde avec laquelle il est entré en contact. Le Geiger n'oblige pas l'onde à devenir particule, il s'intrique avec elle et devient, lui aussi, une onde. Comme l'a postulé le physicien John von Neumann peu après le cinquième congrès Solvay, c'est seulement si une entité consciente observe le compteur Geiger que cette intrication se brise et que l'onde devient particule. De nombreux scientifiques, parmi lesquels Einstein, ont refusé et refusent encore, pour des raisons philosophiques, de l'admettre, mais il n'en demeure pas moins que les expériences suggèrent que sans conscience il n'y a pas de réalité.

— Je vois.

— Votre père a donc conclu que l'univers est conscient. Selon lui, la preuve finale réside dans le champ de Higgs qui, en conférant une masse aux particules, les observe et agit comme une espèce de conscience de l'univers. C'est pour apporter la preuve définitive de l'existence du champ de Higgs que le CERN a construit le grand collisionneur de hadrons et mené des expériences afin de découvrir le boson de Higgs. En établissant l'existence de la « particule de Dieu », l'autre nom que l'on donne à ce boson, on a également prouvé l'existence du champ de Higgs. Votre père a considéré cette découverte comme une démonstration de la solution qu'il avait formulée et qui indique que l'univers est une gigantesque fonction d'onde dans laquelle toutes les possibilités coexistent en parallèle, jusqu'à ce que l'observation faite par la conscience rende l'une d'elles réelle et élimine les autres.

Peter posa l'index sur le mystérieux Ψ que Tomás avait dessiné.

— Si je comprends bien, l'univers et la conscience sont la même chose, affirma-t-il. Tous deux sont une fonction d'onde virtuelle, tous deux sont le *psi*.

— Tel est en effet le sens ultime du message que votre père tenait à la main, approuva l'historien. Et ce n'est pas tout : à l'instar de l'univers, le cerveau lui-même est un ordinateur quantique. La fonction d'onde est l'imagination où toutes les possibilités coexistent en parallèle ; l'effondrement de la fonction d'onde est la décision, qui concrétise une possibilité unique. La conséquence de cette découverte est stupéfiante. Parce qu'il est un ordinateur quantique, le cerveau lorsqu'il calcule crée de la conscience. S'il en est ainsi, lorsqu'il calcule, l'univers crée aussi de la conscience. Donc, l'univers est conscient.

— C'est incroyable !

— Alors que Frank Bellamy faisait ces découvertes, un grave problème est apparu. Un examen clinique pratiqué à Boston a diagnostiqué que Daniel Dare avait un cancer du pancréas.

— Qui diable est ce Daniel Dare ? demanda Sam Dunn.

Le moment était venu de ne pas quitter Harry Fuchs et Walter Halderman des yeux.

— Votre chef pourrait peut-être nous donner la réponse…

Le directeur du Service national clandestin secoua la tête.

— Moi ? Absolument pas ! Je ne sais même pas qui c'est !

— Moi non plus, dit à son tour Halderman.

Le Portugais ébaucha une moue sceptique.

— Allons, allons ! Ne me dites pas que vous n'avez jamais entendu le nom de Daniel Dare…

Comprenant qu'il valait mieux l'admettre, Fuchs se lança le premier.

— En réalité, je ne sais pas qui c'est. Mais je reconnais qu'il m'est déjà arrivé de voir ce nom.

— Pouvez-vous me dire où ?

Avant de répondre, le chef du Service national clandestin échangea avec Halderman un regard de défaite et regarda Peter Bellamy comme s'il craignait sa réaction.

— Dans le bureau de l'appartement du vieux.

— Vous y êtes allé ?

— Oui, Walter, moi et mes hommes.

Le visage de Peter s'enflamma.

— Ah ! Vous reconnaissez enfin ! C'est vous qui avez cambriolé l'appartement ! rugit-il. C'est donc vous qui avez fouillé l'appartement de mon père, comme de véritables charognards !

— Vous devez comprendre que nous devions à tout prix trouver l'*Œil quantique*, se défendit Fuchs. Il y avait eu l'attentat de Tripoli, nous n'avions eu vent de rien, la Maison Blanche était furieuse, le Président disait qu'il allait perdre les élections à cause de nous et menaçait de limoger tout le monde. Nous avons paniqué. Nous avons décidé de passer le bureau de votre père au peigne fin, mais le document était introuvable. Nous avons alors pensé qu'il devait l'avoir conservé chez lui.

— Du calme, Peter, dit Tomás. (Il se tourna de nouveau vers Fuchs et Halderman.) Vous avez donc pénétré dans l'appartement de Frank Bellamy pour fouiller son bureau.

— En effet, je le reconnais. C'est là que j'ai vu le rapport sur le cancer du pancréas de Daniel Dare. Mais je jure que je n'ai pas la moindre idée de qui est ce type. Nous avons cherché dans nos dossiers à l'Agence et n'avons trouvé personne répondant à ce nom. Nous avons vérifié les registres de la Sécurité sociale et découvert deux individus portant le même patronyme : l'un était SDF à New York, l'autre agriculteur en Louisiane. Aucun d'eux n'avait un cancer du pancréas. Nous n'étions donc pas plus avancés. C'est un mystère absolu.

— Certains d'entre nous le connaissent, dit le Portugais. Moi, par exemple.

Les quatre Américains écarquillèrent les yeux.

— Vous savez qui est Daniel Dare ?

— Si vous avez inspecté le bureau de Frank Bellamy, vous avez sans aucun doute remarqué ses livres, fit observer Tomás en s'adressant à nouveau à Fuchs et à Halderman.

— Bien sûr, admit le directeur adjoint de la Direction de la science et de la technologie. Des livres de physique.

— Uniquement de physique ?

— Eh bien, il y avait aussi des ouvrages de science-fiction.

— Quel genre d'ouvrages ? Uniquement des romans ?

Halderman fit appel à sa mémoire.

— Il y avait aussi des bandes dessinées. Je me rappelle avoir vu d'anciens exemplaires de *Flash Gordon*, d'*Eagle*, de *Weird Science*...

— Vous est-il jamais arrivé de lire *Eagle* ?

— Quand j'étais enfant, j'ai vécu en Angleterre. *Eagle* était une revue anglaise avec de bonnes histoires.

— Quel était le héros d'*Eagle* que vous préfériez ?

— Dan Dare, bien sûr. Et...

L'homme de la CIA se tut.

— Vous pouvez répéter ce nom ?

— Dan Dare. Bon sang ! Daniel Dare !

— Vous croyez que c'est une coïncidence ?

— Que voulez-vous dire par là ? demanda Halderman.

— Vous rappelez-vous par hasard du nom du dessinateur phare de la série *Dan Dare* ?

Le responsable de la CIA fronça les sourcils.

— N'était-ce pas Frank Bellamy ?

Tomás sourit.

— Vous avez compris ?

L'Américain échangea un regard confus avec les autres.

— Pas vraiment.

— Les conclusions auxquelles je suis parvenu sont très simples, dit le Portugais. Dans sa jeunesse, et parce

542

qu'il s'intéressait aux sciences, notre Frank Bellamy lisait des livres de science-fiction. Parmi ses lectures figurait évidemment la revue *Eagle*, qu'il faisait venir d'Angleterre. En lisant les aventures du personnage principal de ce magazine, l'astronaute Dan Dare, il avait forcément remarqué le nom de l'auteur. En réalité, *Dan Dare* a été créé par Frank Harcourt, mais le dessinateur le plus célèbre de la série était un artiste dénommé Frank Bellamy. Il s'agissait d'une simple coïncidence, le meilleur auteur de la série anglaise *Dan Dare* avait exactement le même nom que le jeune lecteur américain. À partir de ce moment-là notre Frank Bellamy a commencé à utiliser le nom de Dan Dare chaque fois qu'il avait besoin de rester anonyme, comme ce fut le cas lorsqu'il a fait son examen médical à Boston.

— Daniel Dare était Frank Bellamy ?

— Exact.

— Mais… pour quelle raison avait-il besoin de rester anonyme ?

— En tant qu'agent de la CIA, il savait que l'information c'était le pouvoir, et il souhaitait donc en partager le moins possible. Il ne voulait sans doute pas que l'on sache qu'il était en train de mourir. Si elle avait découvert qu'il avait un cancer du pancréas en phase terminale, qu'aurait fait l'Agence ?

— Elle l'aurait déchargé de ses fonctions, bien évidemment, observa Fuchs. C'est un poste beaucoup trop important pour être occupé par un homme en phase terminale.

— Je pense que c'est précisément ce qu'il voulait éviter. Frank Bellamy a toujours été un « dur » de la vieille école qui estimait qu'il était de son devoir de rester à son poste jusqu'à sa mort. Il a caché son état de santé et décidé de tirer sa révérence comme il l'entendait. Ayant appris que le CERN s'apprêtait à conduire de nouvelles expériences sur le boson de Higgs, il a décidé d'aller à Genève assister à l'événement. La découverte de la particule et du champ de Higgs prouvait, selon lui, le bien-fondé de sa théorie sur l'univers conscient. Bellamy a considéré que la théorie de l'unification de l'univers quantique avec l'univers macroscopique, qu'il avait conçue pour relier la fonction d'onde de l'équation de Schrödinger à la conscience et à l'univers, était désormais démontrée. C'était pour lui une grande fierté. En sa qualité de responsable de la Direction de la science et de la technologie de la CIA, il s'est rendu à Genève et c'est sans doute au cours des nouvelles expériences dans le grand collisionneur de hadrons qu'il a eu l'idée de tirer sa révérence comme il l'a fait. Il ne pouvait mourir, cependant, sans confier sa théorie à quelqu'un. Mais les scientifiques qu'il connaissait et les personnes en qui il avait confiance se trouvaient aux États-Unis.

— Il aurait pu communiquer avec eux d'une manière ou d'une autre, constata Fuchs.

— Certes, mais s'il se mettait à tout leur expliquer, il courait le risque que l'ambassade américaine en Suisse soit informée de son plan et ne le fasse avorter.

— En effet, c'était une probabilité.

— Il ne pouvait pas le tolérer. Il se trouve que, par hasard, je me trouvais à Genève en mission pour la fondation Gulbenkian et, là encore pure coïncidence, que je suis descendu dans le même hôtel que lui. C'est probablement là que Frank Bellamy m'a vu et m'a reconnu. Il connaissait bien mes capacités, il me traitait même de « petit génie », et…

— Oh, vous n'étiez pas le seul, observa Peter Bellamy avec un sourire nostalgique. Mon père traitait de petit génie tous ceux pour qui il avait de la considération intellectuelle.

— Je n'en doute pas, dit l'historien. Quoi qu'il en soit, il a dû penser que j'étais la personne idéale pour concrétiser le plan qu'il avait commencé à ébaucher. Il a trouvé le numéro de ma chambre et glissé sous ma porte un message dans lequel il se faisait passer pour un antiquaire. Il m'invitait à le rencontrer au CERN, le lendemain matin, car il avait un objet historique de très grande valeur à me montrer. Bête comme je suis, je suis tombé dans le panneau.

— Mais pour quelle raison vous a-t-il attiré au CERN ?

— Tout simplement pour me compromettre. Il voulait que je me trouve au CERN au moment de sa mort.

— C'est ce qui m'échappe, insista Fuchs. Quelle raison pouvait-il avoir de vous compromettre ? Et comment savait-il qu'il allait être assassiné ?

— En tant qu'homme de la CIA, Frank Bellamy avait un esprit tortueux et il aimait les petits jeux. Il me connaissait bien, car nous avions travaillé ensemble par le passé. Il savait que, pour faire lever l'accusation d'homicide, il fallait que j'arrive à ce coffre. Le reste a été simple. Il m'a adressé le grand pentacle par la poste, afin que je dispose de tous les indices qui me seraient nécessaires, et, le lendemain, il a attendu que j'entre au CERN. C'est à ce moment-là qu'il a préparé son message final, avec le *psi* dessiné en grand, dans lequel il me désignait comme « la clé ». Il était ainsi assuré de me compromettre totalement. Il s'est ensuite dirigé vers le détecteur ATLAS pour le tout dernier acte.

À cette évocation, Peter Bellamy ne parvint pas à contenir ses larmes.

— Mon pauvre père… il a refusé d'être emporté par le cancer.

— Il a voulu maîtriser son destin, jusqu'à la fin. Il a choisi l'accélérateur qui a recréé le Big Bang et l'un des détecteurs où a été découvert le boson de Higgs. Il a réussi à entrer dans le détecteur ATLAS, où il a brisé les tubes de réfrigération dans lesquels circulait l'hélium liquide et… la suite vous la connaissez. Il est mort presque instantanément.

Un silence pesant emplit le bureau.

— Bellamy s'est suicidé, dit Fuchs.

Angoissé, Tomás leva les yeux vers l'horloge. Il n'avait plus que treize minutes.

— Écoutez, j'ai rempli ma part du contrat. À vous de remplir la vôtre. Appelez votre agent et dites-lui de libérer mon amie.

Sam Dunn se tourna vers Harry Fuchs, comme pour lui dire que la plaisanterie avait assez duré.

— D'accord, d'accord, grommela le directeur du Service national clandestin en sortant son téléphone de sa poche.

Il appela, et après un certain temps, afficha une expression contrariée.

— Que se passe-t-il ? questionna Tomás. Pourquoi vous ne lui parlez pas, bon sang !

— Je tombe directement sur la messagerie, expliqua Fuchs.

Tomás lui arracha violemment l'appareil de la main et recomposa le numéro. Une voix féminine se fit entendre.

— Le numéro que vous avez demandé n'est pas disponible actuellement. Veuillez laisser votre message après le bip sonore.

— Merde ! cria-t-il. Que fait-on maintenant ?

Fuchs ouvrit les bras, dans un geste d'impuissance, et dévisagea l'universitaire portugais avec un air résigné.

— Je crains que votre amie ne soit perdue.

LXXXII

Bâillonnée, attachée sur cette table par un homme qu'elle ne connaissait pas et pour des motifs qui lui échappaient, Maria Flor savait son destin scellé. Aucun mot ne pourrait exprimer ce qu'elle avait ressenti au moment où son bourreau avait posé le canon sur sa tempe et appuyé sur la détente. Prise de tremblements incontrôlables, la prisonnière sentait ses dents claquer inexorablement.

— Alors, ma jolie ? ricana Fuentes avec une expression sadique dans les yeux. Je t'ai fichu une sacrée trouille, hein ?

— Hmm…

La jeune femme s'efforçait de ne pas croiser son regard, elle ne voulait pas lui donner ce plaisir, mais il n'y avait aucun moyen de l'éviter.

— C'est bon, calme-toi, murmura-t-il. Ce n'était qu'un test, une mise en bouche, un prélude à ce qui va bientôt se passer.

Il sortit le chargeur et le lui montra. S'assurant qu'elle voyait bien tous ses faits et gestes, il y inséra les balles une à une, puis il arma le pistolet avant de

549

sortir un morceau de tissu noir de sa mallette, qu'il déplia sur le sol, au pied de la table de marbre.

— Personne ne pourra dire que je ne suis pas propre. Le drap servira d'abord à recueillir ta cervelle puis ce sera ton sang. Ensuite je m'en servirai pour t'enrouler dedans. Tu vas aller nourrir les poissons du Potomac, ma jolie.

Il ricana et consulta sa montre. Les aiguilles indiquaient 02 h 49.

LXXXIII

Onze minutes. Le ravisseur demeurait injoignable.

Les aiguilles de l'horloge ne s'arrêtaient pas, lancées dans une course folle vers l'échéance fatidique. Tomás sentait tout espoir s'évanouir. Harry Fuchs n'avait pas d'autre moyen de joindre cet homme et ses collègues de la CIA ne voyaient pas d'autre solution.

— Nous n'avons que son numéro de téléphone, constata Peter, impuissant. Nous ne savons même pas où il l'a emmenée.

Décidé à ne pas se déclarer vaincu, Tomás s'assit au bureau et alluma l'ordinateur.

— Ça n'est pas tout à fait vrai, corrigea-t-il. Le type m'a dit d'être au tribunal de la Maison du Temple de Salomon à 3 heures. Je me souviens qu'il a mentionné le numéro treize au-dessus de la base du pentagramme et le tombeau de Mausole.

— Mais le Temple de Salomon est à Jérusalem. D'ailleurs il n'existe même plus. Le type n'a pas pu emmener votre amie en Israël ? Et puis qu'est-ce que ce treize au-dessus de la base du pentagramme ? Quel pentagramme ?

L'écran s'éclaira et l'historien se connecta aussi-tôt à un moteur de recherche pour obtenir un plan de Washington.

— Le tombeau de Mausole est l'une des sept mer-veilles de l'Antiquité. Il se trouve à Halicarnasse, en Turquie.

— En Turquie ?

Le plan de la capitale américaine emplit l'écran.

— Peter, peut-on disposer d'un hélicoptère ?

Le jeune homme regarda Sam Dunn, l'enjoignant de répondre.

— Bien sûr, répondit celui-ci. Pourquoi ?

— Qu'il soit prêt à décoller dans quelques minutes.

Sans se poser de questions, le responsable de l'équipe de nuit prit son portable et sortit pour appe-ler ses hommes.

— À quoi va servir cet hélicoptère ?

Tomás zooma sur le quartier administratif de Washington.

— Vous voyez la Maison Blanche ? demanda-t-il en montrant sur la carte la résidence du président des États-Unis. Si on fait un trait sur Connecticut Avenue, on établit un lien entre la Maison Blanche et Dupont Circle, où vivait Frank Bellamy. Puis, on trace une ligne sur Massachusetts Avenue, reliant Dupont Circle, Scott Circle et Vernon Square, une autre sur K Street entre Vernon Square et Washington Circle, une autre encore sur Rhode Island Avenue entre Washing-ton Circle et Logan Circle, et enfin une dernière sur Vermont Avenue entre Logan Square et la Maison Blanche. En reliant ainsi ces différentes rues, voici ce qu'on obtient. Regardez.

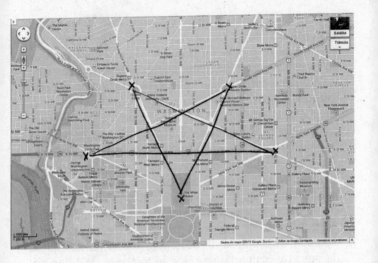

Les hommes de la CIA se penchèrent sur l'écran et observèrent la figure géométrique tracée au feutre sur le plan de la capitale américaine.

— Une étoile à cinq branches.

— Oui, mais pas n'importe laquelle. Comme vous pouvez le constater, il s'agit d'un pentagramme avec deux branches dirigées vers le haut et une vers le bas. C'est un pentagramme inversé, également appelé « tête de bouc de Baphomet ». Le symbole de Satan.

— Le quoi ?

— Le quartier administratif de Washington a été dessiné au XVIIIᵉ siècle par Pierre Charles L'Enfant comme un centre du pouvoir. Quoi de mieux que le symbole du diable pour concrétiser le pouvoir ?

— Vous insinuez que le pouvoir de l'Amérique est... démoniaque ?

— Pas le moins du monde. Mais le fait est que le pouvoir corrompt, dans quelque pays que ce soit. C'est pour cette raison que le pentagramme inversé est le symbole le plus adéquat pour qui veut conquérir le pouvoir. (Il indiqua la branche de l'étoile tournée vers le bas.) Remarquez, à cet égard, que la base de la tête de bouc de Baphomet est la Maison Blanche. Ce n'est pas un hasard.

— Que voulez-vous dire par là ? Vous pensez que votre amie a été emmenée à la Maison Blanche ?

— Non. Comme je vous l'ai expliqué, le ravisseur m'a dit que je devais me rendre au tribunal de la Maison du Temple de Salomon, treize au-dessus de la base du pentagramme, sur le tombeau de Mausole. La Maison Blanche ne représente donc pas le Temple, mais il me paraît évident que c'est en partant de là que nous y arriverons. Ainsi, si l'on dessine une ligne qui part de la Maison Blanche et remonte la seizième rue sur treize pâtés de maisons, on passe par Scott Circle et on arrive... ici. Au croisement de R Street et de S Street avec la seizième rue. (Il leva les yeux, inquiet, vers les Américains qui l'entouraient.) Pourriez-vous me dire s'il y a là un bâtiment particulier ?

Fuchs et Halderman secouèrent la tête. Soit ils ne savaient pas, soit ils ne voulaient pas coopérer. Peter examina attentivement le carrefour, essayant de se remémorer les bâtiments du quartier.

— Le Conseil suprême ! s'exclama-t-il. C'est là que se trouve le Conseil suprême.

— Qu'est-ce que c'est que ça ?

À cet instant, Sam Dunn réapparut dans le bureau, visiblement pressé, leur faisant signe de venir.

— L'hélicoptère est prêt à décoller. Quelle est la destination ?

Tomás et Peter se mirent à courir sans prêter attention à Fuchs et Halderman. Le Portugais jeta une dernière fois un regard sur l'horloge. Il n'avait plus que sept minutes. Ils traversèrent les couloirs de Langley en courant, puis se dirigèrent vers la piste où les attendait l'hélicoptère. Le fils de Frank Bellamy annonça enfin leur destination.

— Le siège de la maçonnerie américaine.

LXXXIV

Une exécution qui respectait les rites sacrificiels de ses ancêtres était une aubaine pour Fuentes. Pour une fois, il n'était pas simplement question d'infiltrer les lignes ennemies, de localiser la cible et de l'abattre rapidement avant de quitter les lieux au plus vite. Cette fois-ci, il avait tout son temps pour soigner les détails de la cérémonie.

Bien sûr, il aurait aimé utiliser sa dague, mais ses supérieurs ne l'auraient pas accepté. Il se trouvait au siège du trente-troisième degré du Rite écossais, le centre de la puissante maçonnerie américaine, treize rues au nord de la Maison Blanche. Il lui fallait opter pour une mort « propre ». Il emploierait donc son pistolet, mais pas sans accomplir certains rites précolombiens.

La dague à la main et les paupières fermées, en adoration, il ouvrit les bras en signe d'oblation et entonna le chant sacrificiel de ses ancêtres.

— Où est le cœur ? murmura-t-il en nahuatl, la langue des Aztèques. (Son visage était transfiguré par la passion et son corps était en transe.) Offre ton cœur, en l'emportant tu ne l'emportes pas, tu détruis le cœur sur la Terre.

Maria Flor ne comprenait pas les étranges paroles que son ravisseur répétait telle une litanie, mais elle avait conscience qu'il se livrait à une espèce de rituel. Elle ne quittait pas des yeux la dague qu'il tenait à la main. Une fois le rituel achevé, Fuentes la rangea dans sa mallette. Le cœur battant à tout rompre, sentant que sa dernière heure approchait inexorablement, Maria Flor le suivit des yeux, terrifiée. Elle le vit prendre son pistolet et l'inspecter une dernière fois. Le bourreau s'approcha d'elle et consulta sa montre.

— Encore une minute.

LXXXV

Depuis l'hélicoptère, les rares bâtiments que Tomás distinguait clairement étaient les principaux symboles du pouvoir américain, le Capitole, la Maison Blanche, ou le Lincoln Memorial et l'obélisque. Tous étaient éclairés par de puissants projecteurs.

— Là-bas, dit Peter. Le Conseil suprême.

Le pilote amorça sa descente vers le bâtiment monumental.

— D'où la référence du ravisseur à la Maison du Temple de Salomon, expliqua Tomás. (Parler était pour lui une manière de lutter contre l'angoisse.) Les francs-maçons aiment les références au roi Salomon et il est naturel qu'ils attribuent à leurs édifices des noms en rapport avec lui. (Il se tourna vers Peter.) Votre père était maçon ?

— Mon père ?

— Bien sûr qu'il l'était, dit l'historien. D'ailleurs, s'il a choisi de vivre à Dupont Circle, ce n'est sans doute pas un hasard.

Éludant la question, Peter maintenait son regard fixé sur le bâtiment.

— La Maison du Temple, hein ? Il n'y a que cette allusion au tombeau qui m'échappe, le tombeau de... quel était son nom déjà ?

— Mausole. Le siège de la maçonnerie américaine a été construit au début du XXe siècle, à partir des descriptions du tombeau de Mausole, l'une des sept merveilles de l'Antiquité. Le tombeau était si grandiose que Mausole est à l'origine du mot « mausolée ». C'est sans doute pour ça que l'homme de main de Fuchs a choisi ce lieu pour...

Le pilote fit virer l'appareil pour exécuter la manœuvre d'approche.

— Trente secondes, annonça-t-il, en jetant un œil vers ses passagers. Je ne vais pas pouvoir atterrir. Ouvrez la porte et lancez la corde. Je vais descendre le plus bas possible, à environ dix mètres du sol. Vous sauterez à mon signal, OK ? Bonne chance.

Le seul à avoir une expérience opérationnelle était Sam Dunn, qui avait dirigé l'antenne de la CIA à Mogadiscio avant de devenir chef d'équipe à Langley. Il ouvrit la porte du Sikorsky, laissant l'air froid envahir l'intérieur de l'appareil, et, après s'être assuré que la corde était bien attachée, il la jeta à l'extérieur. Il se tourna ensuite vers ses compagnons, qui le regardaient avec une certaine appréhension, et leur donna des gants.

— Je sais que vous n'avez jamais fait ça et il y a de quoi avoir très peur, mais c'est la seule manière d'arriver rapidement en bas, expliqua-t-il. Mettez ces gants. La corde est épaisse et irrégulière, ce qui nous donne des appuis pour la descente. Accrochez-vous et laissez-vous glisser jusqu'en bas. Si vous descendez trop vite, vous la serrez plus fort pour ralentir, vous avez compris ?

— Mais nous n'y arriverons jamais !

— Bien sûr que si. De toute façon, nous n'avons pas le choix. Je descends le premier, comme ça vous pourrez voir comment je fais. Quand j'aurai descendu cinq mètres environ, ce sera à votre tour. Des questions ?

Personne n'osa en poser.

La porte était ouverte, le bruit du moteur était devenu assourdissant et le vent glaçait les trois hommes. L'appareil descendit encore un peu, et la voix du pilote se fit entendre dans le cockpit.

— Allez-y !

Aussitôt, Sam Dunn s'enroula autour de la corde et commença à glisser rapidement. Tomás et Peter échangèrent un regard anxieux, puis l'historien avança. Il regarda en bas, le sol lui paraissait incroyablement loin.

Il saisit la corde et, avec l'énergie du désespoir, se lança dans le vide. Il se sentit tomber et, après un moment de panique, se souvint du conseil de Dunn. Il serra la corde de toutes ses forces et réussit à ralentir la chute. La descente dura quelques secondes avant qu'il ne sente le sol sous ses pieds.

— Poussez-vous de là, ordonna Dunn.

Alors qu'il s'écartait en chancelant, Tomás aperçut une silhouette qui semblait tomber du ciel ; c'était Peter Bellamy. Il regarda autour de lui. Il s'aperçut qu'ils étaient à un carrefour. De l'autre côté, tel un colosse silencieux, se dressait la Maison du Temple de Salomon.

— Allons-y !

Ils traversèrent la rue en courant et parvinrent au

bâtiment dont ils gravirent les marches flanquées de sphinx de style égyptien. La porte principale, ornée d'un marteau en bronze en forme de tête de lion, était fermée à clef.

Après avoir contourné le bâtiment, ils trouvèrent enfin une porte entrouverte. La serrure avait été forcée. Alors que Tomás allait pousser la porte, Dunn l'arrêta.

— Attendez ! Le type l'a peut-être piégée.

Explorant à tâtons les bords de la porte entrouverte, Dunn tentait de deviner ce qu'il ne pouvait voir. Il détecta quelque chose. Sans dire un mot, il sortit une pince coupante d'une petite mallette et la glissa dans l'ouverture. Un bruit se fit entendre.

— Ça y est ?

— La voie est libre.

Ce devait être une entrée de service, car ils pénétrèrent dans un étroit couloir. Dunn sortit son Heckler & Koch de sa veste et passa devant. Le couloir conduisait à un vestibule dont les murs étaient éclairés par des lampes en albâtre, soutenues par de longues et fines colonnes de bronze sculptées de motifs égyptiens. Un grand escalier central permettait d'accéder aux étages supérieurs ou de retourner au rez-de-chaussée.

— Que fait-on maintenant ? murmura Dunn. On continue vers la chambre du temple ?

Un doigt sur les lèvres, le Portugais lui fit signe de se taire. Ils tendirent l'oreille, attentifs au moindre bruit.

— Hmm… Hmm !

Un son étouffé attira leur attention.

— Là, en bas.

D'un geste, Dunn ordonna à ses compagnons de retirer leurs chaussures. Rien ne devait trahir leur pré-

562

sence. Ils avancèrent silencieusement dans le vestibule et empruntèrent l'escalier central en direction du rez-de-chaussée. Ils passèrent à côté d'une statue d'Albert Pike, le fondateur de la maçonnerie américaine, et en tournant vers le dernier palier, ils découvrirent la grande salle centrale.

Ils virent une table en marbre au centre de la pièce. Un drap noir était étendu à côté de la table, sur laquelle un corps était posé. Celui de Maria Flor.

LXXXVI

Dès qu'il comprit, Tomás fut sous le choc.

Maria Flor était couchée, la tête tournée vers eux et ne bougeait pas. Était-elle morte ? Il voulut crier pour l'appeler, tenter de la réveiller, mais il se retint.

La Portugaise remua une jambe.

— Elle est vivante, murmura Tomás avec espoir. Vous avez vu ? Elle est vivante !

— Chut ! ordonna Dunn, scrutant la salle comme un chasseur. Le type ne doit pas être loin.

La jeune femme tourna la tête dans leur direction, et les vit en haut de l'escalier.

— Hmm ! Hmm !

L'historien se sentit soulagé. Mais sa joie fut de courte durée, car l'angoisse qu'il surprit dans le regard de Maria Flor le replongea dans l'inquiétude.

— On dirait qu'elle veut nous dire quelque chose...

— Bien sûr, dit Peter derrière lui, en souriant. Elle veut qu'on la libère.

Sam Dunn leur fit signe de se taire. Après avoir sondé plusieurs fois la salle du regard, il recommença à descendre les marches. Ses deux mains serraient le pistolet qu'il tenait pointé devant lui, prêt à faire feu.

— Hmm ! Hmm !

Voyant que tout était désert, et persuadé qu'une menace invisible était tapie quelque part, Dunn comprit qu'il allait devoir improviser.

— Vous, vous allez faire du bruit, souffla-t-il, avant de désigner une enfilade de colonnes doriques. Je vais me cacher là derrière, et si le type réagit, je lui règle son compte.

Lorsque Dunn se sentit prêt, il fit un signe à ses compagnons qui étaient restés dans l'escalier.

— Maria Flor, tu m'entends ? dit Tomás en portugais. Dis-moi si ton ravisseur se trouve dans la salle.

Elle hocha frénétiquement la tête. Tomás regarda dans toutes les directions, mais ne remarqua rien de suspect. Où qu'il se trouvât, l'homme n'était pas visible.

— Le type sait que nous sommes ici ?

Maria Flor opina.

— Où est-il ?

— Hmm ! Hmm !

— Attention, Sam ! dit-il en anglais pour prévenir Dunn. Elle dit que son ravisseur est ici.

Le silence se fit. Tous semblaient avoir suspendu leur respiration, attendant que quelqu'un fasse un faux pas. Sans arme, Tomás se sentait nu. Il regarda Peter et comprit que lui aussi était désarmé. Quelle erreur !

— Écoutez-moi attentivement, cria Dunn. Nous arrivons de Langley et j'ai des ordres de Harry Fuchs. L'opération en cours a été annulée. Vous entendez ? L'opération a été annulée. Fuchs a essayé de vous prévenir. Allumez votre portable, vous verrez qu'il y a plusieurs appels en absence de sa part. Vous avez deux minutes pour vérifier, OK ?

Ils attendirent quelques secondes, mais il n'y eut pas de réponse.

— Très bien, reprit Dunn à voix haute, les deux minutes commencent maintenant.

Le silence se fit à nouveau dans la salle principale. Observant son amie avec attention, Tomás s'aperçut qu'elle regardait avec insistance vers la gauche. Il y avait là aussi une rangée de colonnes doriques. Ses mouvements ne pouvaient signifier qu'une chose.

— Le type est là, chuchota-t-il. Derrière les colonnes…

Il examina l'ensemble attentivement. Les colonnes étaient en granit vert Windsor, polies avec soin, et soutenaient une poutre maîtresse ; en face de chacune d'elles, tournée vers le centre de la salle, se trouvait une chaise en bois ornée d'ailes égyptiennes. Il ne remarqua rien d'anormal, aucun signe de présence. D'un geste, il indiqua les colonnes à Sam. Ce dernier comprit aussitôt.

— Les deux minutes sont écoulées, annonça Dunn. Maintenant, nous allons libérer la prisonnière.

Tomás et Dunn échangèrent un regard indécis. Le Portugais savait qu'il fallait absolument éviter que Dunn ne soit abattu, il était le seul à être armé. C'était donc à lui d'agir.

Il fit signe à Dunn qu'il allait avancer. Celui-ci hésita un instant, mais finit par approuver et se prépara à ouvrir le feu.

— Je vais libérer la prisonnière, annonça Tomás à

voix haute. Je suis désarmé et je ne représente aucune menace. Ne tirez pas.

Son cœur battait à tout rompre, mais, surmontant sa peur, l'historien abandonna l'escalier et s'avança, les mains en l'air pour montrer qu'il était désarmé.

— Hmm ! Hmm !

Les yeux révulsés, Maria Flor s'agita de nouveau, cherchant à lui signaler le danger. Il hésita. Son amie savait quelque chose. Il se sentait dans la ligne de mire d'un tueur professionnel, mais il avait beau regarder vers les colonnes, il ne voyait pas le moindre mouvement. Il s'avança doucement, les mains toujours en l'air. Du coin de l'œil, il aperçut Dunn à proximité d'une colonne.

Il s'approcha enfin de la table et, au moment où Tomás s'apprêtait à ôter le bâillon de Maria Flor, le linceul noir se souleva tel un fantôme, et deux coups partirent. Le Portugais se retourna et vit Sam Dunn s'écrouler sur le sol. Il avait reçu une balle en pleine tête.

LXXXVII

Habitué à ce genre de situation, Fuentes avait seulement tiré deux balles. Deux coups de maître. La première avait abattu Sam Dunn, la seconde avait atteint Peter Bellamy sous l'œil gauche, le tuant sur le coup. Tout était allé si vite que Tomás s'était figé.

— Je vous félicite, *señor* Noroña, dit le major. Vous avez réussi à arriver jusqu'à moi en très peu de temps. Je ne l'aurais pas cru.

L'historien demeurait hébété.

— Vous… vous vous rendez compte de ce que vous venez de faire ? bégaya-t-il. Vous avez abattu deux de vos collègues.

Fuentes haussa les épaules.

— Je suis un soldat, j'obéis aux ordres.

— Mais qui vous a donné de tels ordres ? N'avez-vous pas entendu Sam Dunn ? Harry Fuchs a annulé l'opération.

— C'est justement pour lui obéir que j'ai dû liquider ces abrutis, rétorqua-t-il. Tout comme je dois, à présent, vous supprimer tous les deux.

— L'opération a été annulée, répéta Tomás. Vous

saisissez ce que je suis en train de vous dire ? Harry Fuchs a essayé à plusieurs reprises de vous appeler pour...

Fuentes secoua la tête.

— Vous avez fait une grave erreur en venant jusqu'ici, dit-il froidement. Je sais très bien que l'opération est terminée. Fuchs m'en a informé en temps voulu. Mais il m'a aussi donné l'ordre de faire le ménage, car nous avons eu quelques problèmes. La mort de votre ami à l'université de Georgetown par exemple.

— Jorge ? Vous avez tué Jorge ?

— J'ai fait ce que je devais faire et maintenant je fais le ménage. (Il fit un geste en direction de Maria Flor.) L'ordre d'annuler l'opération a été donné après que j'ai capturé votre petite amie. Dommage pour elle, car elle est ainsi devenue un témoin gênant. C'est pour ça que je dois l'éliminer, comme tous ceux qui ont croisé mon chemin.

— Mais c'est ridicule, vous ne faites qu'aggraver votre cas.

— Vous croyez ? Et, quand vous serez morts tous les deux, qui pourra me mettre en cause ?

L'historien passa en revue tous ceux qui avaient été en contact avec le tueur. Tous morts... ou sur le point d'être abattus.

— Harry Fuchs. Il sait que vous êtes impliqué.

Fuentes éclata de rire.

— Mon patron ne me dénoncerait pas, je n'ai fait qu'obéir à ses ordres. Vous pouvez le supprimer de la liste. Qui d'autre sait que je suis impliqué ? Si vous n'étiez pas venus ici, comment auriez-vous appris que le major Fuentes avait pris part à l'opération ?

Tomás réalisa que jamais Harry Fuchs n'avait prononcé le nom de son agent. Il n'y avait donc aucun moyen de connaître son identité. Un vrai fantôme.

— Écoutez, des renforts sont sur le point d'arriver, essaya Tomás. Si j'étais vous…

— Je sais, rétorqua Fuentes, en levant son arme. C'est pourquoi je vais devoir vous éliminer tous les deux avant qu'il ne soit trop tard.

En voyant le canon du pistolet pointé sur lui, Tomás recula.

— Attendez, on peut discuter…

— *Adios*.

L'homme de la CIA appuya sur la détente, mais rien ne se produisit.

— Qu'est-ce qui…

Fuentes regarda le Sig Pro, puis il lâcha un juron une fois qu'il eut compris.

— Putain ! cria-t-il. Cette merde s'est enrayée !

Tomás se précipita en direction des colonnes où gisait le corps inerte de Sam Dunn et son Heckler & Koch.

Au moment où il se baissait pour s'en emparer, son corps fut projeté par terre, une douleur au flanc lui brûla les côtes. Il avait été touché. Allongé sur le sol, il tendit le bras gauche pour saisir l'arme de Dunn, mais un pied surgi de nulle part lui écrasa la main. Il leva les yeux et vit, acculé, que le major Fuentes le dominait.

— Vous êtes rapide, dit le major. Mais pas assez pour moi.

Alors que le soldat se penchait pour saisir le pistolet, Tomás, dans un effort désespéré, sortit de sa poche le grand pentacle et le frappa de toutes ses forces au visage. Le sang se mit à jaillir et Fuentes chancela, libérant le bras de Tomás.

D'un bond l'historien s'empara du pistolet, se releva et mit en joue le major. Reprenant ses esprits, l'Américain avança d'un pas, mais Tomás appuya sur la détente et tira une fois. Puis une autre, et encore une autre…

Il avait ouvert le feu à cinq reprises. Sans trop savoir pourquoi, il n'avait pu s'arrêter qu'au bout de la cinquième balle. Ou peut-être le savait-il. La première, il l'avait tirée pour arrêter son ennemi. La deuxième avait été pour Jorge, la troisième pour Peter, la quatrième pour Dunn. Et la cinquième était pour Maria Flor, pour ce qu'il lui avait fait, pour ce qu'il s'apprêtait encore à lui faire.

Il baissa son arme et contempla le corps étendu sur le marbre, adossé à une colonne. Trois balles avaient atteint Fuentes à la poitrine, les deux autres au visage.

— Hmm ! Hmm !

Maria Flor le dévisageait avec une expression de soulagement et de gratitude. Bouleversé, Tomás laissa tomber son arme et se dirigea vers elle. Il arracha le ruban adhésif et lui enleva le mouchoir de sa bouche.

— Tu vas bien ? Tu n'es pas blessée ? Tu n'as pas été touchée ?

— Non, idiot, répondit-elle en lui caressant le visage. Et toi ?

Les larmes commencèrent à rouler sur le visage de la jeune femme. Troublé par son émotion, Tomás la prit dans ses bras. Puis il la serra avec force, pour sentir son corps en vie, il la serra comme s'il avait peur de la perdre, il la serra pour ne plus jamais la laisser.

ÉPILOGUE

À travers la fenêtre du train, le paysage verdoyant du Portugal défilait à vive allure. Après avoir jeté un regard mélancolique sur la pinède qu'ils traversaient, Tomás fixa son attention pour la énième fois sur le *Washington Post*, acheté la veille à l'aéroport de Dulles.

L'article qui l'intéressait était intitulé « Une équipe de la CIA parmi les victimes de Tripoli ». On pouvait y lire que, dans les décombres de l'aile de l'ambassade américaine en Libye, détruite quelques jours plus tôt par un attentat, on avait retrouvé les corps du chef d'une section d'agents de la CIA, Samuel Dunn, de l'analyste en stratégie Peter Bellamy et du major Manuel Benitez Fuentes, « l'un des agents les plus décorés de la CIA ». L'article précisait encore que le directeur de l'Agence avait salué le courage des trois hommes qui avaient donné leur vie « pour la sécurité de l'Amérique », et qu'ils seraient tous trois décorés à titre posthume pour « avoir rendu d'insignes services à la Nation ». En bas de la même page, un autre article faisait état du « suicide du directeur du Service national clandestin », Henry Anderson Fuchs. Selon des sources bien informées, l'homme déprimé se serait jeté dans le Potomac. Un suicide qui avait « fortement choqué » Walter Halderman, son vieil ami, le directeur adjoint de la Direction de la science et de la technologie, l'ayant poussé à prendre une retraite anticipée.

Une voix l'arracha à ses pensées.

— Tu es prêt, chéri ?

Tomás leva les yeux, Maria Flor lui souriait.

— Pardon ?

— Nous sommes presque arrivés.

— C'est incroyable la manière dont toute cette affaire a été étouffée, dit-il en se levant pour prendre leurs valises. Ils ont même réussi à « suicider » Fuchs, tu te rends compte !

— Oublie tout ça, c'est fini.

Le train s'immobilisa deux minutes plus tard en gare de Coimbra. Il y avait du soleil, l'air était pur, les couleurs avaient cet éclat lumineux qu'on ne voyait qu'au Portugal, c'était suffisant pour les rendre heureux.

— Et alors, ma bimbo ? On prend un taxi ?

— Ne m'appelle pas comme ça.

— D'accord, dit-il en riant.

— Tu ne peux pas imaginer à quel point j'étais furieuse. Si j'avais pu, si j'avais pu… je crois que je t'aurais mis en morceaux.

Ils prirent un taxi en face de la gare et, après avoir donné l'adresse de la maison de repos, ils gardèrent le silence, serrés l'un contre l'autre, accrochés à la mémoire de ceux qu'ils avaient croisés ces derniers jours. Les visages de Jorge, de Peter et de Dunn assombrissaient leur esprit. Tout ce qui s'était passé n'avait aucun sens.

— Ça fait huit euros.

La voix du chauffeur de taxi les tira de leur léthargie. Ils réglèrent la course, puis, après que Tomás eut déchargé les deux valises, ils franchirent le portail et entrèrent à Mon Repos. Les employées vinrent accueillir la directrice, et l'historien voulait voir sa mère au plus vite.

— Elle est là-haut, dit l'une des employées. Dona Graça aime bien prendre le soleil.

Après avoir posé les valises, Tomás se dirigea vers la grande terrasse où se trouvaient plusieurs résidents de la maison. Sa mère était allongée sur un transat ; les paupières closes, le visage tourné vers le soleil, elle savourait la chaleur. Il se pencha sur elle et l'embrassa sur la joue.

— Bonjour, maman. Comment vas-tu ?

Graça Noronha ouvrit les yeux, surprise, et elle dévisagea le nouvel arrivant.

— Qui êtes-vous, monsieur ?

— C'est moi, maman. C'est Tomás.

Elle secoua la tête.

— Mon Tomás est à l'école, rétorqua-t-elle. Detinha, je ne sais pas si vous la connaissez, c'est la maîtresse des CM1, elle dit que c'est un crack en arithmétique. Il connaît la table de multiplication par cœur ! (Elle soupira.) Ah, il ressemble à son père. Mais il paraît qu'il s'intéresse aussi à l'histoire, rendez-vous compte ! Un jour, il sera quelqu'un, vous verrez. Quelqu'un de très important ! Et tout le monde dira de moi : « C'est la mère de Tomás Noronha. » Mon Tomás ira loin, très loin, vous verrez…

L'état de sa mère s'était aggravé. Elle devait être

dans un mauvais jour. Et il y en avait de plus en plus, Tomás le savait, et dans de tels cas le traitement ne servait plus à grand-chose.

Il s'assit près d'elle et lui passa affectueusement la main dans les cheveux. Puis il regarda la pinède en repensant aux événements de ces derniers jours, le colis qu'il avait reçu à la fondation Gulbenkian, la poursuite à Coimbra puis celle à Lisbonne, le voyage aux États-Unis, la rencontre avec Peter, la découverte de l'*Œil quantique*...

L'enlèvement de Maria Flor avait relégué tout le reste au second plan. Mais, maintenant, il comprenait qu'il devait accorder davantage d'attention au contenu du document que Frank Bellamy leur avait légué. L'*Œil quantique* constituait sans conteste une avancée majeure, qui mériterait amplement le prix Nobel. Bellamy avait unifié la physique quantique, la relativité et la physique classique. Il avait clos le cycle du réel, en démontrant que l'univers crée la vie, laquelle crée la conscience, qui elle-même crée l'univers.

— « Je suis né dans l'esprit », murmura-t-il, citant de mémoire le livre XIII de l'*Hermétique*, texte millénaire d'Hermès Trismégiste. Un autre passage du fondateur de l'énigmatique sagesse hermétique, sur lequel s'ouvrait la *Tabula Smaragdina*, lui revint aussi : « Et comme toutes les choses sont venues de l'Un, ainsi toutes les choses sont uniques. »

C'était une découverte vraiment extraordinaire. Mais plus surprenante encore était la découverte que l'univers créait le réel à travers son observation constante. La réalité n'existe pas avant d'être observée. « Quelle idée étrange », se dit-il. L'observation brisait la superposition quantique, représentée par le mystérieux Ψ qui symbolisait la fonction d'onde dans l'équation de Schrödinger, et la forçait ainsi à créer la réalité telle que nous la connaissons. L'expérience de la double fente ayant montré que la conscience déterminait la manière dont se constituait le réel, l'idée selon laquelle l'univers s'observait lui-même avait une conséquence déconcertante et vertigineuse : l'univers était conscient. Ainsi formulée, une telle affirmation pouvait paraître invraisemblable ; néanmoins, l'évidence s'imposait. L'univers est Ψ, toutes les choses se ramènent virtuellement à une seule, car « toutes les choses sont venues de l'Un », le réel existe car « toutes les choses sont uniques », le réel se crée car l'univers est conscient et s'observe lui-même.

L'univers est conscient.

Qu'est-ce que cela impliquait pour lui, pour sa vie, pour ceux qui l'entouraient ? se demanda Tomás. Une idée commença alors à naître dans son esprit, une idée étrange. Une idée humiliante. Si l'univers était conscient, qui était-il, Tomás ? Qui était sa mère ? Qui était Maria Flor ? Si l'univers les créait à travers la conscience, que pouvait-il en conclure sur l'origine et le sens de son existence ? Oui, qui était-il ?

Un personnage.

Cette idée le frappa comme une gifle en plein visage. Lui, Tomás, était un personnage. Un simple personnage. L'idée s'introduisit dans son esprit, insidieuse et cruelle. Il tenta de la chasser, de se convaincre que ce n'était pas possible, que c'était un effet de son imagination trop fertile et débridée, mais, chaque fois qu'il revenait aux certitudes de la science sur la nature la plus profonde de la réalité, l'idée s'imposait à nouveau. Lui, Tomás, était un personnage. Sa mère, Maria Flor, Frank Bellamy et son fils Peter, Fuchs et jusqu'à ce psychopathe qui avait bien failli le tuer, tous étaient des personnages, dont les vies n'étaient que des créations de l'univers. Ce dernier les avait conçus, les manipulait et leur disait ce qu'ils devaient faire ou dire, déterminait ce qui leur arrivait quelle que fût l'heure, quel que fût le jour, quelle que fût la page.

Si l'univers est conscient, il est un écrivain et lui, Tomás, un personnage de roman. Cette idée était sans aucun doute terrifiante, mais d'une certaine façon, il sentait qu'elle était vraie. Quelqu'un l'avait créé, quelqu'un lui faisait vivre ces aventures invraisemblables, quelqu'un gagnait même de l'argent avec ça. Lui, Tomás, n'était qu'un personnage de fiction et l'univers conscient qui lui avait donné vie était le cerveau d'un écrivain. « Quelle chose incroyable », songea-t-il. Provocante même, mais ô combien véritable...

L'univers, c'était l'esprit de l'écrivain au moment de la création littéraire. Si un écrivain avait inventé les événements qui lui étaient arrivés ces derniers jours, nul doute qu'il avait dû décider par où commencer son histoire. Il avait opté pour la Suisse, mais où en Suisse ? À Zurich ? À Genève ? À Berne ? Ou dans un village perdu des Alpes ? Pour l'auteur qui l'avait créé, la Suisse était une fonction d'onde dans laquelle toutes les options coexistaient en superposition, mais selon des probabilités différentes, plus grandes dans le cas de Zurich ou de Genève, moindres s'agissant de petits villages. À un certain moment, néanmoins, il a bien fallu que l'auteur se demande où exactement il allait commencer l'histoire. En se posant la question, il faisait une observation consciente et, à l'instant où il prenait sa décision, les possibilités virtuelles qui s'étendaient à toute la Suisse en une onde de probabilités en superposition se sont brisées pour devenir une particule réelle en un point unique. Le site du CERN à Genève. L'histoire avait commencé par être virtuelle, couvrant toute la Suisse, avant de devenir réelle lorsque l'auteur avait pris la décision de commencer précisément au CERN, à Genève. C'était ainsi que l'univers créait la réalité. Il partait d'une onde qui couvrait toutes les possibilités en superposition et, au moment de la décision, il la transformait en une particule ayant une position unique. L'univers était un écrivain.

L'ironie de l'histoire était que l'auteur était, lui aussi, une création. Cet auteur ne le savait peut-être pas, ou peut-être l'avait-il déjà compris.

De toute façon, cela n'avait pas d'importance. Le fait est que l'univers est conscient, et si la conscience crée littéralement la réalité alors l'auteur des aventures de Tomás Noronha est, lui aussi, un personnage de fiction, le simple produit de l'imagination consciente de l'univers qui l'a créé.

Il en est de même pour ses lecteurs.

Hermès Trismégiste avait raison.

« *Nous naissons dans l'esprit.* »

— Tomás, tu veux un thé ?

L'historien se leva et se dirigea vers Maria Flor. Sa fiancée l'accueillit avec un sourire.

— Tu es la douceur même.

NOTE FINALE

Bien qu'elle puisse avoir l'apparence de la fiction, l'idée que l'observation crée partiellement la réalité est un produit de la science du XXe siècle. Elle a donné lieu à d'intenses débats entre Albert Einstein, Niels Bohr, Erwin Schrödinger, Werner Heisenberg et tous les grands physiciens présents lors du cinquième congrès Solvay en 1927, ainsi qu'à l'occasion d'autres rencontres et de réunions ultérieures. La question continue de susciter la polémique et les scientifiques sont divisés sur la façon dont il convient d'interpréter les découvertes relatives à l'étrange monde des *quanta*.

Le rôle de l'observation dans la création de la réalité a occupé le centre des débats et certains physiciens éminents, tels que John Wheeler et John von Neumann, ont noté que l'observation était synonyme de conscience. Cette conclusion, bien que controversée, a été soutenue par d'autres grands physiciens. Ainsi, Eugène Wigner, prix Nobel de physique, a écrit que « le contenu de la conscience est la réalité ultime » et qu'« il n'est pas possible de formuler les lois de la mécanique quantique de façon totalement cohérente sans faire référence à la conscience », tandis que l'un des créateurs du concept d'inflation de l'univers, Andreï Linde, a affirmé : « Je ne parviens pas à imaginer une théorie du tout cohérente qui ignore la conscience. » Cette déclaration a d'ailleurs été reprise par Roger Penrose : « La conscience fait partie de notre univers, partant, toute théorie physique qui ne l'intègre pas ne peut sérieusement prétendre offrir une vision complète du monde. »

Cette position est loin de faire l'unanimité. Les implications déconcertantes qui découlent de ces découvertes dérangent de nombreux scientifiques qui, pour des raisons philosophiques, refusent d'emblée le rôle de la conscience. C'est pourquoi ils ont tendance à écarter les problèmes soulevés par l'expérience de la double fente et la mécanique quantique dans son ensemble en se retranchant derrière une argutie technique, « le problème de la mesure ». La question embarrassante est ainsi réduite à une expression inoffensive, qui permet de dissimuler ce que le terme « mesure » signifie en dernière instance.

L'observation consciente.

Lorsqu'on mesure quelque chose, on fait une observation. Or, l'expérience de la double fente montre qu'un objet quantique, voire un atome ou une molécule, est soit une onde soit une particule selon la manière dont le sujet décide consciemment de l'observer. C'est donc le choix du sujet qui détermine la nature du réel, comme l'ont constaté Bohr, avec le principe de la complémentarité, et Heisenberg, avec le principe d'incertitude. Cette expérience de la double fente s'est révélée à ce point déconcertante qu'Albert Einstein a déclaré qu'elle était « incompréhensible », tandis que le prix Nobel de physique Richard Feynman a conclu qu'elle « renferme tout le mystère de la mécanique quantique », qui est un phénomène « qu'il est impossible, absolument impossible, d'expliquer de façon classique ».

Une partie importante de ce mystère tient à la nature énigmatique des particules avant qu'on ne les observe. Ainsi, un électron est une onde avant qu'un scientifique ne mesure ce qui se produit dans les fentes, et devient une particule à ce moment-là. Schrödinger pensait que l'onde était réelle, avis que partageait Louis de Broglie, mais de nombreux scientifiques de son temps étaient d'un avis différent. Malgré toute la prudence avec laquelle il s'exprimait, Bohr a fini par déclarer qu'« il n'existe pas de monde quantique », refusant ainsi la réalité sans l'observation, et Heisenberg, poursuivant son analyse, a déclaré que « les atomes ou les particules élémentaires ne sont pas réels ; ils forment un monde de potentialités ou de possibilités ».

Einstein lui-même, qui s'opposait à cette idée et défendait l'existence de la réalité indépendamment de l'observation, finit par admettre que l'onde décrite par la fonction d'onde était un *Gespensterfeld*, c'est-à-dire un « champ fantôme », et qu'elle n'avait donc pas d'existence réelle telle que nous la concevons. « Il s'agit d'une version quantitative du vieux concept de "puissance" de la philosophie aristotélicienne », ajouta à son tour Heisenberg au sujet de la fonction d'onde en tant qu'onde de probabilités, en précisant que cela « a introduit quelque chose qui se situe entre l'idée d'un événement et l'événement réel, un type étrange de réalité physique existant entre le possible et le réel ». Comme si la réalité sans observation, et par conséquent sans conscience, était elle-même fantomatique, une espèce de réalité virtuelle, ou « potentielle » pour utiliser la terminologie de Heisenberg, et ne devenait définie, ou réelle, qu'au moment où elle était observée. « La panoplie d'électrons fantômes ne décrit ce qui arrive qu'en l'absence d'observateur », affirma John Gribbin, le biographe de Schrödinger, soulignant que « lorsqu'on observe, tous les fantômes disparaissent, sauf un qui se matérialise en électron réel ».

C'est à ce stade que la conscience intervient dans le processus de création partielle de la réalité. La formule mathématique qui permet de calculer le processus quantique « fantôme » est la mystérieuse fonction d'onde de l'équation de Schrödinger, laquelle décrit la même réalité que celle dont traite la mécanique des matrices de Heisenberg. Ici se pose la grande énigme touchant la nature du réel. « La science ne pourra jamais résoudre le dernier mystère de la nature, écrit Max Planck. Et ce, en dernière analyse, parce que nous faisons partie nous-mêmes de la nature et donc du mystère que nous essayons de résoudre. »

Face aux perturbantes questions philosophiques soulevées par les expériences et les mathématiques qui prévoient le comportement des particules élémentaires avec une étonnante précision, de nombreux scientifiques ont choisi, pendant des décennies, de fermer les yeux devant le mystère et de faire comme si rien d'anormal ne se passait. La théorie quantique n'ayant jamais été prise en défaut, un consensus s'est dégagé autour de l'idée qu'elle décrit de façon rigoureuse le processus de constitution du réel, ce qui a amené un grand nombre de physiciens à se concentrer sur les calculs découlant de l'équation de Schrödinger et à ignorer les implications philosophiques extraordinaires de toute la théorie sous-tendue par ces mêmes calculs. De telles implications étaient trop étranges pour eux, au point que Feynman a dit : « Je crois pouvoir affirmer avec assurance que personne ne comprend la physique quantique. »

Après le célèbre et décisif cinquième congrès Solvay, tenu en 1927, et le débat qui s'est ensuivi, l'étude des implications philosophiques des découvertes quantiques a été découragée. Un physicien désireux d'approfondir la question pouvait voir sa carrière compromise. John Bell lui-même a avoué qu'il n'avait osé développer ses célèbres théorèmes que lorsqu'il avait été en congé sabbatique, et donc loin de la censure de ses pairs. S'il avait travaillé avec eux, laissa-t-il entendre, il ne se serait pas lancé dans un tel projet.

Aujourd'hui encore, les physiciens ne sont pas très à l'aise avec l'étrange comportement de l'énergie et de la matière au niveau quantique, ni avec la fameuse interprétation de Copenhague, qui attribue à l'observation le pouvoir de créer en partie la réalité. Rares sont les scientifiques qui croient vraiment que l'existence de la réalité dépend de l'observation, c'est pourquoi on recherche actuellement d'autres explications. L'une d'elles est la théorie de la décohérence, selon laquelle l'effondrement de la fonction d'onde est dû à l'interférence de l'environnement dans le système quantique, le forçant ainsi à se définir comme une « observation », ce qui explique que la fonction d'onde des objets macroscopiques s'effondre plus vite que celle des objets microscopiques – hypothèse envisagée à la fin de ce roman.

Une autre explication qui connaît un certain succès est celle des mondes multiples avancée par Hugh Everett, selon qui il n'y a pas effondrement de la fonction d'onde – toutes les possibilités se réalisent, mais dans des univers parallèles. Ainsi, lorsque l'électron se dirige vers les deux fentes et qu'une observation est faite, il ne choisit pas l'une d'entre elles seulement, il choisit les deux, mais dans des univers parallèles. Dans un univers, l'électron choisit la fente A et, dans l'autre, la fente B. Cette hypothèse des univers multiples, ignorée pendant longtemps, a été mise en avant par de nombreux scientifiques pour expliquer les troublantes découvertes liées au principe anthropique, décrites dans mon roman *La Formule de Dieu*, qui suggèrent que l'univers a été conçu pour créer la vie, voire la conscience. Selon les partisans de la théorie des mondes multiples, étant donné qu'il y a des millions d'univers, l'existence d'univers programmés pour produire la vie est inévitable sur le plan statistique.

Le grand problème est que l'interprétation de Copenhague, qui est en fait bien plus qu'une simple interprétation, n'a jamais été prise en défaut par aucune prévision, si rocambolesque soit-elle, comme dans le cas de l'intrication qui résulte du paradoxe EPR ; aucun physicien n'est donc disposé à s'en passer. Et c'est là toute l'ironie : les physiciens sont réservés sur l'image que l'interprétation de Copenhague donne de la réalité, mais sa mécanique leur inspire une confiance absolue. Il convient ici de reconnaître qu'il est arrivé aux partisans de l'interprétation de Copenhague eux-mêmes de douter des implications philosophiques de leur théorie, tant elles leur paraissaient étranges, et qu'il est facile de trouver des ambiguïtés, voire des contradictions dans leurs propres textes. Ainsi, Heisenberg a pu défendre une perspective phénoménologique, alléguant que « ce que l'on observe ce n'est pas la nature en soi, mais la nature telle que l'expose notre méthode pour l'interroger », et que « l'interaction entre l'observateur et l'objet provoque des changements conséquents et incontrôlables qui modifient le système observé », ce qui, nous le savons aujourd'hui, est une explication inexacte des « bizarreries » quantiques, comme il a pu reconnaître qu'il s'agissait d'un problème ontologique, lorsqu'il a affirmé que « les atomes ou les particules élémentaires ne sont pas réels » et que « l'itinéraire [d'une particule] ne se met à exister que lorsque nous l'observons ». Bohr lui-même a toujours utilisé les mots avec prudence. « Il est erroné de penser que la tâche de la physique est de savoir ce qu'est la nature, déclara-t-il dans sa version phénoménologique. La physique s'occupe de ce que nous pouvons dire sur la nature. »

Einstein, quant à lui, est allé au-delà de ce jeu sur les mots, pour présenter les conséquences philosophiques de la physique quantique crûment et sans ambiguïtés, replaçant le problème directement dans la sphère ontologique. « La conséquence habituelle de la mécanique quantique est que, lorsque le mouvement d'une particule est connu, sa position n'a pas de réalité physique », écrivit-il avec Boris Podolsky et Nathan Rosen dans l'article énonçant le paradoxe EPR, pour conclure : « Aucune définition un tant soit peu raisonnable de la réalité n'admet cela. » Bien que le concept selon lequel l'observation crée partiellement la réalité ait déjà été implicitement énoncé dans son principe de complémentarité, le paradoxe EPR a contraint Bohr à l'assumer sans subterfuges.

L'un des disciples de Bohr, John Wheeler, a toujours été le partisan le plus affirmé de la physique quantique, allant jusqu'à formuler cette phrase célèbre : « Aucun phénomène n'est réel tant qu'il n'a pas été observé. » Wheeler ne s'est jamais retranché derrière des jeux de mots. « Nous savons parfaitement que le photon n'existe pas avant d'être émis ni après avoir été détecté », écrivit-il à propos de l'expérience des deux fentes. Cela étant, Wheeler a reconnu que, certains jours, il croyait fermement que la réalité n'existait pas sans observation, parce que c'était ce que montraient les expériences, mais que, d'autres jours, cette idée lui paraissait complètement folle et qu'il ne parvenait pas à y croire. Heisenberg lui-même a reconnu sa perplexité : « Je me répétais sans cesse la même question : la nature peut-elle être vraiment aussi absurde qu'elle nous semble l'être dans ces expériences atomiques ? » Quoi qu'il en soit, et si curieux que cela puisse paraître, l'interprétation de Copenhague, dont la conséquence philosophique ultime est que la réalité est partiellement créée par l'observation, demeure l'instrument le plus puissant et le plus efficace pour comprendre l'univers quantique.

Et, si l'observation ne renvoie pas à la conscience, l'idée même que la conscience est à la base de la réalité continue de faire son chemin. On a découvert des similitudes entre la façon dont fonctionne notre cerveau et la théorie quantique. Un nombre croissant de physiciens se demande s'il n'y aurait pas un lien profond entre les deux. Wheeler a postulé que l'univers n'existe que parce qu'il y a une conscience qui l'observe, concept qui a gagné du terrain avec l'expérience de la gomme quantique à choix retardé, menée à l'université du Maryland et, séparément, à l'université de Munich. « La physique engendre l'observateur-participant ; l'observateur-participant engendre l'information ; l'information engendre la physique », écrivit Wheeler.

Et alors ? La Lune existe-t-elle si on ne l'observe pas ? C'est Einstein qui, le premier, a soulevé ce problème au cours d'une conversation avec son biographe. « Je me souviens que, pendant une promenade, Einstein s'arrêta brusquement, se tourna vers moi et me demanda si je croyais vraiment que la Lune n'existait que lorsqu'on la regardait », écrivit Abraham Pais. À la lumière de l'interprétation de Copenhague relative à l'expérience de la double fente, la réponse à la question de l'auteur des théories de la relativité ne peut être que négative – comme le pensait Einstein lui-même. La Lune est faite d'atomes et de particules élémentaires ; or, si « les atomes ou les particules élémentaires ne sont pas réels » (Heisenberg), si « le photon n'existe pas avant d'avoir été émis ni après avoir été détecté » (Wheeler) et si le champ ondulatoire de la matière est un « champ fantôme » (Einstein), alors le même raisonnement s'applique nécessairement à des objets plus grands – comme la Lune.

Du reste, l'expérience de la gomme quantique à choix retardé va justement dans cette direction, tout comme les théorèmes de Bell et les expériences d'Aspect. John Bell a observé que l'influence instantanée entre deux particules quelle que soit la distance qui les sépare, prouvée par Aspect, implique d'abandonner le concept de réalité locale. Par *réalité* on entend l'existence d'un monde indépendant de l'observation, et par *locale* l'existence de relations de cause à effet qui respectent les limites de la vitesse de la lumière. Selon Bell, l'un de ces deux concepts au moins est faux. Si l'on croit que le monde existe indépendamment de l'observation, on doit renoncer à la limite de la vitesse de la lumière ; si l'on refuse de renoncer à la limite de la vitesse de la lumière, alors il faut cesser de croire qu'il existe un monde indépendant de l'observation. L'une de ces prémisses, voire les deux, est nécessairement fausse. Pour des raisons philosophiques, Bell a opté pour la seconde, mais l'interprétation de Copenhague établit, sans la moindre équivoque, que c'est la première prémisse qui est fausse, celle selon laquelle la réalité est indépendante de l'observation. En d'autres termes, et à l'instar de l'électron, la Lune n'existe que si on l'observe. La seule manière de surmonter une telle « bizarrerie » et d'établir que la réalité existe indépendamment de notre observation est, selon moi, d'accepter la thèse proposée dans ce roman, à savoir que l'univers est conscient et qu'il s'observe lui-même en permanence, cette observation créant la Lune – et la totalité du réel.

Et comment mettre tout cela en relation avec la conscience humaine ? De nombreux physiciens, à commencer par Bohr et Schrödinger, admettent que la vie, y compris le cerveau, peut se comporter de façon inconcevable pour la théorie classique. « Il n'existe évidemment qu'une seule alternative, l'unification des esprits ou la conscience », observa Schrödinger en faisant une référence inspirée aux Upanishads, avant de conclure que « la multiplicité est simplement apparente, en réalité il n'existe qu'un esprit unique ». Le physicien Henry Stapp a même suggéré que la mécanique quantique joue un rôle dans la constitution de la conscience. « Un élément de la dynamique cérébrale dans lequel les processus atomiques jouent un rôle clé est la libération de neurotransmetteurs à la jonction synaptique », écrit Stapp, notant que la probabilité pour que cela se produise est de 50 % : « Chaque élément de l'alternative est représenté dans la fonction d'onde de la mécanique quantique. » Penrose a repris cette notion pour défendre l'idée que la conscience est liée à des fluctuations dans l'espace-temps en rapport avec la gravité quantique. Sir Roger Penrose a également fait observer que la conscience est constituée d'états quantiques en superposition et que les effets quantiques éventuels se produisent dans les synapses, phénomène sur lequel le neurophysiologue John Eccles avait déjà appelé l'attention. Il s'agit là d'un domaine très controversé et ouvert aux spéculations, mais le fait est que l'on commence à s'y intéresser.

Ce roman porte donc sur la réalité, l'univers et la conscience. L'ambition de ce livre est de faire connaître les déconcertantes découvertes réalisées depuis 1900 par les physiciens sur la nature profonde du réel. Et les faire sortir du cercle relativement restreint de la science et des curieux qui s'intéressent à ces questions et en débattent avec passion, et de les mettre à la portée du grand public. Bien entendu, c'est aussi une œuvre de fiction, mais en fin de compte, et comme cela a été amplement démontré ici, la réalité ne serait-elle pas elle-même une étrange forme de fiction ?

Pour écrire ce livre, j'ai consulté une vaste bibliographie que je me dois de mentionner, ne serait-ce que parce que je n'ai rien inventé, mis à part l'intrigue, sortie tout droit de mon esprit en superposition. Au sujet du phénomène de la conscience, j'ai consulté les livres *Mind, Language and Society – Philosophy in the Real World*, de John Searle ; *O Sentimento de Si – O Corpo, a Emoção e a Neurobiologia da Consciência*, d'António Damásio ; *Consciousness Explained*, de Daniel C. Dennett ; *A Alma Está no Cérebro – Uma Radiografia da Máquina de Pensar*, d'Eduardo Ponset ; *Consciousness*, de Susan Blackmore ; *Mind, Matter and Quantum Mechanics*, de Henry P. Stapp ; *Shadows of the Mind – A Search for the Missing Science of Consciousness*, de Sir Roger Penrose et *Eyewitness Testimony*, d'Elizabeth Loftus. J'ai également mis à profit les articles « Evolution of consciousness », de John C. Eccles ; « Can conscious experience affect brain activity ? », « Unconscious cerebral initiative and the role of conscious will in voluntary action » et « Do we have free will ? », de Benjamin Libet ; « Time of conscious intention to act in relation to onset of cerebral activity (readiness potential) – The unconscious initiation of a freely voluntary act », de Benjamin Libet, Curtis Gleason, Elwood Wright et Dennis Pearl ; « Biological foundations of accuracy and inaccuracy in memory », de Larry Squire ; et « Perceiving the world », de David Krech et Richard Cruchfield.

Concernant la physique quantique, j'ai consulté quelques-unes des œuvres classiques des fondateurs de la théorie quantique, notamment *Ideas and Opinions*, d'Albert Einstein ; *The Evolution of Physics – From Early Concepts to Relativity and Quanta*, d'Albert Einstein et Leopold Infeld ; *My View of the World* et *Mind and Matter*, d'Erwin Schrödinger ; *Determinismo ou Indeterminismo* et *Where is Science Going ?*, de Max Planck ; *The Physical Principles of the Quantum Theory, Physics and Beyond* et *La Nature dans la physique contemporaine*, de Werner Heisenberg ; *Wholeness and the Implicate Order*, de David Bohm ; et *Speakable and Unspeakable in Quantum Mechanics*, de John Bell ; ainsi que des biographies comme *Subtil É o Senhor – Vida e Pensamento de Albert Einstein*, de Abraham Pais ; *Einstein – A Life*, de Denis Brian ; *Beyond Uncertainty – Heisenberg,*

Quantum Physics, and the Bomb, de David Cassidy et *Erwin Schrödinger and the Quantum Revolution*, de John Gribbin.

J'ai également puisé dans des articles classiques comme « Physics and reality » et « Reply to criticisms », d'Albert Einstein ; « Can quantum-mechanical description of physical reality be considered complete ? », d'Albert Einstein, Boris Podolsky et Nathan Rosen ; « Discussions with Einstein on epistemological problems in atomic physics », « The quantum postulate and the recent development of atomic theory », « The structure of the atom » et « Can quantum-mechanical description of physical reality be considered complete ? », de Niels Bohr ; « The fundamental idea of wave mechanics » et « The present situation in quantum mechanics », d'Erwin Schrödinger ; « The development of quantum mechanics », de Werner Heisenberg ; « The statistical interpretation of quantum mechanics », de Max Born ; « Remarks on the mind-body problem », d'Eugène Wigner ; « Einstein and the quantum theory », d'Abraham Pais ; « Information, physics, quantum : the search for links », « Law without law » et « Assessment of Everett's "Relative State" formulation of quantum theory », de John Wheeler ; « Quantum theory, the Church-Turing principle and the universal quantum computer », de David Deutsch ; « The wave function : it or bit ? » et « Quantum discreteness is an illusion », de Dieter Zeh ; « Is the moon there when nobody looks ? Reality and the quantum theory », de David Mermin ; « On the Einstein Podolsky Rosen Paradox », « On the problem of hidden variables in quantum mechanics » et « On the impossible pilot wave », de John Bell ; « John Bell and the second quantum revolution », d'Alain Aspect ; « Experimental test of Bell's inequalities using time-varying analyzers » et « Experimental realization of Einstein-Podolsky-Rosen-Bohm *Gedankenexperiment* : a new violation of Bell's inequalities », d'Alain Aspect, Jean Dalibard et Gérard Roger ; « Experiment and the foundation of quantum physics », d'Anton Zeilinger ; « A quantum renaissance », d'Anton Zeilinger et Markus Aspelmeyer ; « Happy centenary, photon », d'Anton Zeilinger, Gregor Weihs, Thomas Jennewein et Markus Aspelmeyer ; « The theory of the universal wave function » et « "Relative State" formulation of quantum mechanics », de Hugh Everett III ; « The state of the universe » et « Theories of everything and Hawking's wave function of the universe », de James Hartle ; « Quantum theory of gravity. I – The canonical theory », de Bryce DeWitt ; « Interference fringes with feeble light », de G. I. Taylor ; « Quantum eraser : a proposed photon correlation experiment concerning observation and "delayed choice" in quantum mechanics », de Marlan Scully et Kai Drühl et « Observation of a "quantum eraser" : a revival of coherence in a two-photon interference experiment », de Paul Kwiat, Aephraim Steinberg et Raymond Chiao.

Parmi mes sources, il convient aussi de citer d'autres ouvrages scientifiques, notamment *Y a-t-il un grand architecte dans l'univers ?*, de Stephen Hawking et Leonard Mlodinow ; *The Feynman Lectures on Physics – Volume III : Quantum Mechanics, QED,*

Lumière et matière – Une étrange histoire et *The Character of Physical Law*, de Richard Feynman ; *L'Univers élégant – Une révolution scientifique : de l'infiniment grand à l'infiniment petit, l'unification de toutes les théories de la physique, La Réalité cachée – Les univers parallèles et les lois du cosmos* et *La Magie du cosmos – L'espace, le temps, la réalité : tout est à repenser*, de Brian Greene ; *Quantum – Einstein, Bohr and the Great Debate about the Nature of Reality*, de Manjit Kumar ; *The Quantum Story – A History in 40 Moments*, de Jim Baggott ; *Quantum Theory at the Crossroads : Reconsidering the 1927 Solvay Conference*, de Guido Bacciagaluppi et Antony Valentini ; *Decoding the Universe*, de Charles Seife ; *Programming the Universe – A Quantum Computer Scientist Takes on the Cosmos*, de Seth Lloyd ; *Parallel Worlds – A Journey Through Creation, Higher Dimensions, and the Future of the Cosmos*, de Michio Kaku ; *Decoding Reality – The Universe as Quantum Information*, de Vlatko Vedral ; *Higgs Force – Cosmic Symmetry Shattered*, de Nicholas Mee ; *The God Particle – If the Universe is the Answer what is the Question ?*, de Leon Lederman ; *The Quantum Frontier – The Large Hadron Collider*, de Don Lincoln ; *Present at the Creation – Discovering the Higgs Boson*, d'Amir D. Aczel ; *Higgs Discovery – The Power of Empty Space*, de Lisa Randall ; *The God Effect – Quantum Entanglement, Science's Strangest Phenomenon*, de Brian Clegg ; *The Big Questions – Physics*, de Michael Brooks ; *50 Quantum Physics Ideas*, de Joanne Baker ; *Quantum Enigma*, de Bruce Rosenblum et Fred Kuttner ;

The Cosmic Code – Quantum Physics as the Language of Nature, de Heinz R. Pagels ; *Theories of the Universe*, de Gary Moring ; *In Search of Schrödinger's Cat – Quantum Physics and Reality* et *Schrödinger's Kittens and the Search for Reality – Solving the Quantum Mysteries*, de John Gribbin ; *The Physics of Consciousness*, d'Evan Harris Walker ; *Biocentrism*, de Robert Lanza ; *Chroniques des atomes et des galaxies*, de Hubert Reeves ; *The Self-Aware Universe*, d'Amit Goswami, Maggie Goswami et Richard Reed ; *The Goldilocks Enigma – Why Is the Universe Just Right for Life ?* et *God & The New Physics*, de Paul Davies ; *The Matter Myth – Dramatic Discoveries that Challenge Our Understanding of Physical Reality*, de Paul Davies et John Gribbin ; et *Information and the Nature of Reality – From Physics to Metaphysics*, de Paul Davies et Niels Henrik Gregersen (éditeurs).

À propos de la mort et des expériences de mort imminente, d'ailleurs beaucoup plus fréquentes qu'on ne le pense, j'ai consulté *Spook – Science Tackles the Afterlife*, de Mary Roach et *What Happens When We Die – A Groundbreaking Study into the Nature of Life and Death*, de Sam Parnia.

Je tiens également à exprimer toute ma gratitude à certaines personnes, à commencer par le scientifique canadien Hubert Reeves qui, au cours d'une intéressante conversation chez lui, à Paris, a appelé mon attention sur l'importance des théorèmes de Bell, entrouvrant ainsi une porte, ce qui allait m'inciter à écrire ce roman. Un grand merci également à mes réviseurs scientifiques, notamment Pedro Ferreira, professeur de physique à l'Institut supérieur d'ingénierie de Lisbonne et au Centre de physique théorique et numérique de l'université de Lisbonne ; et Carlos Costa Leite, professeur de sciences cognitives et informatiques à l'Université lusophone. Une fois de plus, je tiens à répéter ici que mes réviseurs scientifiques n'ont aucune responsabilité quant aux conjectures présentées dans mes livres, ou aux éventuelles erreurs qui auraient pu échapper à leur vigilance, lesquelles ne résulteraient que de mon entêtement habituel.

J'adresse aussi mes chaleureux remerciements à Paulo Ornelas Flor, de la PSP (police de sécurité publique) ; aux deux scientifiques du CERN qui m'ont aidé, mais dont je ne puis révéler l'identité conformément aux règles de l'institution pour laquelle ils travaillent ; ainsi qu'à mes éditeurs aux quatre coins du monde, de Guilherme Valente et toute l'équipe de Gradiva à Lisbonne, aux éditeurs et à leurs collaborateurs à Paris, Barcelone, Rome, Amsterdam, Moscou, Plovdiv, Budapest, Bucarest, Prague, Helsinki, Oslo, Athènes, Istanbul, New York, Bangkok, Rio de Janeiro, et dans tant d'autres villes, pays et langues. Merci aussi à vous, cher lecteur, d'avoir fait ce voyage avec moi. Enfin, mes derniers remerciements vont, bien sûr, à Florbela, première passagère comme toujours.

Avant de vous quitter, une dernière énigme. Dans les pages de ce roman, j'ai dissimulé la réponse que la sagesse antique formule au sujet de l'univers qui nous entoure, solution qui semble être aujourd'hui plus vraie que jamais. Reconstituez-la en prenant, à la manière d'un acrostiche, la première lettre de chaque chapitre, du prologue à l'épilogue ; vous ouvrirez ainsi, enfin, les portes du grand mystère de l'existence.

Le corps humain est à l'image du corps cosmique,
L'esprit humain est à l'image de l'esprit cosmique,
Le microcosme est à l'image du macrocosme,
L'atome est à l'image de l'univers.

Les Upanishads

Ouvrage composé par
PCA 44400 Rezé
Imprimé en Espagne par
Liberdúplex
à Sant Llorenç d'Hortons (Barcelone)
en mars 2015

POCKET – 12, avenue d'Italie – 75627 Paris cedex 13

Dépôt légal : avril 2015
S25429/01